Viktorianische Malerei

Viktorianische Malerei

Von Turner bis Whistler

Herausgegeben und mit Beiträgen von
Robin Hamlyn, Christoph Heilmann, Christopher Newall
und Julian Treuherz

Prestel

Dieses Katalogbuch erschien anläßlich der Ausstellung
›Viktorianische Malerei. Von Turner bis Whistler‹
in den Bayerischen Staatsgemäldesammlungen München, Neue Pinakothek,
vom 26. Februar bis 2. Mai 1993

Der Druck der Publikation wurde vom
Bankhaus Merck, Finck & Co., München, unterstützt

Übersetzungen aus dem Englischen:
Ingrid Hacker-Klier (Beitrag Christopher Newall; Bildkommentare)
Wolfgang Himmelberg (Beiträge Julian Treuherz und Robin Hamlyn; Biographien)

Der Band enthält 94 Farbabbildungen und 46 einfarbige Abbildungen

Titelbild:
Dante Gabriel Rossetti: *Das blaue Boudoir*, 1865,
The Barber Institute of Fine Arts, The University of Birmingham (Tafel 65)

Umschlag-Rückseite:
John Singer Sargent: *Die Familie Sitwell*, 1900,
Sir Reresby Sitwell Bt. (Tafel 111)

Die Deutsche Bibliothek – CIP-Einheitsaufnahme

Viktorianische Malerei. Von Turner bis Whistler [Katalogbuch
anläßlich der Ausstellung Viktorianische Malerei – Von Turner bis
Whistler, in den Bayerischen Staatsgemäldesammlungen München,
Neue Pinakothek, vom 26. Februar bis 2. Mai 1993]
hrsg. und mit Beitr. von Robin Hamlyn u. a. ...
[Übers. aus dem Engl.: Ingrid Hacker-Klier und Wolfgang Himmelberg].
München: Prestel, 1993
NE: Hamlyn, Robin u. a. [Hrsg.]; Ausstellung Viktorianische Malerei
– von Turner bis Whistler
⟨1993, München⟩; Neue Pinakothek ⟨München⟩

Prestel-Verlag
Mandlstraße 26 · D-8000 München 40
Telefon (089) 38 17 09 0 · Telefax (089) 38 17 09 35

© Prestel-Verlag, British Council und die Herausgeber,
München und London 1993

Gestaltung:
Michael Pächt, München

Reproduktionen: Karl Dörfel Reproduktionsgesellschaft mbH, München
Satz, Druck und Bindung: Passavia Druckerei GmbH Passau
Printed in Germany
ISBN 3-7913-1244-8

Inhalt

Zum Geleit

Anders als die Malkunst Frankreichs ist die der Briten in Deutschland und in anderen Ländern des Kontinents auch heute immer noch viel zu wenig bekannt. Dies mag an ihrer Besonderheit liegen, mit der sie sich von den Malschulen des übrigen Europa weit stärker unterscheidet als diese untereinander. Ihr unverwechselbar nationales Gepräge hat verschiedentlich zu Untersuchungen geführt, die den Gründen für dieses Phänomen nachspürten. Am bekanntesten ist das so überaus anregende und aufschlußreiche Buch von Nikolaus Pevsner, dessen Titel ›The Englishness of English Art‹ uns diese Besonderheit bereits deutlich macht. Schon vor mehr als hundert Jahren hat Henry James den vielzitierten Satz verlauten lassen: »Ich gebe offen zu, daß mich an der englischen Malerei mehr das Englische als die Malerei interessiert. Sie hilft mir im Ganzen wenig, die Kunst Tizians und Rembrandts zu verstehen; aber sie bringt auf immer neue, unerschöpfliche, immer glückliche Art den englischen Charakter zum Ausdruck.«

Obschon im 18. und 19. Jahrhundert sehr viele bedeutende Maler aus England den Kontinent besucht haben, um hier, vor allem in Italien und in Frankreich, die Kunst der alten Meister und ihrer eigenen Zeitgenossen zu studieren, haben sie diese Anregungen auf eine höchst eigene Weise in ihre nationale Mentalität und Ästhetik umgesetzt, so daß es überaus schwierig ist, die direkten Bezüge festzustellen. Bei dem nicht gerade geringen Anteil von Information und Interesse im gegenseitigen Austausch auf den Gebieten der Kunstästhetik und Literatur hat sich diese Eigenständigkeit britischer Kunstleistungen seit jener Zeit allmählich herausgebildet, als die Malerei in England während des 18. Jahrhunderts von den bis dahin vom Kontinent ins Land gerufenen Künstlern unabhängig wurde und sich mit so bedeutenden Persönlichkeiten wie William Hogarth, Joshua Reynolds, Thomas Gainsborough, Richard Wilson eine nationale Identität mit der in London 1768 gegründeten Royal Academy als Zentrum herausbildete.

Nicht hoch genug zu bewerten als Voraussetzung für unser hier behandeltes Thema ist die Einflußnahme englischer Kunsttheorien des 18. Jahrhunderts auf Deutschland, wo mit der Kenntnis von Schriften von Anthony Shaftesbury, David Hume, William Gilpin, Uvedale Price u. a. im Zusammenspiel mit den Ideen Jean-Jacques Rousseaus das Verhältnis des Menschen zur Natur neue künstlerische Sehweisen bewirkte und Grundlagen für die romantische Bewegung schuf, mit Rückwirkung auch auf England. Die Romantik in Deutschland hätte ohne die Vorgaben aus Großbritannien mit Sicherheit einen anderen Verlauf genommen. Nirgendwo auf dem Kontinent konnte das Interesse auch an den von der Romantik wiederentdeckten Werken Shakespeares und seiner Epoche größer sein als hierzulande, wo Ludwig Tieck nach seinen wissenschaftlichen Shakespeare-Studien 1817 in England zusammen mit August Wilhelm Schlegel die noch heute gültigste Übertragung ins Deutsche lieferte und dessen Bewunderung für Sir Walter Scott und seine Sammlung alter schottischer Balladen zehn Jahre später die gesammelten Märchen der Gebrüder Grimm nach sich zogen.

Eine Vielfalt von Informationsflüssen und gegenseitigen Anregungen, wie sie in den folgenden Essays Erwähnung finden, hielt bis in die ersten beiden Jahrzehnte viktorianischer Zeit an, wobei die insularen Besonderheiten sich zunehmend selbständig entwickelten. Die in diesem Buch zur Ausstellung ›Viktorianische Malerei. Von Turner bis Whistler‹ ausgewählten Beispiele versuchen einen Eindruck von der komplexen Reichhaltigkeit und Individualität dieser über sechzig Jahre dauernden Epoche zu geben, die als eine höchst bedeutende Facette europäischer Kunst des 19. Jahrhunderts zu gelten hat.

Die Herausgeber

Julian Treuherz

Vielfalt der Kunst zwischen Romantik und Impressionismus

Königin Victoria regierte 64 Jahre lang, von 1837 bis 1901. Es war eine Zeit heftiger gesellschaftlicher Umwälzungen, in der sich Großbritannien von einer vorwiegend ländlich geprägten zu einer städtischen Gesellschaft wandelte. Die industrielle Revolution und die gewaltige Bevölkerungszunahme führten zu einem beispiellosen Wachstum der Städte, was große soziale und politische Probleme verursachte. Andererseits hatte die Ausweitung von Handel und Industrie beträchtlichen Wohlstand zur Folge, insbesondere für die sogenannte Mittelschicht. Sie nahm zu, wurde wohlhabender und damit selbstbewußter und kulturell ambitionierter. Sie legte Wert auf ansehnliche, aufwendig eingerichtete Häuser, auf Lebensstil und Bildung; man las Bücher und Zeitungen, gründeten kulturelle und soziale Institutionen. Die Voraussetzungen für eine Blüte der Kunst waren gegeben.

Die Mittelschicht spielte eine entscheidende Rolle bei der Entwicklung der viktorianischen Malerei: Ihre Prosperität bestimmte die Art des Kunstsammelns, ihr Geschmack die Produktionen der Künstler. Im 18. und frühen 19. Jahrhundert hatten die wichtigsten Kunstsammler den grundbesitzenden Klassen angehört, der Aristokratie und dem Landadel. (Die Kirche hatte im vorwiegend protestantischen England nie eine bedeutende Rolle in der Kunstförderung gespielt, und mit dem Ende der absoluten Monarchie im 17. Jahrhundert trat auch der Staat kaum noch als Auftraggeber in Erscheinung.) Auf ihren Bildungsreisen, den ›Grand Tours‹ durch Frankreich und Italien, kauften Aristokraten und Landadelige Bilder und Skulpturen für ihre Herrenhäuser. Ihrem von klassischer Bildung geprägten Geschmack entsprachen die Alten Meister der Renaissance und des Barock. Sie förderten auch die britischen Künstler, waren jedoch nur an ganz bestimmten Sujets interessiert: hauptsächlich gaben sie Porträts, Landschafts- und Jagddarstellungen in Auftrag, nur gelegentlich Bilder mit historischem oder mythologischem Inhalt.

Im frühen 19. Jahrhundert änderte sich das ökonomische Kräfteverhältnis. Der Reichtum akkumulierte sich jetzt in den Händen der Kaufleute und Fabrikanten aus der Mittelschicht. Diese nun wichtigsten Kunstförderer waren an einer größeren thematischen Vielfalt interessiert. Sie sammelten die Werke moderner britischer Maler, und die gesicherte Authentizität einer Signatur bedeutete ihnen mehr als der Kennerblick auf die Geheimnisse der Alten Meister. Die entlegenen Allegorien und die obskure klassische Mythologie der europäischen Tradition waren ihnen gleichgültig. Was sie bewunderten, waren narrative Sujets und detaillierte Ausarbeitungen. Sie wollten Bilder, die erkennbare Geschichten erzählten, sie erfreuten sich an humorvollen Episoden und einer einfachen, bürgerlichen Moral. Diese Haltung spiegelte sich in den Alltagsszenen der Genrebilder wider, die den frühen viktorianischen Geschmack beherrschten. Hauptsächlich handelte es sich dabei um Kleinformate, abgestimmt auf die maßvoll gehaltenen Räume der typisch bürgerlichen Villen, die in den immer mehr anwachsenden Randbezirken der Städte entstanden.

Viele Sammlungen, deren Schwerpunkte auf Genrebildern und Bildern mit narrativen Sujets lagen, wurden in den dreißiger, vierziger und fünfziger Jahren von Fabrikanten und Kaufleuten, von Ingenieuren, Eisengießerei- und Baumwollspinnereibesitzern zusammengetragen. Eine für die frühe viktorianische Zeit typische Samm-

lung, noch heute in ihrer Gesamtheit zu studieren, ist die des Wollstoffabrikanten John Sheepshanks aus Leeds, der die britische Armee während des Kriegs gegen Napoleon in Spanien (1808-14) mit Uniformen belieferte und damit ein Vermögen machte (Abb. 1). Seine Sammlung, die er in seinem Londoner Haus aufbewahrte, wurde dem Victoria & Albert Museum übergeben. Sie umfaßt unter anderem Werke von Turner, Mulready, Leslie und Landseer, viele davon erzählfreudig und humorvoll.

Das Interesse am Erzählerischen zog sich durch die ganze viktorianische Epoche. Es zeigt sich auch in Sammlungen aus der Spätzeit, wie etwa der des Zuckerraffineriebesitzers Sir Henry Tate, die den Kern der Tate Gallery bildet, oder der des Arzneimittelfabrikanten Thomas Holloway, der das Royal Holloway College für Mädchen gründete (heute Bestandteil der London University) und hierfür eine Gemäldegalerie stiftete, die noch heute dort besichtigt werden kann. Doch der Geschmack der Mittelschicht war raffinierter, als es die genannten Sammlungen mit ihren teils trivialen erzählerischen

1   William Mulready: *Eine Innenansicht mit einem Porträt von John Sheepshanks in seiner Wohnung in der Old Bond Street*, 1832. Victoria & Albert Museum, London. Der typische Sammler der frühen viktorianischen Zeit mit seinen Bildern.

Genredarstellungen vermuten lassen. So begannen einige Kunst-freunde Bilder der Präraffeliten zu kaufen, als die meisten Sammler sie noch für schockierend und schwierig hielten. Zu den frühen För-derern dieser Künstler gehörten Männer wie Thomas Combe, Leiter der Oxford University Press, ein frommes Mitglied der High-Church-Bewegung, den die visionäre Tiefgründigkeit, die komplexe Ikonographie und die spirituelle Stimmung der Bilder von Holman Hunt und Millais unmittelbar anzusprechen vermochten (Combes Sammlung befindet sich heute im Ashmolean Museum in Oxford). Spätere Sammler der Präraffeliten, wie zum Beispiel James Leathart, Besitzer einer Bleigießerei in Newcastle, waren Männer von hoher Sensibilität. Und als fortschrittliche Künstler wie Whist-ler, Moore und Rossetti in den siebziger und achtziger Jahren die gewohnt narrative und detailgetreue Darstellungsweise verwarfen, fanden sie Zustimmung bei kultivierten Mäzenen, wie dem Reeder F. R. Leyland oder dem Finanzier Alexander Ionides, die darüber hinaus auch Kenner Alter Meister, alter Möbel und Keramiken waren und ihre Häuser ganz dem Kult der Schönheit weihten (Abb. 2).

Auch die Bemühungen, die Arbeiterklasse durch den läuternden Einfluß öffentlich zugänglicher Kunst zu bilden und zu kultivieren, gingen auf die Mittelschicht zurück. In den Stadtverwaltungen wich-tiger Industriestädte wie Birmingham, Liverpool, Leeds und Man-chester hatten ortsansässige Fabrikanten und Kaufleute das Sagen. Unter ihrem Einfluß wurden insbesondere in den siebziger und acht-ziger Jahren neue öffentliche Kunstgalerien unter städtischer Ver-waltung gegründet, die mit privaten Zuschüssen und Schenkungen unterstützt wurden.

Die Künstler werden Bürger

Die zunehmende Vorherrschaft der Mittelschicht wirkte sich immer mehr auch auf den Lebensstil und die Einstellungen der Künstler aus. Zwar hatte die 1768 gegründete Royal Academy einiges dazu beigetragen, die gesellschaftliche Stellung der Maler zu verbessern, doch noch im frühen 19. Jahrhundert galten sie, von den wirklich erfolgreichen abgesehen, allenfalls als bessere Handwerker. Das Londoner Künstlerviertel war Soho und die Tottenham Court Road, Gegenden, die von altersher mit Handwerkern, Kunsthandwerkern und kleinen Händlern in Verbindung gebracht wurden, und der Er-folg eines Künstlers hing immer noch von den Launen reicher Mä-zene ab. Eine systematische Künstlerausbildung gab es nicht: Einige wurden als Atelierassistenten von professionellen Künstlern ausge-bildet, andere gingen bei Dekorationsmalern in die Lehre. Die ersten staatlich geförderten Kunstschulen wurden erst in den dreißiger Jah-ren des 19. Jahrhunderts gegründet. Selbst diejenigen, die sich glücklich schätzen konnten, die (regierungsunabhängigen) Royal Academy Schools besuchen zu dürfen, erhielten eine altmodische und einengende Kunstausbildung.

Erst zur Regierungszeit Königin Victorias wurde für eine syste-matische Ausbildung der Künstler gesorgt. Sie waren jetzt keine Außenseiter mehr, viele von ihnen wurden angesehene Bürger der Mittelschicht. Mit der steigenden Nachfrage nach Bildern stiegen die Preise und damit auch das Einkommen der Künstler. Sie zogen vom Londoner Zentrum in Mittelschichtsvororte wie Kensington, Bayswater und St. John's Wood und, mit der Ausdehnung des Eisen-bahnnetzes, nach Surrey und Kent. Die Wohlhabenderen bauten sich

2   Der Salon in F. R. Leylands Haus, 49 Princes Gate, London.
Außer den hier zu sehenden Gemälden Rossettis besaß Leyland
auch Werke von Whistler und Burne-Jones.

eigene, oft verschwenderisch eingerichtete Atelierhäuser, sowohl um ihre Kunden zu beeindrucken als auch um unter bequemen Arbeits- und guten Lichtbedingungen arbeiten zu können. Im Bereich der Melbury Road in Kensington haben sich einige dieser Häuser erhalten, und eines davon, Leighton House mit seiner im arabischen Stil gekachelten Vorhalle und dem großen Atelier, ist der Öffentlichkeit zugänglich (Abb. 3). Der Staat organisierte ein zentralisiertes Kunstschulensystem und ein strukturiertes Prüfungs- und Studienabschlußsystem, das lange Zeit hindurch von Mitarbeitern des South Kensington Museum und später von den städtischen Behörden verwaltet wurde. Die Künstler entwickelten ein ausgeprägtes Bewußtsein für ihren Berufsstand: In jeder Künstlerkarriere gab es Marksteine wie die erste Ausstellungsteilnahme in der Academy, die Wahl zum ARA (außerordentlichen Mitglied der Academy) und schließlich zum RA (Vollmitglied der Academy), außerdem Medaillen und Ehrungen kontinentaleuropäischer Akademien und anderes mehr. In wenigen Fällen war die Krönung der Karriere die Ritter- oder sogar die Peerswürde. Außerdem profitierten die Künstler vom Verkauf von Urheberrechten und der Produktion von Stahlstichen nach ihren Werken. Die Erfindung des Stahlstichs und der Galvanoplastik ermöglichte es, Reproduktionen beliebter Gemälde in hohen Stückzahlen zu drucken (Abb. 4). Zeitungen und Zeitschriften berichteten ausführlich über Kunstausstellungen; Kunstzeitschriften wie ›Art Journal‹ und ›Studio‹ fanden immer stärkeren Absatz. Auf jeder Jahresausstellung der Academy wurde ein ›Bild des Jahres‹ gekürt und damit zum Gesprächsgegenstand der ›Schickeria‹ (Abb. 5). Dies alles trug zur Popularität der Künstler bei.

Ausklänge der Romantik

Königin Victoria herrschte länger als je ein anderer britischer Monarch. Die Kunst, die in ihrer Regierungszeit entstand, ist stilistisch und thematisch von komplexer Vielfalt, weist viele Gegenströmungen und Widersprüche auf. Es ist schwierig, die viktorianische Malerei mit ihren vielen verschiedenen Facetten auf eine allgemeine Formel zu bringen. Das Wort ›viktorianisch‹ bezeichnet nur eine Zeitspanne, keinen fest umrissenen Stil. Als Victoria den Thron bestieg, waren viele Künstler der romantischen Bewegung noch tätig; sie schufen jene emotional ausdrucksvollen Sujets, die für die Romantik typisch waren. Darstellungen der Unermeßlichkeit und der übermenschlichen Macht der Naturkräfte sind in den Gemälden von J. M. W. Turner, David Cox und John Martin häufig anzutreffen; Edwin Landseers berühmtes Bild *The Monarch of the Glen (Der König der Bergtäler)* zeigt beispielhaft, wie sehr die Künstler der Romantik von wilden Landschaften und der Freiheit der Tiere darin fasziniert waren. In den Arbeiten der Jüngeren erscheint die Natur jedoch domestiziert und konventionalisiert. Topographische Maler bereisten in zunehmender Zahl Europa und den Nahen Osten auf Motivsuche nach pittoresken Landschaften und fremdartigen Bauwerken. Landschaftssujets wurden zu einem Medium für sachliche Schilderungen, gelegentlich waren sie auch nur hübsche und beruhigende Zerstreuungskunst für die städtische Mittelschicht.

Genremalerei

Domestikation war auch ein kennzeichnendes Merkmal der in den dreißiger und vierziger Jahren so beliebten Genremalerei mit ländlichen Sujets wie Landarbeitern, Bauern, Müttern und Kindern, Szenen auf Jahrmärkten und in Dorfschenken. Dieser aus der holländischen und flämischen Malerei des 17. Jahrhunderts überkommene Bildtypus war im frühen 19. Jahrhundert von David Wilkie neu belebt worden. Viele Themen waren der britischen Geschichte sowie Theaterstücken und Romanen entnommen. Die Viktorianer kannten ihre Nationalliteratur gut: Walter Scott, Charles Dickens und vor allem Autoren der Restaurationszeit wie Lawrence Sterne und Oli-

ver Goldsmith. Diese Gemälde spiegelten die literarische und religiöse Bildung der Mittelschicht und führten ethisch-moralische Grundwerte vor Augen: die christlichen Postulate, harte Arbeit, Selbstvervollkommnung, Nächstenliebe, die Unantastbarkeit von Heim und Familie und den viktorianischen Moralkodex. Aktdarstellungen und unerfreulichen Themen wie der Armut und der Not in den Großstädten ging man weitgehend aus dem Wege. Die besten Beispiele für die frühe viktorianische Genremalerei finden sich im lebendigen und psychologisch scharfsichtigen Werk Mulreadys, doch weniger begabte Maler stießen auf diesem Gebiet, in dem es ständig nur um Detaildarstellung, Charakterisierung und Humorigkeit ging, schnell an ihre Grenzen.

So wurde denn auch im Verlauf der vierziger Jahre der schlechte Geschmack beanstandet, der in der Genremalerei vorherrschte. Viele forderten, die Regierung solle eingreifen und nach dem Beispiel anderer europäischer Länder Malern öffentliche Aufträge erteilen, um anspruchsvollere Kunst zu fördern. Die Gelegenheit bot sich mit dem Neubau der Houses of Parliament, nachdem der alte Palace of Westminster 1834 abgebrannt war. Eine königliche Kommission unter dem Vorsitz von Prinz Albert traf die Entscheidung, das neue Parlamentsgebäude solle mit Fresken nach Szenen aus der britischen Dichtung und Geschichte ausgestaltet werden, und in den vierziger Jahren wurden mehrere Künstler-Wettbewerbe dafür veranstaltet. Aufgrund der Unerfahrenheit der britischen Künstler mit der Freskotechnik, die zudem im feuchten Insel-Klima auf besondere Schwierigkeiten stieß, war das Ergebnis im großen und ganzen eher enttäuschend – mit Ausnahme der Arbeiten von Wiliam Dyce und Daniel Maclise, deren Gemälde deutlich den Einfluß der Nazarener zeigen und damit daran erinnern, daß die erfolgreichen historischen Wandgemälde von Peter Cornelius und seiner Münchner Schule das Vorbild für das Westminster-Projekt gewesen waren.

3   The Arab Hall, Leighton House, London. Lord Leighton war mit dem Forschungsreisenden Sir Richard Burton befreundet, der ihm viele dieser Kacheln schenkte.

Die Präraffaeliten

Die Unzufriedenheit mit dem Qualitätsniveau der Kunst in den vierziger Jahren manifestierte sich auch in der Gründung der Bruderschaft der Präraffaeliten im Jahre 1848, einer Gruppe von jungen und idealistischen Künstlern, in deren Augen die zeitgenössische Malerei größtenteils trivial und schal war. Ihre eigenen Bilder waren von zutiefst ernstem Charakter und behandelten Momente intensiver Gefühlszustände und moralische oder religiöse Probleme, manchmal vermittels Episoden aus ihren Lieblingsbüchern, manchmal mit Hilfe althergebrachter Topoi in modernem Gewand zum Ausdruck gebracht. Stilistisch nahmen sie sich zunächst das einfache, doch ausdrucksvolle und farbenprächtige Werk der frühen Italiener zum Vorbild – daher auch der auf die Kunst der Zeit vor Raffael weisende Begriff ›präraffaelitisch‹. Jene Kunstepoche wurde damals noch von allen, außer den fortschrittlichsten Kennern, als ›primitiv‹ erachtet. Die frühen Bilder der Präraffaeliten waren denn auch sehr farbig und bewußt ungelenk. Bald schon eigneten sich die Mitglieder der Bruderschaft einen geglätteteren und naturalistischeren Stil an. Von großer Bedeutung für sie waren die Schriften John Ruskins, für den die unmittelbare und gründliche Naturbeobachtung ein moralisches Gebot war. Ganz in diesem Sinne entwickelten sie eine Landschaftsmalerei, bei der die Bildräume mikroskopisch detailliert und scharf auf einen Brennpunkt hin konstruiert sind und die gewählte Sonnenbelichtung diesen Eindruck noch steigert. Von 1848

bis 1853 arbeiteten die Mitglieder der Bruderschaft und ihre Geistesverwandten eng zusammen und lernten voneinander. Ihre Werke aus dieser Zeit weisen stilistische Gemeinsamkeiten auf. Bald jedoch behauptete sich die Individualität der einzelnen Künstler, und sie schlugen verschiedene Richtungen ein: John Everett Millais malte populäre Sujets an der Academy, William Holman Hunt ging im Nahen Osten auf die Suche nach authentischen Örtlichkeiten für religiöse Themen, und Dante Gabriel Rossetti zog sich in die Traumwelt seiner Phantasie zurück. In den späten fünfziger und in den sechziger Jahren zog der präraffaelitische Stil mit seinen brillanten Farben, deutlich herausgearbeiteten Details und scharf gezeichneten Linien viele Nacheiferer an. In seiner Intensität und der Entschlossenheit, die Dinge neu zu sehen, war der Präraffaelitismus ein unablässiger Angriff gegen die sicheren Konventionen und guten Manieren der akademischen Malerei.

Ihrem Prinzip, nur Sujets von ernsthaftem Charakter zu behandeln, blieben die Präraffaeliten auch dann treu, wenn sie, dem Beispiel William Hogarths folgend, moderne Moralitäten in zeitgenössischem Gewand malten. Auf einer oberflächlicheren Ebene wurde dieses Interesse am modernen Leben von William Powell Frith, einem Mitglied der Royal Academy, aufgegriffen. In den fünfziger und sechziger Jahren malte er eine Reihe panoramischer, mit vielen Figuren vollgepackter Szenen des modernen Lebens, deren Formate es mit denen der Historiengemälde aufnehmen konnten. Alle seine Themen – Strände, Pferderennen und Bahnhöfe – zeigen, wie sehr

4   William Macduff: *Shaftesbury, oder Verloren und gefunden,* 1862. Privatsammlung.
Zwei Straßenbengel bewundern die Radierungen im Schaufenster eines bekannten
Graphikhändlers.

5 G.B. O'Neill: *Öffentliche Meinung*, 1863. Leeds City Art Galleries.
   Der Maler des erfolgreichen Bildes ist im Hintergrund zu sehen.

er von der Masse mit all ihren Klassen- und Charaktergegensätzen
fasziniert war, und bringen die Vielseitigkeit und Veränderlichkeit
des modernen Stadtlebens zum Ausdruck. Andere Maler schilderten
Szenen des modernen Alltags in kleineren Ausschnitten und stellten
oft ein naives Staunen über die Neuerungen der viktorianischen Zeit
zur Schau: Sie malten Eisenbahnen und Omnibusse, Reifröcke und
Zylinderhüte, und gelegentlich finden sich auch Verweise auf aktu-
elle Ereignisse.

In den späten fünfziger Jahren kündigten die originellen mittelalterlichen Sujets Rossettis, in denen die Freude am Ornamentalen
und die Überwindung naturgetreuer Raumgestaltung zum Ausdruck
kamen, den Widerstand gegen die Überbetonung des Sujets, des Erzählerischen und der Detaildarstellungen an, der sich dann in den
sechziger Jahren durchzusetzen begann. Eine Gruppe junger Maler,
unter denen Edward Burne-Jones herausragte, griff Rossettis Interesse an mittelalterlichen Themen, an phantasievollen Ausschmük-
kungen und am Sujet der Femme fatale auf: Der Präraffaelitismus
trat in eine zweite Phase ein. An die Stelle von Realismus, leuchtenden Farben und Detailgenauigkeit traten jetzt Schilderungen imagi-
närer oder legendärer Welten und angewandter Symbolismus, ge-
dämpfte Farben und die dekorative Verwendung von Linie, Muster
und Textur. An die Stelle präziser Darstellung trat eine Kunst poetischer Beschwörung.

Ästhetizismus und Klassizismus

Parallel zu dieser Entwicklung verlief die der ›Ästhetizistischen Bewegung‹, die ihren Höhepunkt in den siebziger und achtziger Jahren
erreichte. Sie beruhte auf dem Prinzip des ›L'art pour l'art‹, das der
aus Amerika stammende Maler James Abbott McNeill Whistler, der
in Paris studiert hatte und zeitlebens mit der Pariser Avantgarde in
Verbindung blieb, aus Frankreich nach Großbritannien importiert
hatte. In der britischen Malerei trat der Ästhetizismus zum ersten

Mal Mitte der sechziger Jahre in Erscheinung, als Whistler und Albert Moore dekorativ arrangierte Gemälde von drapierten weiblichen Gestalten malten. Sie schufen damit eine Kunst der reinen
Form, ohne jede Absicht, eine Geschichte zu erzählen, ein Thema
oder eine moralische Botschaft zu überbringen. Ein wichtiger
Aspekt der Ästhetizistischen Bewegung war das Interesse an den
kühnen und radikal vereinfachten Formen der japanischen Kunst,
ein weiterer bestand in der Analogie zwischen Malerei und Musik,
die der Schriftsteller Walter Pater in dem Diktum »Alle Kunst strebt
ständig nach dem Zustand der Musik« zum Ausdruck brachte.
Whistler wandte die Theorie der Kunst um der Kunst willen auch
auf die Porträt- und Landschaftsmalerei an. Dem Porträt seiner Mutter gab er den provokativen Titel *Arrangement in Grau und
Schwarz*, und seine sorgfältig ausgearbeiteten Form-, Ton- und Farb-
kombinationen, die eine bestimmte Szene suggerieren – sehr oft eine
Aussicht auf London und die Themse im Nebel oder bei Nacht –,
bezeichnete er mit den musikalischen Begriffen *Notturno* und *Harmonie*, ohne exaktere Angaben hinzuzufügen. Damit stieß er das
britische Kunstestablishment vor den Kopf, das solche Werke als
unfertig betrachtete. 1878 wurde diese Kontroverse in der berühmten Beleidigungsklage Whistler gegen Ruskin an die Öffentlichkeit
gebracht, nachdem der Kritiker dem Maler vorgeworfen hatte, dem
Publikum einen Farbtopf ins Gesicht geworfen zu haben.

Eine starke ästhetizistische Strömung durchzog eine der wichtigsten Bewegungen der späten viktorianischen Malerei, den Klassizismus. Die klassizistischen Maler der viktorianischen Zeit schauten
zurück auf das vollkommene Schönheitsideal, das sie in der griechischen Bildhauerei verwirklicht sahen und für das 19. Jahrhundert
wiederbeleben wollten. Wie Whistler kehrten auch sie dem Alltags-
realismus, dem Detail und dem Anekdotischen den Rücken. Sie verwarfen das narrative Element nicht gänzlich, denn sie griffen auf
Themen aus der griechischen Mythologie zurück. Oft jedoch waren
diese klassischen Szenen nur ein Vorwand, um harmonische Anmut

und Schönheit zur Schau stellen zu können. Die Gemälde Lord Frederic Leightons, des Hauptvertreters dieser Richtung, lassen sich oft an den großartigen Maßstäben der europäischen dekorativen Tradition messen. Sie sind von einer unvergleichlichen Farbenpracht und zeigen ein Gefühl für Linie und Rhythmus, das insbesondere in den glatt dahinfließenden Draperien deutlich sichtbar wird. Selbst Lawrence Alma-Tadema, der detaillierte, eng an archäologische Quellen angelehnte Rekonstruktionen des antiken Lebens malte, arbeitete mit einer exquisiten Pinselführung und brachte wunderschöne luxuriöse Effekte hervor.

Französische Einflüsse

Die klassizistische, idealistische Tendenz der spätviktorianischen Kunst tritt auch im Werk der Landschaftsmaler zutage, in deren Bildern Raffinement, Erlesenheit und poetische Stimmung größeres Gewicht haben als das realistische Element. Besonders einflußreich war Frederick Walker; er und seine Anhänger wurden als die ›Idylliker‹ bekannt. In diesem Zusammenhang sind auch die Landschaften von Georg Heming Mason und William Blake Richmond zu nennen, die in Italien bei dem Maler Giovanni Costa studiert hatten. In den achtziger Jahren kam jedoch eine neue Form der Landschaftsmalerei aus Frankreich nach Großbritannien. Immer mehr britische Kunststudenten studierten jetzt in Frankreich oder verbrachten den Sommer mit Freilichtmalerei in der Bretagne. Sie verehrten Jules Bastien-Lepage, dessen breiten Pinselstrich, Farbgebung, gleichmäßig graues Licht und derbe Bauerngestalten sie schon bald nachahmten. Einer der Schüler Lepages, Stanhope Forbes, ließ sich in dem Fischerdorf Newlyn in Cornwall nieder, wo eine Künstlerkolonie entstand. Andere reisten aufs Land und malten von einem neuen Realismus geprägte bäuerliche Szenen. Die von der französischen Malerei beeinflußten Maler ländlicher Sujets gründeten 1876 als Gegengewicht zur konservativen Royal Academy den New English Art Club, doch bald schon wurde der NEAC von einer radikaleren Gruppe übernommen, die Walter Sickert anführte, ein früherer Schüler Whistlers, der mit Whistlers Freunden Edgar Degas und Claude Monet bekannt war und einen subtilen und originellen Stil für Themen des Großstadtalltags wie Varietétheater- und Straßen-

szenen entwickelte. Unterdessen führten andere in Frankreich ausgebildete Maler, wie Sickerts Freund Wilson Steer und der amerikanische Porträtmaler John Singer Sargent, ein Freund Monets, die malerische und flüssige Bildsprache des französischen Impressionismus in Großbritannien ein.

Arme und Plutokraten

Die spätviktorianische Royal Academy stellte Bilder von großer thematischer Vielfalt aus: klassische, historische und moderne Sujets in den unterschiedlichsten Stilen. Der französische Emigrant James Tissot versah seine Schilderungen der elegant gekleideten Halbwelt mit modischem französischem Schick. Im Gegensatz dazu thematisierten Maler wie Frank Holl und Hubert Herkomer Armut und Arbeitslosigkeit, womit sie die Kritik jener herausforderten, die Luxus und Schönheit dargestellt sehen wollten. Ihre bewußt emotional aufrüttelnden Bilder, die beim Mittelschichtpublikum sowohl Mitleid als auch Schuldgefühle auslösen sollten, gingen auf ihre Erfahrungen als Illustratoren der Zeitschrift ›Graphic‹ zurück, die Reportagen über das Leben der Armen veröffentlichte. Doch entstanden nicht eben viele Bilder sozialkritischen Inhalts. Die meisten Maler der viktorianischen Spätzeit waren auf Porträtaufträge angewiesen, um ihren Lebensunterhalt zu verdienen. Doch auch auf diesem Gebiet kam in den achtziger Jahren mit John Singer Sargent neuer Schwung in die britische Kunst; seine verblüffend lebendigen Bildnisse ließen die bisherige Porträtmalerei plötzlich statisch und altmodisch erscheinen. Seine glänzenden Porträts der spätviktorianischen Plutokraten sind ein Resümee des immensen Reichtums und der Selbstgefälligkeit der britischen High-Society um die Jahrhundertwende.

Viele viktorianische Maler lebten bis weit ins 20. Jahrhundert hinein – in zunehmender Isolation von jüngeren Künstlern und neuen Trends. Mit Anbruch und Entwicklung der Moderne wurde die viktorianische Kunst als literarisch und sentimental verspottet und nicht mehr ernst genommen, ungeachtet des wissenschaftlichen Interesses an viktorianischer Kultur, insbesondere Literatur. Heute aber ist es wieder möglich, die viktorianische Malerei als getreues Spiegelbild ihrer Zeit zu studieren und zu genießen.

Christoph Heilmann

»Wenig Rivalitäten, viele gemeinsame Ziele«

Kulturelle Beziehungen zwischen England und Deutschland

Als Königin Victoria und Prinzgemahl Albert von Sachsen-Coburg-Gotha mit ihren beiden ältesten Kindern am 1. Mai 1851 die erste Weltausstellung der Geschichte im Londoner Crystal Palace eröffneten, hatte Großbritannien politisch wie wirtschaftlich längst die Führungsrolle in Europa übernommen. Im Gedränge zehntausender Menschen bewegte sich die königliche Familie frei und ohne jeglichen Sicherheitsschutz, so daß sogar das sonst so bissige Magazin ›Punch‹ dies als ein »Musterbeispiel echter Freiheit und vollkommener Sicherheit als Ergebnis unserer konstitutionellen Monarchie« bezeichnete.[1] Nach den Worten der Königin verstand sich die von Prinz Albert initiierte und unter seiner Leitung realisierte ›Great Exhibition‹ als Friedensfestival, das Kunst und Industrie und alle Nationen miteinander vereinigte.[2] In solch vermittelnder Funktion im wechselseitigen Ausgleich der Interessen lag – nach übereinstimmendem Urteil der Geschichtsschreibung – die Hauptaufgabe, die der Prinzgemahl für sich an der Seite der Königin von Großbritannien sah und mit allen ihm zu Gebote stehenden Mitteln wahrnahm.

Elf Jahre zuvor hatte der damals gerade 21jährige Prinz Albert die gleichaltrige Königin Victoria, eine Cousine mütterlicherseits, geheiratet, die mit 18 Jahren die Nachfolge ihres Onkels William IV. angetreten hatte. Unter Anleitung des Bruders seiner Mutter, Leopold von Sachsen-Coburg-Saalfeld (seit 1830 König der Belgier), und des Barons Stockmar war Albert höchst sorgfältig in der Tradition des romantischen Idealismus erzogen worden. Liberal gesinnt und von praktischem Verstand, dabei hochbegabt und zugleich voller kultureller, musischer Interessen, die er mit Victoria teilte, vertrat er die Rolle der Monarchie in ihren konstitutionellen Bindungen und in ihrer Verantwortlichkeit für öffentliches Wohlergehen. So machte er all seinen Einfluß geltend, die politischen, wirtschaftlichen und sozialen Verhältnisse des Landes verbessern zu helfen zu einem Zeitpunkt, als sich die Gegebenheiten durch die Geschwindigkeit der industriellen Entwicklung grundlegend änderten und soziale Spannungen entstehen ließen.

Auf dem gleichermaßen grundlegenden Fundament gegenseitiger Liebe und Verehrung, die zwischen dem königlichen Paar bestand und zeitlebens anhielt, war Prinz Albert bald in die Funktion eines Privatsekretärs und Beraters der Königin hineingewachsen. Die in zwanzig Jahren (1840-1861) von ihm mit auf den Weg gebrachten Pläne, Initiativen, Reformen gingen weit über den kulturpolitischen Rahmen hinaus, dem er sich in seiner vielseitig musischen Veranlagung von Anfang an besonders verschrieben hatte. Von der festen Überzeugung getragen, daß die Monarchie parteineutral als soziale Instanz für das Wohl aller Volksschichten zu sorgen habe, strebte er darüber hinaus für sie eine Vermittlerrolle an zwischen altüberkommenem Königtum und dem wissenschaftlich-technischen wie freiheitlich-demokratischen Fortschritt: eine zukunftsorientierte, aber bekanntlich höchst diffizile Verknüpfung, die in der englischen Geschichtsschreibung als der ›Viktorianische Kompromiß‹ begriffen wurde. Wissend, daß dynastische Gemeinsamkeiten und nationale Einheit für eine dauernde Stabilität in Europa nicht ausreichten, galt Alberts Sorge der Unterstützung der kleindeutschen Lösung unter Führung eines konstitutionellen preußischen Staates im Gleichklang

1   *Der Crystal Palace in London*, Lithographie von 1851

mit den Interessen Großbritanniens. Er stimmte darin völlig mit dem Premierminister, Sir Robert Peel, überein, der den preußischen Gesandten, Freiherrn von Bunsen (verheiratet mit der Engländerin Frances Waddington), 1848 aufforderte: »Etabliert ein gefestigtes, starkes Deutschland. Ihr werdet uns auf halbem Wege wartend finden.«[3]

Ob als Vorsitzender der Kunstförderkommission, die auch für Wiederaufbau und Ausgestaltung der Houses of Parliament zuständig war, ob als Vorsitzender kultureller Institutionen wie Museen oder der Philharmonischen Gesellschaft, ob als Kanzler der Universität Cambridge, immer war ihm an der Einhaltung oder Wiedereinführung liberaler Strukturen gelegen, die den kreativen Entfaltungsmöglichkeiten nach seiner Meinung besser dienten als Restriktionen.

Als Suche nach Ausgleich war auch sein sozialpolitisches Engagement zu verstehen, das ihn etwa den Vorsitz der Gesellschaft zur weltweiten Abschaffung der Sklaverei übernehmen ließ oder ihn veranlaßte, zur Verbesserung der sozialen Mißstände in den Kohlenrevieren beizutragen. Er beteiligte sich selbst an Modellentwürfen für Arbeitersiedlungen wie an Maßnahmen zur Arbeitsbeschaffung, er wandte sich vehement gegen soziale Sparmaßnahmen des Unterhauses, die zum höchst brisanten Zeitpunkt der Chartisten-Demonstrationen im April 1848 in London das Land in gefährliche Nähe einer Revolution gebracht hätten. Daneben präsidierte er entgegen wohlmeinenden Warnungen einer Versammlung der ›Gesellschaft der Arbeiterfreunde‹, in der das erste von ihm mitentwickelte große Wohnhausmodell im Serienbau vorgestellt und später weitere mit

sanitären Einrichtungen versehene Siedlungsmodelle und Kasernen-Neubauten, gleichfalls unter des Prinzen Beteiligung, entwickelt wurden. Immer mit dem erklärten Ziel, die fortschreitenden Entwicklungen zu koordinieren und gegenseitig nutzbringend zu ergänzen, hat Prinz Albert die Integration des vierten Standes in das bestehende Herrschaftssystem entscheidend vorangebracht.[4]

Positive Umstände kamen glückhaft hinzu, wie die Ablösung der Whigs durch die Wahl des kongenialen Tory Sir Robert Peel zum Premierminister (1841), sodann die Gefolgschaft wohlgesonnener, gleichen Zielen verbundener Persönlichkeiten, seien es Männer wie Lord Ashley Earl of Shaftesbury als Sozialpolitiker, Sion Clayfair als Protagonist der Hygiene-Wissenschaft, Florence Nightingale als Pionierin des Sanitätswesens und der Krankenpflege oder Sir Joseph Paxton als Ingenieur-Architekt der gigantischen Eisen-Glas-Konstruktion des Crystal Palace (Abb. 1). Der in nur sieben Monaten errichtete transparente Koloß erschien, wie uns Königin Victorias Tagebuch sagt, als »wirklich eines der Weltwunder, auf das wir Engländer stolz sein dürfen«. Entsprechend seiner Bestimmung für die erste Weltausstellung aller Zeiten war der Kristallpalast zum einen das Symbol für die segensreiche Verbindung von Technik, Wissenschaft und Kunst zum Wohle der Völker, andererseits aber natürlich auch eine Demonstration des Renommees Großbritanniens als der führenden Industrienation, die höchst erfolgreich hinsichtlich Absatzsteigerungen ihrer Märkte operierte. Nationale Wirtschaft erweitert sich hier offiziell zur Weltwirtschaft unter dem optimistischen Vorzeichen der fruchtbaren Möglichkeit friedlichen Zusammenlebens aller Gesellschaftsschichten und Weltgegenden. Dem Glauben des Zeitalters an Freihandel als Friedens- und Wohlstandsbringer standen allerdings gelegentlich massive Eigeninteressen im Wege, wie etwa das in Kraft gebliebene Exportmonopol für Bunkerkohle in den westlichen Seehäfen die gesamte aufkommende Dampfschiffahrt auf Dauer weitgehend von Großbritannien abhängig machte.[5]

Literarische Wechselbeziehungen

Unter diversen positiven Voraussetzungen entwickelten sich auch Literatur und bildende Künste in bislang unbekannter Vielfalt und beanspruchten sowohl ein wachsendes Interesse für das diesbezügliche Geschehen auf dem Kontinent als auch vice versa dort ein sich weiter vertiefendes Interesse für britische Kulturleistungen. Allerdings läßt auch damals das insulare Selbstbewußtsein britischer Künstler und Schriftsteller größeren Abstand zum europäischen Festland erkennen, als dies in umgekehrter Richtung der Fall war. Als extremes Beispiel sei John Ruskin genannt, der einzig Dürer und Goethe in seiner pauschalen Ablehnung Deutschlands ausnahm.

Gründend auf der während des 18. Jahrhunderts in Deutschland eingetretenen Abkehr vom Modell französischer Klassik und Hinwendung zu der als lebensvoll empfundenen britischen Literatur war man hier, vor allem in den norddeutschen Staaten, mit dem Geistesleben Großbritanniens recht gut vertraut. Durch vielfältige deutsche Übersetzungen haben die meisten der bedeutenden englischen Schriftsteller die Literatur hierzulande beeinflußt.[6] So war es nichts Neues, wenn in der ersten Hälfte des 19. Jahrhunderts die Romane von Sir Walter Scott, Lord Byron, Oliver Goldsmith, Laurence Sterne u. a. allenthalben auch in Deutschland faszinierten und Goethe in seinem ›Faust II.‹ Byron in Gestalt des Euphorion sogar ein Denkmal setzte. Ähnlich großen Anklang fanden Charles Dickens' frühe Romane, der, wie andere englische und amerikanische Autoren, damals im Leipziger Tauchnitz-Verlag sehr hohe Auflagen erzielte.

Andererseits war in England nicht nur Goethe kein Unbekannter. Insbesondere ›Die Leiden des jungen Werthers‹, die schon 1779 übersetzt waren, oder der von Walter Scott übertragene ›Götz von Berlichingen‹ (1799) wurden gelesen.[7] 1828 wurde ein Lehrstuhl

2   Peter von Cornelius: *Göttersaal*, 1825/26, früheres Fresko in der Glyptothek in München (zerstört)

3   Julius Schnorr von Carolsfeld: *Jacob und Rachel*, 1826, Federzeichnung.
    Kupferstichkabinett, Dresden

für deutsche Sprache und Literatur am Londoner University College eingerichtet, nachdem im Jahr zuvor in Edinburgh eine vierbändige Anthologie deutscher Romantikliteratur mit Texten von Tieck, Jean Paul, E. T. A. Hoffmann, Goethe u. a. von Thomas Carlyle erschienen war. Auf Veranlassung Carlyles, des Biographen Friedrichs des Großen und Schillers sowie Goethe-Übersetzers, huldigten William Wordsworth, Thomas Southey, Walter Scott, Lord Ellesmere und zehn weitere britische Goethe-Verehrer dem großen Weimarer zu seinem 82. Geburtstag mit einem Petschaft. Unter den Wegbereitern deutscher Literatur in England muß weiterhin Samuel Taylor Coleridge genannt werden. 1799 von einem längeren Deutschland-Aufenthalt zurück, machte er, als einer der ersten, die Weimarer Klassik in seinem Land bekannt. Berühmt war seine Übersetzung von Schillers ›Wallenstein‹, die bereits 1800 in London erschien.

4   Friedrich Moritz Retzsch: *Hamlet-Prolog*, 1828, Radierung

Das Interesse an deutscher Literatur hielt mindestens bis in die sechziger Jahre an. 1855 noch hat Henry Lewis in seiner bedeutenden Biographie Goethes diesem »die herausragende Stellung unter den Dichtern der Neuzeit« eingeräumt, wobei er nur Shakespeare darüber stellte. Die erste grundlegende Geschichte deutscher Literatur in England von J. G. Robertson (1902) stellt – lediglich Nietzsche ausnehmend – einen Niedergang in der zweiten Jahrhunderthälfte fest, der in umgekehrtem Verhältnis zu den politischen Leistungen im jungen Kaiserreich gesehen wird. Nicht übergangen werden darf in diesem Zusammenhang Theodor Fontane, dessen Beschäftigung mit britischer Literatur und lange Englandaufenthalte und Schottlandfahrten in den vierziger und fünfziger Jahren sich in seinen Romanen und Schriften in mannigfaltiger Weise niederschlagen.

Annäherung und Distanzierung in der Malerei

Durchgreifender ist im 19. Jahrhundert die britische Distanz zum Kontinent auf dem Gebiet der Malerei. In mancher Hinsicht hierfür bezeichnend ist beispielsweise der Wettbewerb für die historischen Freskengemälde in den von Charles Barry und Augustus Welby Pugin neu errichteten Houses of Parliament. Die Fine Arts Commission unter Vorsitz von Prinz Albert und von Charles Eastlake als

5   William Dyce: *Gunstbezeigung – Sir Tristram, Harfe spielend*, 1851, Fresko im Queen's Robing Room, Palace of Westminster

Sekretär, der, aus Rom zurückgekehrt, den Nazarenern zugetan war, ließ 1841 Peter von Cornelius nach London kommen, um seinen Rat zu hören. Als Cornelius jedoch, seiner klassischen Kunstauffassung entsprechend, ein der nationalen Historie übergeordnetes Bildprogramm vertrat und dabei mit den gemeinsamen Wurzeln englisch-deutscher Kunst argumentierte, wurde klar, daß die Kommission nur einem vaterländischen Geschichtszyklus zustimmen wollte. Britische Maler, darunter auch William Dyce, reisten dann mit Unterstützung der den deutschen Kunstbestrebungen gegenüber positiv eingestellten Art Union nach München, um die zahlreichen hier von Ludwig I. in Auftrag gegebenen Freskenprogramme auch maltechnisch zu studieren, die zum Vorbild für viele ähnliche Projekte des 19. Jahrhunderts in Europa wurden (Abb. 2). Als Sensation und Neuanfang für eine allenthalben anstehende nationale Aufgabe wurden sie auch in England angesehen und König Ludwig I. als persönliches Verdienst angerechnet: Gegen alle laut gewordene Kritik in seinem Land sei zu unterstreichen, so hieß es, daß er »wie kein anderer heute lebender Monarch dermaßen substantiell zum Ruhm seiner Hauptstadt beigetragen und dabei modernen Kunstsinn so entschieden gefördert hat«.[8]

Diese neuen deutschen Kunstschöpfungen waren durch fleißige Berichterstattung sowie durch das reiche Angebot von deutschen Reproduktionsstichen und illustrierten Büchern im Londoner Buchhandel hinlänglich bekannt. Auch bildete sich während der vierziger Jahre für kurze Zeit ein gewisses Verständnis für den erzieherischen Aspekt der Künste, der sich aus dem romantischen Ideal einer notwendigen Anhebung von Geschmack und Bildung im Volk erklären läßt. Dem didaktischen Zweck öffentlicher Wandgemälde war aber nur eine kurze Phase beschieden, was wohl zu Recht dem Individualismus der Engländer, ihrer Antipathie gegen alles Autoritäre, zugeschrieben werden darf.[9] Die britische Neigung zum Narrativen, zur erzählenden Darstellung literarischer Vorgaben hingegen, wie sich seit William Hogarth in der englischen Kunst verfolgen läßt, behielt die Oberhand und ist auch ein Merkmal für die Viktorianische Malerei, die in unverwechselbar eigenständiger Weise Anregungen von außen umzusetzen verstand. Anscheinend hat Prinz Albert mit feinem Gespür seine Vorstellungen über die Eignung deutsch-nazarenischer Malerei für englische Architekturen sehr rasch hintangestellt, was sicher nicht durch seinen Kunstberater, den Leipziger Radierer Ludwig Gruner, veranlaßt war. Er hatte ja die überall berühmten Fresken der Nazarener 1838/39 auf einer Bildungsreise nach München und Rom aus eigener Anschauung kennengelernt. Gleichwohl überwog auffallenderweise in der Königlichen Sammlung neben der in den vierziger Jahren hochmodernen Historienmalerei der Belgier um Gustave Wappers die englische Schule – von deren Bildern etwa zwei Drittel auf Landschaften und Genre entfielen –, während die deutsche Schule nur durch wenige Beispiele von Overbeck, Cornelius, Olivier, Steinle, Führich u. a. vertreten war.[10] Sammelschwerpunkt waren hingegen die Alten Meister.

Einen Gesamtüberblick über die zeitgenössische deutsche Kunst konnte man sich in England Anfang der vierziger Jahre nur über zwei umfassende französische Publikationen von Athanasius Raczyński und Hippolyte Fortoul verschaffen[11], wobei der Tafelband zu Raczyńskis dreibändigem Werk unter Hervorhebung der von ihm besonders geschätzten Düsseldorfer Schule eine gute Anschauung der bedeutendsten Werke ermöglichte. Eine genaue und sehr ausführliche Besprechung dazu von Lady Eastlake (1846)[12] trug dann zur weiteren Verbreitung der Kenntnis in England bei. Erst 1873 und 1880 kamen zwei englische Bücher über moderne deutsche Malerei heraus.[13] Wie schon Raczyński bevorzugte auch Lady Eastlake gegenüber der rigiden Münchner Cornelius-Schule die Maler im Rheinland, die unter Wilhelm von Schadows liberaler Ägide einen individuellen Malstil pflegten, wie er englischer Auffassung viel eher entsprach. Julius Schnorr von Carolsfeld, der mit Charles Eastlake schon in Rom befreundet war und seit dessen Besuch in München 1829 mit ihm korrespondierte, scheint in dieser Richtung ähnlich vorgedacht zu haben; denn – anders als noch in seinem *Ariost* der Villa Massimo – hat er bei dem 1827 begonnenen Freskenauftrag der Nibelungensäle der Münchner Residenz, wie bereits in den frühen Federzeichnungen zu seinen Bibelillustrationen (Abb. 3) den strengen, an Raffael geschulten Nazarenerstil hinter sich gelassen: Hier wird eine dramatisch spannungsvolle Erzählweise entwickelt, die Handlungshöhepunkte und Motivation der Beteiligten überzeugend in Einklang bringt, wie das wenig später dann auch bei Eastlake oder Dyce zu beobachten ist.[14] Schnorr, der bereits in seinen römischen Jahren an englische Sammler verkaufen konnte[15], verstärkte seine Bemühungen um Aufträge in London außer über Eastlake auch über den dortigen preußischen Botschafter Freiherrn von Bunsen. Bekannt sind seine Entwürfe für zwei Fenster von St. Paul's Cathedral, die 1867 und 1869 eingesetzt wurden.

William Dyce und Daniel Maclise, beide in den späteren vierziger Jahren an der Ausmalung von Westminster Palace (Abb. 5) wesentlich beteiligt, lassen dort jedoch eine statuarische Bildauffassung erkennen, die in ihrer getragenen Feierlichkeit den vorgegebenen Wandfeldern eine besondere Monumentalität verlieh. Eine bedeutende Rolle bei der Vermittlung historischer Bildkompositionen nach England spielten die zahlreichen Buchillustrationen des sächsischen Radierers Friedrich Moritz Retzsch (Abb. 4) zu Ausgaben von Schiller, Goethe, Bürger oder Shakespeare. Seine weitgehend auf das Kontur beschränkten Kompositionen nahm man dort, wo man an die Tradition von Flaxman anknüpfte, sehr positiv auf, und eben auf diesem Wege wurde Goethes ›Faust‹ seit seinem Erscheinen in der englischen Ausgabe 1819 zum allgemeinen Bildungsgut in Großbritannien.[16] Neben der ›Art Union‹ berichteten auch ›Athenaeum‹ und ›Peoples Journal‹ regelmäßig über das Kunstgeschehen in Deutschland, während gleichzeitig hierzulande in erster Linie das Cottasche ›Kunstblatt‹, gefolgt vom ›Deutschen Kunstblatt‹ über die englische Szene berichteten.

Winterhalter-Porträts – ein Bindeglied

Eindrückliche Wirkung auf die Viktorianische Buchillustration sollten bald die ›Facsimile‹-Holzstiche von Alfred Rethel und Ludwig Richter haben, wie durch Walter Crane überliefert ist. Als vorbildlich für diese Kunstgattung waren acht Blätter Rethels seit 1859 im Kensington Museum ausgestellt und führten sofort zu Übernahmen dieser ausdrucksvollen Technik im Kreis um William Morris, insbesondere bei Burne-Jones.[17]

Das in Deutschland wohl bekannteste Bindeglied zur Malerei des frühviktorianischen England sind die berühmten Bildnisse Königin Victorias und des Prinzgemahls mit ihren Kindern, die der aus dem Schwarzwald stammende Franz Xaver Winterhalter im Laufe von fast zwei Jahrzehnten in England malte. 1841 an den Londoner Hof berufen, verbrachte er vom Sommer 1842 an immer wieder mehrere Monate im Kreis der königlichen Familie, lebte mit ihr in Buckingham Palace, Schloß Windsor oder auf dem Sommersitz Balmoral in Schottland (Abb. 6). Die Vorstellung vom beispielhaft harmonischen Familienleben Victorias und Prinz Alberts verknüpft sich zum großen Teil mit diesen Porträts, die, von einer unübersehbar idealen künstlerischen Einstellung getragen, nur gelegentlich eine Ahnung vom jeweiligen Charakter der einzelnen Familienmitglieder vermitteln können. Von klassischen Vorbildern in Rom und der malerischen Bravour und Konvention Horace Vernets geprägt, wurde Winterhalter in der Nachfolge von Thomas Lawrence zum gefragtesten Porträtisten des europäischen Hochadels und anderer führender Persönlichkeiten, und er war zugleich der letzte europäische Vertreter dieser großen Tradition. Neben den vielen Porträts malte er auch ideale Figurenkompositionen nach literarischen Vorlagen, darunter das 1852 von Königin Victoria dem Prinzgemahl zum Geburtstag

6   Franz Xaver Winterhalter: *Königin Victoria*, 1843.
Royal Collection, Windsor Castle

geschenkte Gemälde *Roderich, der letzte Gotensproß*, das eine Episode aus dem gleichnamigen 1814 erschienenen Gedicht von Robert Southey darstellt, dem neben Alfred Tennyson damals in England vielleicht beliebtesten Dichter.

Ähnlich wie schon die sogenannten Revivalists um Dyce und Maclise so arbeitete auch Winterhalter in der Tradition des alten Joshua Reynolds, der unablässiges Studium Alter Meister empfohlen hatte, ohne das nichts Gleichwertiges hervorzubringen sei. Beispielhaft hierfür dürfte Winterhalters in Untersicht dargestelltes Familienbild *The First of May* (Abb. 7) sein, das, mit dem Crystal Palace im Hintergrund, sowohl an den Eröffnungstag der Weltausstellung erinnert als auch an den ersten Geburtstag von Prinz Arthur, den Königin Victoria als erkennbares Zitat dem greisen Paten Wellington entgegenhält, der seinerseits dem Kind ein goldenes Kästchen darbringt.[18]

Die Kunstgeschichte des 18. Jahrhunderts ist bekanntlich voll von solch erkennbaren Zitaten, die nicht unbedingt nur Kontinuität der Tradition signalisieren, sondern diese in der Anspielung zugleich in Frage stellen.[19] Letzteres wird man wohl weniger bei dem einer heilen Monarchie huldigenden Hofmaler Winterhalter vermuten, viel eher jemandem wie William Holman Hunt zutrauen, der beispielsweise in seinem 1848, im Gründungsjahr der Präraffaeliten, gemalten Bild *The Eve of St. Agnes* (Kat. 40) mit der am Boden liegenden Figur wohl auf Poussins *La Peste d'Asdod* (Paris, Louvre) verwiesen hat.[20]

Winterhalter starb 1873, im selben Jahr wie Sir Edwin Landseer, jener andere von Victoria und Albert besonders hochgeschätzte große Maler, bei dem beide Zeichenunterricht nahmen. Damals schrieb die Königin an ihre Cousine, die Kaiserin Augusta, geborene Prinzessin von Sachsen-Weimar: »Winterhalters Tod schmerzt mich furchtbar, er ist mir ein unersetzlicher Verlust.«[21]

Aus vielerlei zutreffenden Gründen hat man schon immer die Malkunst der Präraffaeliten als die bedeutendste Kunstäußerung der viktorianischen Epoche angesehen. Dabei hat das Verhältnis zwi-

7   Franz Xaver Winterhalter: *The First of May*, 1851. Royal Collection, Windsor Castle

schen Präraffaeliten und Nazarenern wiederholt zu Vergleichen An-
laß gegeben, wobei hauptsächlich auf beider Abkehr von den damaligen akademischen Konventionen und beider Streben nach gedank-
licher Versenkung und Bedeutsamkeit hingewiesen wird.[22] Während
aber die sich 1809 zum Bund der Lukasbrüder zusammenschließen-
den jungen Maler um Johann Friedrich Overbeck und Franz Pforr
nicht nur vom Stil, sondern auch von der tiefen Frömmigkeit der

8   Edward Burne-Jones: *Perseus und die Graien*, 1892.
Staatsgalerie, Stuttgart

vor-raffaelischen Malerei ergriffen waren und hierin den Schlüssel
zu einer Wiederbelebung hoher Kunst erblickten, sahen die sich vier
Jahrzehnte später gleichermaßen als Bruderschaft verstehenden
Gründungsmitglieder der Präraffaeliten die Bedeutung mehr in den
thematischen Stoffvorlagen des Mittelalters.

Das romantische Bemühen um mittelalterliche Frömmigkeit
konnte im modernen England – trotz Hinneigung zu einer vom sogenannten ›Oxford Movement‹ ausgehenden, neu belebten Religio-
sität besonders bei Sir John Everett Millais und Dante Gabriel Rossetti[23] – noch viel weniger nachgelebt werden als das den Nazarenern in Rom gelungen war. Auch deren unkoloristische, nach Prinzipien der reinen Umrißlinie angelegte Bildästhetik konnte zu einem
so viel späteren Zeitpunkt nicht mehr erstrebenswert sein. Ganz im
Gegenteil suchten die Präraffaeliten präziseste Naturwiedergabe zu
erreichen in höchst raffinierten Farbgebungen, deren Leuchtkraft allerdings wieder – in Übereinstimmung mit den meist literarischen
Bildthemen – bei allen zeittypischen Gebrochenheiten an spätmittel-
alterliche Mineralfarben herankam. Man hat Tennysons Gedicht
›The Palace of Art‹ von 1830, das die Seele in einer erstickend
künstlichen Idealburg des Mittelalters gefangen zeigt, mit der Elfen-
beinturm-Welt der Präraffaeliten oder deren zweiter Generation um
Rossetti, Burne-Jones, Stanhope verglichen und ihnen Gespaltensein
zwischen Zeitkritik und Zeitflucht attestiert[24], ein generelles Phänomen allerdings in einer sich dem Ende zuneigenden spannungsvol-
len Epoche, das eine gewisse Parallele etwa in der Wiener Secession
findet.

Gescheiterte Hoffnungen

Es sollte noch geraume Weile dauern, ehe die an einer Weltverbesse-
rung orientierten Präraffaeliten der ersten Generation wie auch ihre
Nachfolger Resonanz auf dem Kontinent fanden. Um so stärker aber
wirkten sie unmittelbar auf die Kunst ihrer Landsleute, die, wie etwa

Arthur Hughes und viele andere, wenigstens auf bestimmte Zeit unter ihrem Einfluß standen. Besonders nachhaltig ist ihre Wirkung auf die Ästhetik der englischen Photographie der Zeit, die damals als gleichrangiges künstlerisches Mittel hohes Ansehen genoß – sogar auch als zu äußerster Differenziertheit getriebenes Mittel bei der Reproduktion von Gemälden. So konnte Hugo von Hofmannsthal auf der Wiener Internationalen Kunstausstellung 1894 vor dreißig dort gezeigten Photogravüren nach Werken von Edward Burne-Jones in träumerisches Staunen über die sich ihm hier eröffnete Welt geraten, die ihn »gleichzeitig antik, ja mythisch und doch durch und durch christlich, ja englisch anmutete«.[25] Burne-Jones war wohl der auf dem Kontinent zuerst beachtete präraffelitische Maler und beeindruckte hier vor allem die Symbolisten. Im selben Jahr 1894 war ein Gemälde aus seinem Perseus-Zyklus (*Perseus und die Graien* von 1892, Abb. 8) im Münchner Glaspalast ausgestellt (Abb. 9). Dieser für die Internationalität des Kunstschaffens so bedeutende Ausstellungspalast war nach dem Vorbild des Londoner Crystal Palace nur drei Jahre später (1854) durch August von Voit aus Gußeisenteilen und Glas errichtet worden.[26] Seit der ersten dort veranstalteten Internationalen Kunstausstellung im Jahr 1863 fanden dann in immer dichterer Folge weitere Ausstellungen statt, unter nennenswerter englischer Beteiligung allerdings erst seit 1888 (mit Alma-Tadema, Goodall, Herkomer, Whistler u. a.), um dann ab 1890 auch den sogenannten ›Glasgow Boys‹ die ihnen kurzfristig vergönnte Publizität zu verschaffen.

Der hoffnungsvolle Auftakt einer sich harmonisch gestaltenden Wechselbeziehung zwischen England und Preußen/Deutschland, wie er sich schon in vorviktorianischer Zeit anzubahnen begann und dann so vielversprechend weiter gefördert wurde, erfuhr eine vorläufige Zäsur durch die März-Revolution 1848, die eine Grundfeste dieses komplizierten Ausgleichs ins Wanken brachte, nämlich die

Verläßlichkeit auf Stabilität bei schrittweiser Evolution. England, das liberale Tendenzen wenn möglich – und für den Handel förderlich – unterstützte, sah nach Auflösung der deutschen Nationalversammlung und der einsetzenden Reaktion seine Hoffnung auf eine sich positiv fortentwickelnde konstitutionelle Bewegung in den deutschen Staaten, und besonders in Preußen, in weite Ferne gerückt.[27] Neue Hoffnung kam auf, als die vielseitig talentierte Princess Royal Victoria (Kat. 5), die ganz unter dem Einfluß ihres liberal gesinnten Vaters erzogen war, sich 1855 mit Kronprinz Friedrich von Preußen verlobte (Kat. 6). Der war seinerseits von den klaren Vorstellungen seines zukünftigen Schwiegervaters über ein liberales Deutschland fasziniert, und Prinz Albert hoffte, den Kronprinzen und seine Mutter Augusta für seine Pläne zu gewinnen, die auf ein geeintes, konstitutionell gefestigtes Deutschland unter Ausschluß Österreichs zielten. Wieder schienen wichtige Voraussetzungen dafür gegeben, zumal die dreißig Jahre dauernde Ehe des Kronprinzenpaares äußerst glücklich verlief. Jedoch nahm die Entwicklung unter den reaktionären Kräften um Bismarck, der den Kronprinzen und seine englische Gemahlin von jeglicher politischen Einflußnahme isolierte, einen anderen Verlauf. Mit der Reichsgründung 1871 waren dann die Keime zu einer Entwicklung gelegt, »die zwar einen ungeahnten wirtschaftlichen Aufschwung bringen sollte, aber gesellschaftlich und politisch durch Inflexibilität, relative Erstarrung der Führungseliten und eine zunehmende Polarisierung der politischen und gesellschaftlichen Kräfte gekennzeichnet war. Erst jetzt bewegten sich beide Gesellschaften tendenziell weiter auseinander.«[28] Im Rückblick erscheinen die Worte des britischen Staatsmannes Lord Salisbury an den Reichskanzler Bismarck geradezu beschwörend: »Zwischen keinen zwei Ländern gibt es so wenig Rivalitäten und so viele gemeinsame Ziele. Daher sollte zwischen keinen zwei anderen Ländern die Verständigung so gut sein.«[29]

9   Der Glaspalast in München, 1854. Photo um 1890

1 K. Kluxen: ›Prinz Albert – Wegbereiter moderner Kultur- und Sozialpolitik‹, in: Birke und Kluxen 1983, S. 18

2 Hobhouse 1983, S. 102

3 A. M. Birke: ›Vom Mißtrauen zur Partnerschaft. Aspekte deutsch-britischer Beziehungen seit dem 18. Jahrhundert‹, in: Birke, Brady u. a. 1989, S. 14 ff.

4 Vgl. die Zusammenhänge bei Kluxen, Anm. 1, S. 16 f.

5 Ebenda S. 14

6 G. Blaichen: ›Englische Literatur in Deutschland‹, in: Birke, Brady u. a. 1989, S. 62 ff.

7 Hierzu und zum folgenden vgl. Ph. Brady: ›Deutsche Literatur in England. Rezeption, Einflüsse, Stellenwert‹, in: Birke, Brady u. a. 1989, S. 47 ff.

8 W. Howitt: *The Rural and Domestic Life in Germany*, 1842, S. 312, zit. bei Vaughan 1979, S. 46

9 Vaughan 1979, S. 7 f.

10 Nach der in Art Journal zwischen 1855-1861 publizierten Auswahl, zit. bei Vaughan 1979, S. 13

11 A. Raczyński: *Histoire de l'Art moderne en Allemagne*, 3 Bde., Paris 1836-1841 (Tafelband 1841); H. Fortoul: *De l'Art en Allemagne*, 2 Bde., Paris 1841-1842

12 Quarterly Review 75, 1846, S. 323-347, zit. bei Vaughan 1979, S. 55

13 W. B. Scott: *Gems of Modern German Art*, 1873; J. B. Atkinson, *The School of Modern Art in Germany*, 1880, zit. bei Vaughan 1979, S. 55

14 Vaughan 1979, S. 197, sieht den gleichen Zusammenhang und verweist u. a. auf das überzeugende Beispiel *Jacob und Rahel* zu Schnorrs Bilderbibel (1826) und W. Dyces Hamburger Bild von 1853 (Kat. 25)

15 *Die Hochzeit von Cana* an den britischen Diplomaten Cathcart, zit. bei Vaughan 1979, S. 36

16 Ebenda, S. 130

17 Ebenda, S. 176

18 Scheele 1977, S. 80

19 Vgl. dazu die umfassende Untersuchung von W. Busch: *Nachahmung als bürgerliches Kunstprinzip* (Studien zur Kunstgeschichte Bd. 7), Hildesheim und New York 1977

20 M. Warner 1992, S. 2

21 Scheele 1979, S. 65

22 Siehe passim zum folgenden: Metken 1974; Vaughan 1979, S. 9 ff.

23 Metken 1974, S. 28

24 Ebenda, S. 29; Schiff 1970, S. 169

25 Hugo von Hofmannsthal: *Über moderne englische Malerei. Rückblick auf die Internationale Ausstellung Wien 1894*, zit. Metken 1974, S. 191

26 Vgl. Hütsch 1983, S. 37 ff.

27 Anm. 3, S. 15

28 W. J. Mommsen: ›Preußen/Deutschland im frühen 19. Jahrhundert und Großbritannien in der viktorianischen Epoche‹, in: Birke, Brady u. a. 1989, S. 48. Zur aussichtslosen Lage und Abgrenzung von jeder politischen Betätigung und Einflußnahme der Kronprinzessin Victoria siehe Ponsonby 1928

29 Birke, Brady u. a. 1989, S. 7

Christopher Newall

Die Viktorianische Malerei und Europa

Der französische Schriftsteller Ernest Chesneau gelangte 1884 zu dem Schluß, daß die meisten führenden englischen Maler der Epoche den zeitgenössischen europäischen Kunstströmungen gleichgültig gegenüberstünden. Ihre Ateliers schienen ihm wie durch ein Stück der großen Chinesischen Mauer abgeriegelt: »Sie schaffen eine neue Kontinentalsperre, aber in umgekehrter Richtung. Sie haben die europäische Kunst in Acht und Bann erklärt. Sie sind englisch und wollen englisch bleiben.«[1] Diese Feststellung läßt uns verallgemeinernd folgern, daß die britische Malerei damals isoliert von der kontinentalen schien. Die britischen Künstler waren zum größten Teil wenig an den neuen Stilformen und ästhetischen Theorien interessiert, die ihre Zeitgenossen auf dem Kontinent ausprobierten und diskutierten. Umgekehrt bekam man in Europa nur selten englische Gemälde in öffentlichen Ausstellungen zu sehen, und wenn es doch einmal geschah – wie vor allem im Salon des Anglais von 1824 und bei den drei Pariser Weltausstellungen 1855, 1867 und 1878 –, waren sie lebhaft umstritten: Was die einen als Unbefangenheit der Darstellung bewunderten, verspotteten die anderen als unkultiviert und linkisch, um nur ein Beispiel für die Widersprüchlichkeit der Beurteilungen zu nennen.

So scheint es lohnend, das Augenmerk zunächst auf jene britischen Künstler zu richten, die offen gegenüber den kontinentalen Traditionen und ihren Einflüssen blieben. Welche Aspekte der europäischen Kunstentwicklung interessierten sie, welche ignorierten sie während der rund sechs Jahrzehnte währenden viktorianischen Epoche?

Die Zeitstimmung des Frühviktorianismus muß in vielen Menschen die Neigung wachgerufen haben, nach einer Kunstform zu suchen, die moralisierend auf alle wirken könnte. Die ›erhebende‹ Malerei der heroischen, historischen und mythologischen Sujets – dem zeitgenössischen Publikum allgemein als ›hohe‹ Kunst vertraut – war in den dreißiger Jahren noch nicht zur Blüte gelangt. Zwei britische Maler kämpften darum, das Niveau der einheimischen Malschule zu heben: der tragische Benjamin Robert Haydon, der in den Selbstmord getrieben wurde durch die heftigen Widerstände, die sich seiner ambitionierten Kunst entgegenstellten, und der nur am Rande erfolgreiche David Scott. Sie scheiterten in ihrem Bemühen, denn sowohl die Künstler selbst als auch andere den Geschmack beeinflussenden Persönlichkeiten zogen es vor, in Europa nach Beispielen jener moralisch erhebenden Kunst Ausschau zu halten.

Vor der Jahrhundertmitte: Orientierung nach Deutschland

Die philosophischen und kulturellen Errungenschaften des modernen Deutschland wurden um die Mitte des 19. Jahrhunderts in Großbritannien sehr bewundert. Die ›Art Union‹ nannte die deutschen Maler der Zeit »mit Sicherheit die großen Künstler Europas«, deren Leistungen »vielleicht dieser ernsthaften Vertiefung zu verdanken sind, die dem deutschen Geist von Natur aus innewohnt …, der so lange und so sorgfältig an einer Sache arbeitet. In der Kunst … findet die intensive Rationalität des Deutschen Zuflucht und Trost.«[2] Die ›Nazarener‹, die sich Anfang des 19. Jahrhunderts in Rom niedergelassen hatten, dienten einigen britischen Künstlern, vor allem dem schottischen Maler William Dyce, als überzeugendes Vorbild.

Bei zwei Romaufenthalten, 1825 und 1827/28, schloß er enge Freundschaft mit Johann Friedrich Overbeck, mit dem er die Begeisterung für die Kunst Peruginos und Raffaels teilte, die in Overbecks Schaffen, etwa in seinem *Christus mit Maria und Martha* (Abb. 1), bei Dyce in *Lamentation over The Dead Christ (Beweinung Christi,* 1835, National Gallery of Scotland, Edinburgh) zum Ausdruck kommt. Die Ernsthaftigkeit und Intensität der Malkunst von Dyce wie auch die Klarheit seiner Farben und Komposition gefielen dem Prinzgemahl, der darin Tugenden erblickte, die von deutscher Kunst übernommen waren.

Unter dem Einfluß der Nazarener stand auch John Rogers Herbert, der 1840 zum Katholizismus konvertierte und sich biblischen Themen zuwandte. Er übernahm die Klarheit der Lichtführung und den erbaulichen Charakter der Nazarenischen Kunst in seine Figurenbilder, während sich in Daniel Maclises Schaffen das Vermächtnis der programmatisch einfachen Formensprache der Nazarener zu erkennen gibt. Ford Madox Brown bereiste als junger Mann Europa und studierte Geschichte und zeitgenössische Malschulen. 1845 kam er nach Rom, wo noch etliche der Nazarener lebten. Den sich aus dieser Begegnung entwickelnden Wandel seines Malstils be-

1 Johann Friedrich Overbeck: *Christus mit Maria und Martha,*
  1812-16. Staatliche Museen Preußischer Kulturbesitz,
  Nationalgalerie, Berlin

schrieb Holman Hunt sarkastisch als eine Annäherung an »Overbeck und andere, die es sich zum Ziel gesetzt haben, die ganze kindliche Unreife und Begrenztheit der deutschen und italienischen Quattrocentisten zu imitieren«.[3] Browns in Rom konzipierte oder geschaffene Gemälde, wie etwa *The Seeds and Fruits of English Poetry (Die Samen und Früchte der englischen Poesie,* 1845, Ashmolean Museum, Oxford), sind bei aller didaktischen Absicht und überlegten Komposition doch auch von Bewegung und natürlichem Licht durchdrungen – und in dieser Hinsicht stellen sie einen Fortschritt gegenüber dem bewußt archaischen Stil der Nazarener dar. Brown vermittelte die Prinzipien der Nazarenischen Malerei an die präraffaelitische Bruderschaft. Ruskin setzte die Nazarener im Vergleich zu den Präraffaeliten herab, die er »die einzigen lebenden Figurenmaler der Zeit« nannte.[4] Dennoch: die Einstellung, der Erschaffung oder der Betrachtung eines Kunstwerkes einen hohen moralischen, weit über die bloße Augenlust hinausgehenden Wert beizumessen, hatten die Präraffaeliten von den Nazarenern übernommen – und sie stand voll im Einklang mit der ästhetischen Philosophie Ruskins.

In den vierziger Jahren erhob sich eine öffentliche Debatte, wie der wiederaufgebaute Palace of Westminster ausgeschmückt werden sollte. Ein parlamentarisches Auswahlkomitee wurde gebildet, das Experten wie William Dyce und Charles Eastlake (später Präsident der Royal Academy und Direktor der National Gallery) zu Rate zog. Es wurde allgemein anerkannt, daß man in maltechnischer und ikonographischer Hinsicht etwas von der zeitgenössischen deutschen Kunst lernen könne. Darüber hinaus kam man überein, der vorherrschende Dekorationsstil solle sich locker an Raffael orientieren – so wie ihn die Nazarener verstanden – statt gewollt und verkrampft mittelalterlichen Konzepten zu folgen. Durch Wettbewerbe sollten Künstler ausfindig gemacht werden, die dem historischen Stoff und dem großen Maßstab des Gebäudes gewachsen seien.

Overbeck und Peter von Cornelius wurden von den Verantwortlichen für das Westminster-Projekt besonders geschätzt: A. W. N. Pugin, der die Leitung der malerischen Ausgestaltung des Gebäudes innehatte, forderte die Maler auf, »in die Fußstapfen des großen Overbeck zu treten«.[5] Im Herbst 1841 konnte man Cornelius dafür gewinnen, nach London zu kommen und als Berater in technischen Fragen zu wirken. Anscheinend hoffte der Prinzgemahl, daß sein Landsmann eine Reihe der Fresken im Westminster-Palast übernehmen würde, aber die von Ford Madox Brown überlieferte Antwort von Cornelius erinnerte das Komitee daran, daß es britische Künstler zu berücksichtigen galt: »Wozu müssen Sie zur Bemalung Ihrer Wände einen Cornelius herbeirufen, wenn Sie doch einen Mr. Dyce haben?«[6] Bei Julius Schnorr von Carolsfeld wurde ebenfalls angefragt. Er war zwar der Ansicht, deutsche Künstler seien für eine solche Aufgabe besser gerüstet, fand aber wie Cornelius, ungeachtet dessen müßten britische für das Werk gefunden werden, »erstens, weil sie etwas leisten werden, was im Einklang mit der nationalen künstlerischen Kultur Englands steht, und zweitens, weil ein solches Unternehmen völlig neue Perspektiven eröffnet und einen so unschätzbaren Einfluß auf die Entwicklung Ihrer aufstrebenden jüngeren Künstlergeneration ausüben dürfte, daß es ein großer Verlust für Ihr Land wäre, wenn man dieser Generation eine solche Gelegenheit vorenthielte, etwas Großes zu schaffen«.[7]

Anscheinend waren die Nazarener, bei denen man Rat und Hilfe gesucht hatte, ebenso klug wie hochherzig, als sie entschieden, sich nicht allzu tief in das Projekt verwickeln zu lassen. Die geplanten Fresken – nach Meinung des Auswahlkomitees ein für öffentliche Gebäude besonders geeignetes Medium – brachten angesichts der feuchten, dunklen Baulichkeiten des Palace of Westminster eine Fülle von Problemen mit sich. Charles West Cope und Daniel Maclise nahmen Urlaub und reisten nach München, um bei Cornelius und anderen Unterricht in der Technik der Freskenmalerei zu nehmen. Dennoch sind ihre Arbeiten in keinem sehr guten Erhaltungs-

zustand auf uns gekommen. Trotz der Bemühungen und guten Absichten der Organisatoren griff in den späten fünfziger Jahren allgemein Enttäuschung über die Wandgemälde in Westminster um sich, und wachsende Feindseligkeit gegen den Einfluß deutscher Künstler und künstlerischer Einstellungen wurde laut. Die Zeitschrift ›Punch‹, gewöhnlich ein zuverlässiges Sprachrohr der öffentlichen

THE GERMAN SCHOOL.

2   »Die alarmierende Verbreitung der deutschen Schule in der Kunst«, aus: ›Punch‹, 1846, Bd. 10, S. 145

Meinung, veröffentlichte Witzzeichnungen, die »die alarmierende Verbreitung der deutschen Schule in der Kunst« illustrierten. Die Karikaturen zeigten »schlangenähnlich gesträubtes Haar als Gesichtsumrahmung, entzündete Stachelbeeren als Augen und Wergbüschel als Schnurrbärte, die die Hauptmerkmale der deutschen Zeichenschule darstellen«[8] (Abb. 2).

Frankreich als Vorbild nach der Jahrhundertmitte

Von der Jahrhundertmitte an orientierten sich britische Maler, die jenen erhebenden und universellen Kunststil suchten, nach Frankreich statt nach Deutschland. Dies geschah ungeachtet der Tatsache, daß die meisten Briten Frankreich als politisch unzuverlässig betrachteten, was wahrscheinlich auf die Einschätzung des kulturellen Ranges des Landes abfärbte. Elizabeth Eastlake, die Frau des erwähnten Experten des Westminster-Komitees, fällte 1861 ein vernichtendes Urteil: »Die französische Kunst ist jetzt von einer Art, an der weder das aufgeklärteste noch das nachsichtigste Auge Vergnügen finden kann.«[9] Edward Armitage lernte bei dem Pariser Historienmaler Paul Delaroche und wirkte bei der Ausschmückung des ›Hémicycle‹, des Halbrunds in der Ecole des Beaux-Arts, mit. Als er seinen Karton *Caesar's Invasion of Britain (Cäsars Invasion in Britannien)* anläßlich der ersten Westminster-Ausschreibung von 1841 vorlegte, wurde dieser für so abnorm französisch angesehen, daß man Armitage von verschiedenen Seiten beschuldigte, eine Komposition seines Lehrmeisters plagiiert zu haben.

In den späteren fünfziger Jahren schrieben sich immer mehr britische Künstler zur Vervollständigung ihrer Ausbildung in Pariser Ateliers oder Kunstschulen ein, während andere immer häufiger in die französische Hauptstadt reisten, um Kunstwerke im Salon oder in den Ateliers zu besichtigen. Frederic Leighton, der zuvor in Frankfurt gelebt und bei Edward von Steinle studiert hatte, wobei er dem spätnazarenischen Einfluß unterlag, dann nach Rom gezogen war, wo er mit jungen Künstlern aller Nationalitäten Fühlung aufgenommen hatte, ging 1855 für drei Jahre nach Paris. In Frankreich kam er in Kontakt mit einer Schar klassizistisch orientierter und von Ingres beeinflußter Künstler, wie William Bouguereau, Joseph Nicolas Robert-Fleury und Alexandre Cabanel. Von ihnen lernte er,

›grandes machines‹ zu meistern, jene choreographisch inszenierten historisierenden ›Schinken‹, die vermittels gezeichneter Studien von nackten und drapierten Figuren arrangiert werden. Doch Leighton hatte, ebenso wie Armitage, unter dem Vorurteil seiner Landsleute gegen einen vom französischen Vorbild abhängigen Stil zu leiden, vor allem, als er 1856 *The Triumph of Music* (verschollen) in der Royal Academy zeigte.

Bald nahm jedoch die Zahl der englischen Besucher in Frankreich zu, und der Einfluß der französischen Malerei, insbesondere der klassizistischen, trat deutlicher in Erscheinung. Edward John Poynter war ursprünglich nur nach Paris aufgebrochen, um die Weltausstellung von 1855 zu sehen, studierte dort aber dann bis 1859 bei Charles Gleyre. Daraus resultierte sein akademischer Stil, oberflächlich dem Leightons verwandt. Selbst Maler innerhalb des präraffaelitischen Bannkreises, die der Auffassung waren, daß die traditionelle Methode der vorbereitenden Skizzen und Zeichnungen für ein Bild zur Abschwächung der Ausdrucksintensität führe, fühlten sich gelegentlich zu Werken voller Pathos und der Rhethorik hingezogen. Im Herbst 1849 besuchte Dante Gabriel Rossetti Paris in Begleitung von Holman Hunt und beschrieb die Bilder, die er am meisten bewunderte – etwa Werke von Delaroche, Robert-Fleury, Scheffer und Ingres. Delacroix ließ er unbeachtet – mit Ausnahme von zwei Gemälden, die seiner Meinung nach »eine Art wilden Genius« zeigten. Von allen in Paris gesehenen Werken gefielen ihm Hippolyte Flandrins Wandgemälde mit biblischen Themen in der Kirche Saint-Germain-des-Prés am besten: »Wundervoll! Wundervoll!! Wundervoll!!!«[10] Abgesehen vom jugendlichen Überschwang, wird deutlich, daß Rossetti und Hunt von dem imposanten Maßstab und der Großartigkeit der Konzeption beeindruckt waren – Eigenschaften, die sie in der englischen Kunst vermißten.

Die meisten britischen Landschaftsmaler standen in den fünfziger und sechziger Jahren bis zu einem gewissen Grad unter dem Eindruck der Theorie von der ›Naturtreue‹, die John Ruskin in seinen ›Modern Painters‹ verfocht, einem Werk, dessen fünf Bände zwischen 1843 und 1860 erschienen. Sie strebten danach, die Natur vermittels sorgfältiger Maltechnik und intensiver Lokalfarben minutiös und detailliert zu kopieren. Im Laufe der Zeit aber kehrten einige von ihnen wieder zu einer großzügigeren Umsetzung der Land-

schaftsformen zurück, indem sie die alles durchdringende Wirkung des Naturlichts oder den Eindruck von Massivität und Größe zu vermitteln suchten. Zunehmend wurden sie sich der europäischen Tradition der Ölskizze bewußt, in der die Zeichnung und Linienführung zugunsten des sinnlichen Farbauftrags zurückstehen mußte. Ihr bekanntester Vertreter war Jean-Baptiste-Camille Corot, der in den späten sechziger Jahren in der englischen Presse Aufmerksamkeit zu erregen begann, wenn konservativere Kritiker auch die Eintönigkeit seiner Farben beanstandeten (»Maler wie Corot malen ein Sujet mit Schmutz statt Farbe«[11]). Vier Jahre später konnte Corot seiner Anhänger gewiß sein: »Es scheint, daß meine Malerei sich in England akklimatisiert: ein Hoch auf die Freude!«[12] Leighton zählte zu den ersten Bewunderern Corots in England; er stattete ein Zimmer seines Hauses mit Corots Werken aus und ahmte dessen Technik in seinen Landschaftsskizzen und Farbstudien nach.

Der italienische Maler Giovanni Costa, mit dem Leighton in Rom enge Freundschaft geschlossen hatte, übte einen starken Einfluß auf die Landschaftsmalerei der mittleren viktorianischen Epoche aus. Sein am Klassischen orientierter Landschaftstypus verfolgte eher ästhetische als dokumentarische Absichten. George Heming Mason war der erste englische Maler, der sich von Costas Landschaftsvision inspirieren ließ. Die beiden arbeiteten zunächst in der römischen Campagna und später in Masons heimischen Staffordshire Seite an Seite; da wie dort suchten sie die mythischen und poetischen Qualitäten der Landschaften zu beschreiben. Costa wurde für die jüngere Generation englischer Maler, die um die Mitte des Jahrhunderts Geborenen, schier zum Heros; ihnen schienen seine Ideen als Ausweg angesichts der sich immer prosaischer gebenden einheimischen Landschaftsschule. Walter Crane und William Blake Richmond sind hier repräsentativ für diese jüngere Generation. 1871 witterte das ›Art Journal‹ in seinem Bericht über die Sommerausstellung der Royal Academy einen neuen Geist auf dem Kontinent, »dessen Grundton im pseudo-klassischen Schaffen Mr. Richmonds angeschlagen wird«; fast eine ganze Galerie war mit Bildern angefüllt, »die zehn oder zwanzig Jahre zuvor zu keiner Ausstellung in ganz London zugelassen worden wären. Diese exzentrischen Arbeiten lassen sich nicht in die Sparte ›präraffaelitisch‹ einordnen. In der Tat hat sich, seit der Präraffaelitismus aus der Mode gekommen

3   Jules Breton: *Das Ende des Tages*, 1859. Musée d'Orsay, Paris

ist, eine neue, erlesene und auch kleine Schule formiert ... Diese Bruderschaft pflegt, ausgehend von ihrer gemeinsamen Verehrung der Antike, eine Vorliebe für das moderne Italien; sie bevorzugt südliches Klima, südliche Tracht, Sonne, auch einen gewissen Stil des dolce far niente im Verein mit einer umfassenden sybaritischen Geistesverfassung, der Kunst und Ästhetizismus ein und alles bedeutet.« Anschließend billigte der Kritiker das Gesehene als »einen zeitgemäßen Protest gegen den vulgären Naturalismus, den gewöhnlichen Realismus, dem die ungebildeten Massen, die sich in unseren Londoner Ausstellungen drängen, Beifall spenden«.[13]

4 John Singer Sargent: *Porträt Emile Auguste Carolus-Duran*, 1879. The Sterling and Francine Clark Art Institute, Williamstown, Mass.

Mason interessierte sich auch für die zeitgenössische französische Landschaftsmalerei und reiste zu einem Besuch der Weltausstellung von 1855 von Rom nach Paris. Dort bewunderte er vor allem Werke von Antoine Hébert und Gabriel-Alexandre Decamps. Vielleicht hatte Costa Mason dazu angeregt, sein besonderes Augenmerk auf die Schule von Barbizon zu richten, mit der er selbst in Verbindung stand. Die Ähnlichkeiten zwischen Masons und Charles Daubignys sorgfältiger Naturbeobachtung einerseits, andererseits beider weiche und abstrahierende Gestaltung der Naturformen ist Kunstkritikern stets aufgefallen.[14] Wie Mason besuchte sein Landsmann Fred Walker 1863 Paris, auch er ein Maler figurativer Landschaften. Seine Reaktionen auf die im Luxembourg gezeigten Bilder beschrieb Philip Hermogenes Calderon: »Er ging rasch über die üblichen Salonlöwen dort hinweg – den großen Couture, den großen Müller, sogar den Delacroix, aber er verharrte gebannt vor Jules Bretons *La Fin de la Journée* [Abb. 3]. Dieses Bild betrachtete er mit gespannter Aufmerksamkeit, offensichtlich hatte es ihn getroffen.«[15] Mason und Walker, die beiden zentralen Figuren der sog. ›Idyllischen Schule der englischen Landschaftsmalerei‹, entdeckten

in den Werken Bretons klassische Qualitäten sowohl in der kompositionellen Ausgewogenheit, die Breton erreichte, indem er statuenhafte Figuren in wohldurchdachter Anordnung in die offene Landschaft plazierte, wie auch im Assoziationsreichtum und in der poetischen Stimmung eines im wesentlichen zeitlosen Themas.

Die englische ›Ästhetizistische Bewegung‹ war in vieler Hinsicht der französischen Literatur zu Dank verpflichtet – insbesondere Théophile Gautier, dessen Roman ›Mademoiselle de Maupin‹ (1835-36) im Vorwort den Keim des ›L'art pour l'art‹-Prinzips enthielt, auf das Gautier in seinen Gedichten und Kritiken bei zahlreichen Anlässen bis in die fünfziger Jahre zurückgriff. Das war eine neue Art, über Kunst nachzudenken, die besonders aufwühlend auf Maler in Großbritannien wirkte, deren Kunst so lange im Dienst von Dokumentation und Erzählung gestanden hatte. Leighton und James Whistler (die sich beide jeweils in den frühen sechziger Jahren in London niederließen, nachdem sie zuvor in Paris gelebt hatten), waren zur Stelle und spielten in englischen Künstlerkreisen als Übermittler eines völlig neuen Konzepts von Malerei eine anregende Rolle. Die Idee, daß sie formalen statt moralischen und didaktischen Zwecken dienen solle, und daß die harmonische Verbindung von Farbe und eleganter Linienführung wichtiger sei als die Genauigkeit der Darstellung, führte zu einem Kunststil, der einerseits schwelgerisch-üppig und sensualistisch und andererseits stimmungsvoll und poetisch war und eher die Emotionen des Betrachters als sein Bedürfnis nach visueller Information ansprach.

Auseinandersetzungen mit Stilen und Techniken

Für die meisten britischen Maler war jene Art von Realismus abstoßend, mit dem die fortschrittlicheren französischen Maler in den sechziger Jahren experimentierten. Rossetti machte im Herbst 1863 einen Gegenbesuch in Paris, wo ihn Théodore Fantin-Latour begleitet. Rossetti fand Manets Gemälde »zumeist bloßes Geschmier«, obwohl ihm der Künstler eine der Leuchten der neuen Schule zu sein schien. »Courbet, das Haupt der neuen Schule, ist nicht viel besser.« In Anbetracht des auf diese Weise konstatierten Mangels an französischen Talenten setzte Rossetti auf englische Maler, die wegweisend für einen auf höhere ästhetische Absichten zielenden Malstil sein könnten. »Es lohnt sich durchaus für die englischen Maler, jetzt etwas zu unternehmen, da die neue französische Schule pure Fäulnis und Zersetzung ist.«[16] Das britische Vorurteil gegen den französischen Realismus brach sich von Zeit zu Zeit immer wieder Bahn: Poynter, der zu einer einflußreichen Position aufstieg, als er 1870 als Professor an die Slade School am University College berufen wurde, spottete über einen »idealen Schönheitsbegriff [der nicht dem entspricht], der zu finden ist, wenn man in der Natur nach ihm sucht«. Andererseits tadelte er wiederum die Realisten, weil sie »die Natur nicht idealisiert« hatten. »Es ist fast stets das Abstoßende oder das Gräßliche, zu dem sie greifen, um den Betrachter zu informieren, und dies auch noch mit einem zynischen Vergnügen, das ebenso charakteristisch für sie ist wie ihr falsches und bombastisches Gefühl.«[17] Zu einem späteren Zeitpunkt räumte ein Mitglied des New English Art Club ein, die öffentliche Mißbilligung, die sich auf seine Kollegen vom Art Club richtete, rührte teilweise daher, daß sie in Frankreich studiert hatten. »Denn das Französische in der Kunst hatte für den altmodischen Briten immer noch den Beigeschmack von Schlüpfrigkeit, Blutrünstigkeit und der Tendenz zum Häßlichen.«[18] Im Verlauf seines malerischen Schaffens entwickelte sich Whistlers Darstellungsweise von einer von seinen französischen Kollegen inspirierten Spielart des Realismus zu einem eleganten und evokativen Stil, scheinbar transitorisch in seinem subtilen Stimmungsgehalt und doch klassisch in seinen ästhetischen Qualitäten der Selbstbeschränkung und Zeitlosigkeit. Er distanzierte sich von der Farbbrillanz und den Effekten des französischen Impressionismus und kehrte statt dessen zu der Theorie seines ersten Lehrers, Charles Gleyre, zurück, der daran festhielt, daß »Elfenbeinschwarz die Basis der Töne« sei.[19] Darüber hinaus studierte er die Alten Meister und ihre Behandlung von Figuren und Landschaften; vor allem Hals, Watteau und Velázquez und die Zeichnungen von Ingres beeindruckten ihn tief. Auf der Basis seiner Erfahrungen mit diesen Meistern interessierten ihn bei seinen eigenen Werken vor allem Farbton und Linie, die er zur Grundlage seiner Kompositionen machte. In einem an Fantin-Latour gerichteten Brief beklagte Whistler die Zeit, die er unter dem Diktat des französischen Realismus verbracht hatte: »Oh, warum war ich nicht Schüler von Ingres? ... Welch ein Lehrmeister wäre das gewesen. Wie sicher hätte er uns geführt. Zeichnen, bei Zeus! Farbe – Farbe ist Laster.«[20]

Für viele andere war die französische Malkunst, wie sie in den Ateliers von Paris gelehrt wurde, gleichbedeutend mit der Wiedergabe der Form mittels einer Skala von Tonwerten – wiederum häufig nach dem Vorbild der spanischen und holländischen Meister. Emile Auguste Carolus-Duran (Abb. 4), bei dem viele junge Briten und Amerikaner studierten, entwickelte ein Lehrsystem, nach dem die Naturformen auf ein Muster monochromer Pinselstriche reduziert wurden – ›les valeurs‹ –, die der Student möglichst ›auf Anhieb‹ auf die Leinwand zu setzen hatte. John Singer Sargent rief sich die vom Meister erhaltenen Instruktionen ins Gedächtnis: »Suchen Sie den Halbton, setzen Sie einige Akzente und dann die Glanzlichter.«[21] Der Name Velázquez wurde bei jeder Gelegenheit ins Spiel gebracht.

Die Qualität der ›Peinture‹ gehörte eigentlich nicht zu den hervorstechenden Eigenschaften der viktorianischen Kunst. Die meisten Maler der Periode zwischen den dreißiger bis siebziger Jahren waren entweder allzu ernsthaft um eine moralisch erhebende oder informative Darstellung eines spezifischen Themas bemüht, um sich Freiheiten in der Ausführung zu gestatten, oder sie waren maltechnisch zu unsicher darin, aus Skizzen und Studien ein im akademischen Sinn vollendetes Bild zu komponieren, um sich auch noch an eine ausdrucksvolle Oberflächenbehandlung zu wagen. Erst als es galt, Eigenschaften des Stofflichen oder Lichtwirkungen vermittels Stift oder Pinsel darzustellen, begannen sich britische (und amerikanische) Maler bis zu einem gewissen Grad den europäischen Malschulen und deren Ansprüchen zu öffnen.

In den frühen Jahren von Victorias Herrschaft hatte man als Schwäche der britischen Kunst empfunden, daß sie keine spirituell und moralisch erhebenden Inhalte zu vermitteln vermochte, so daß die Maler nach Europa blicken mußten, um sich entsprechende Inspirationen zu holen. Am Ausgang des Viktorianismus, etwa zwischen 1880 und 1900, hatte man die kontinentale Malweise schätzen gelernt als Möglichkeit, die Härten des Lebens mit größerer Authentizität zu schildern. Zwei französische Künstler, Jean-François Millet und Julien Bastien-Lepage, die für ihre Szenen aus dem bäuerlichen Leben Frankreichs bekannt waren, wurden von den britischen Malern besonders bewundert und nachgeahmt. Werke von Millet, darunter *Beim Angelusläuten* (1857-59, Musée d'Orsay, Paris), wurden 1872 von dem französischen Kunsthändler Durand-Ruel in der Galerie Dowdeswell gezeigt, während Bastien-Lepages *Les Foins* (Abb. 5) im Jahr 1880 in der Grosvenor Gallery Furore machte. 1881 erschien die erste einer ganzen Reihe englischsprachiger Biographien über beide Künstler.[22] Viele Maler, die dem New English Art Club beitraten – er wurde 1886 besonders zum Nutzen der in Frankreich ausgebildeten Künstler gegründet, denn die französische Verbindung war so wichtig geworden, daß man den Club zunächst ›The Society of Anglo-French Painters‹ nennen wollte[23] –, betrachteten Millet und Bastien-Lepage als die größten Maler des Zeitalters. George Clausen zum Beispiel pries sie beide, wenn auch aus recht unterschiedlichen Gründen: »Wenn wir Millets Schaffen mit dem von Bastien-Lepage vergleichen, ... finden wir in Millet immer noch den Meister, wenngleich Bastien als Maler unvergleichlich fähiger und geschickter war ... Er malte nicht drauflos wie Millet, der alles nur dem Ausdruck unterwarf, sondern er malte, um den wahren Eindruck von Menschen im Freien wiederzugeben, mit dem Natur-

5   Jules Bastien-Lepage: *Die Heuernte*, 1877. Musée d'Orsay, Paris

licht und den echten Farben der Natur.«[24] Für Clausen und die vielen anderen, die Bastiens eigentümlich eckig-breitpinseligen Strich imitierten und die ihm in der Erkundung bäuerlicher Themen nacheiferten, hatte er »die wirklichkeitsgetreue Wiedergabe bis an ihre äußersten Grenzen getrieben« und war »den Allerbesten innerhalb der modernen Kunst an die Seite zu stellen«.[25]

In Frankreich wurde Bastien-Lepage weder als echter Impressionist angesehen, noch galt er als auffallend fortschrittlich. Viele Franzosen schlossen sich der Meinung von Degas an, der Bastien den Beinamen »Bouguereau des Naturalismus« verliehen hatte[26], und verspotteten ihn als unsicher und manieriert. Selbst in England hatte sich allmählich eine Meinung herauskristallisiert, die Zweifel an dem überdauernden Wert von Bastien-Lepages Kunst anmeldete. Walter Sickert stellte zum Beispiel 1891 die Frage: »Wenn wir aufgrund der gigantischen modernen Verschwörung zur Toleranz von Bastien-Lepage als einem Meister sprechen sollen, was bleibt dann noch für Keene und Millet, für Whistler und Degas?«[27] Nichtsdestoweniger war Bastien-Lepage die Hauptfigur einer Bewegung innerhalb der spätviktorianischen Malerei, die als ›Britischer Impressionismus‹ bekannt geworden ist, ein Phänomen, das nur sehr locker in Verbindung stand mit dem französischen Wegbereitern dieses Stils.

Den fortschrittlicheren Malern, besonders jenen, die sich im Strahlkreis Whistlers befanden, erschien das Schaffen von Degas zunehmend als Prüfstein der Modernität. Sickert lernte den französischen Künstler 1883 durch Whistler kennen und befreundete sich 1885 näher mit ihm. Das war eine besonders bedeutungsvolle

6   Edgar Degas: *Absinth*, 1876. Musée d'Orsay, Paris

Freundschaft, weil so vieles in Sickerts höchst einflußreichem Schaffen wie auch in dem seiner Kollegen aus der Gruppe der ›London Impressionists‹ dem Vorbild Degas verpflichtet war. 1886 äußerte George Moore die Überzeugung, daß der Ruhm des Franzosen erst im Ansteigen begriffen sei: »Noch zehn Jahre werden vergehen, bevor man allgemein zugeben wird, daß Degas einer der größten Künstler ist, die die Welt je gekannt hat.«[28] 1889 setzte sich Sickert an die Spitze einer Kampagne, deren Ziel darin bestand, Degas in das Komitee des New English Art Club zu wählen – ein Schachzug, der von den konservativeren britischen Kräften vereitelt wurde.[29]

Wiederentdeckung der heimischen Traditionen

Es gab eine Phase, in der das Bestreben, französische Malstile zu imitieren oder ihnen nachzueifern, beinahe das Englische aus der englischen Kunst verdrängt hätte. Unter den Stimmen, die sich besorgt um die einheimische Schule zeigten und den Verlust ihrer grundlegenden Eigenschaften beklagten – Farbbrillanz, Unbefangenheit und Naivität des Sujets –, waren auch französische Kritiker, deren Vorgänger ja mit als erste diese Vorzüge erkannt und analysiert hatten. 1888, vier Jahre nach der Veröffentlichung des Buches ›The English School of Painting‹, in dem – wie eingangs erwähnt – Ernest Chesneau die Individualität der englischen Kunst hervorhob, hielt es derselbe Chesneau für angezeigt, zu warnen, die englische Malerei sei »ernsthaft durch jene Seite bedroht, der sie ihren besten und gewiß am wenigsten strittigen Anspruch auf einen hohen Rang unter den Kulturnationen verdankt – nämlich durch jene Originalität, die ihr den seltenen und beneidenswerten Ruf eingetragen hat, eine wahre nationale Schule zu sein.«[30] George Moore sorgte sich gleichfalls, daß die englische Eigenart von einem ausgreifenden und gefälligeren Kunststil verschluckt werden könnte: »Die Jüngeren praktizieren eine Kunst, die alles Nationale eingebüßt hat. Das Englische ist noch bei den älteren Malern zu finden, und, wenn auch in der Darstellung oft unzulänglich, sind die englischen Bilder liebenswerter als die mechanische Kunst, die sich von Paris aus über ganz Europa verbreitet und dabei nationale Eigenarten und mentale Unterschiede ausgelöscht hat.«[31] Selbst Degas war über den Weg bestürzt, den die britische Kunst eingeschlagen hatte, und beklagte Moore gegenüber das seiner Ansicht nach übermäßige Vertrauen der jungen britischen Maler in die französische Lehrmeinung: »Ich bin über Eure englische Schule enttäuscht; sie scheint einen Großteil jener Naivität, die sie auszeichnete, verloren zu haben …, ohne sie aber ist Kunst nutzlos. Ihr kommt hierher und lernt nach dem Aktmodell zu zeichnen und eignet Euch die Kunstgriffe der professionellen französischen Malerei an (›la bonne peinture‹), und dann kehrt Ihr in Euer Land zurück – weder Fisch noch Fleisch.«[32]

In den neunziger Jahren war der Gegenstand zwischen den Anhängern einer isolierten britischen Malerei, gewachsen aus einheimischen künstlerischen Traditionen und angepaßt an einheimische ästhetische Konventionen, und den Parteigängern einer eher kosmopolitischen Kunst, die mit den zeitgemäßen Ideen auf dem Kontinent mithalten wollte, so scharf ausgeprägt wie eh und je. Der Impressionismus sowohl einheimischer als auch importierter Provenienz wurde von keinen Geringeren als William Holman Hunt und Edward Burne-Jones als eine Heimsuchung der englischen Kunst betrachtet. Hunt fühlte sich bewogen, »die Welt zu warnen, daß die Gefahr für die moderne Kunst, der nichts geringeres als Auslöschung droht im ›Impressionismus‹ liegt«[33], während Burne-Jones einem Freund gegenüber erwähnte, wie enttäuscht er sei, »zu sehen, daß sich die Zukunft der Malerei dieser Richtung zuwendet. So sehr im Gegensatz zu allem, was ich gewünscht und gedacht habe«.[34] Walter Crane führte einen Kampf gegen einen Stil, den er seicht und oberflächlich fand: 1892, als *L'Absinthe* von Degas (Abb. 6) bei Christie's zum Verkauf stand und darauf in der Galerie Grafton ausgestellt wurde, goß er Öl ins Feuer der allgemeinen Debatte für oder gegen das Gemälde, indem er es als ungeeignet zur öffentlichen Ausstellung bezeichnete. Whistler dagegen nahm den Kontakt zu verschiedenen französischen Malern wieder auf, die er in den fünfziger Jahren gut gekannt hatte, etwa Monet, Toulouse-Lautrec und Degas. Er lud sie ein, in der von ihm in den achtziger Jahren präsentierten Royal Society of British Artists auszustellen, später auch bei der International Society, an deren Gründung er 1898 maßgeblich beteiligt war. Darüber hinaus empfahl er das Studium ihrer Werke und ihres Malstils den vielen jungen Malern, die ihn als ihre künstlerische Leitfigur betrachteten.

Als sich das Jahrhundert seinem Ende zuneigte, schien die britische Künstlerschule ihre heimischen Traditionen wiederzuentdecken. Gleichzeitig versuchte die Künstlerschaft selbst, eine Gemeinsamkeit zwischen den divergierenden Strängen der britischen und europäischen Kunst zu finden. So hängte sie etwa Gemälde von Claude Monet und Holman Hunt im New English Art Club Seite an Seite. Die meisten Betrachter fanden die Bilder zwar unterschiedlich wie Tag und Nacht, aber zumindest einer der Journalisten begriff den Zweck der Übung und kam zu der Erkenntnis, daß diese Werke »schließlich und endlich wirklich aufeinander abgestimmt sind und erfolgreiche malerische Problemlösungen in bezug auf das natürliche Licht darstellen.«[35] Ein erneutes Interesse an den Präraffaeliten lebte auf; Autobiographien ihrer Protagonisten, Augenzeugenberichte und kunstgeschichtliche Darstellungen über die Bruderschaft wurden veröffentlicht, und die jüngere Malergeneration eignete sich eine minutiöse und penible Maltechnik an. 1895 beschrieb Lucien Pissarro den Mißerfolg des internationalen impressionistischen Stils, wie er ihn im New English Art Club beobachtet hatte: »Hier zeigen sich die alten Schüler von Julian [Académie Julian in Paris], die sich selbst zu Verfechtern des Impressionismus aufgeschwungen haben, als talentlos und verlieren rasch an Boden; die

Vale-Gruppe [um Charles Ricketts und Charles Shannon], die eine Art von Neo-Präraffaelitismus pflegt, hat eine Bresche in ihre Reihen geschlagen.«[36] Burne-Jones, dessen sich im Alter eine Verzweiflungsstimmung über den Zustand der modernen Kunst bemächtigt hatte, erlebte einen freudigen Aufschwung, als ihn eines Tages zwei junge Künstler aus Birmingham besuchten – Joseph Southall und Arthur Gaskin –, die eine elegante Linienführung in ihren Aquarellen und Temperabildern an den Tag legten und einer sorgfältigen Ausarbeitung ihrer Werke ebenso große Bedeutung beimaßen wie er.

Dieser keineswegs erschöpfende Bericht über die Dankesschuld der viktorianischen Malerei gegenüber den zeitgenössischen kontinentalen Kunstströmungen läßt ein gewisses konsequentes Muster erkennen. Auf der Suche nach neuen, verfeinerten Ideen künstlerischen Ausdrucks und ästhetischer Zielsetzungen wandten sich britische Künstler europäischen Vorbildern und Erfahrungen zu – in den frühen Jahren der Regentschaft Königin Victorias orientierten sie sich dabei an Deutschland, später an Frankreich. Dadurch suchten sie Mängel zu kompensieren, die sie als ihre eigenen künstlerischen Schwächen und die Unerfahrenheit ihrer Schule ansahen. In den meisten Fällen war der Einfluß des europäischen Vorbilds kurzlebig; er löste sich auf oder wurde ersetzt, als die heimischen Methoden und Ansprüche sich erneut behaupteten. Wenn man die Art und Weise betrachtet, in der bestimmte Künstler den kontinentalen Einfluß assimilierten, aber gleichzeitig so transformierten, daß etwas völlig Anderes als der übernommene Prototyp herauskam, oder wie sie sogar gegen eine europäische Methode angingen, um einen eher traditionellen, eher heimischen Weg zu favorisieren, so erkennt man, welch ein weites Feld abzuschreiten ist, um den Charakter und die Errungenschaften der britischen Malerei dieser Periode zu bestimmen und zu bewerten.

1 Ernest Chesneau: *La Peinture Anglaise,* Paris (1884), S. 173
2 *AU.* 1839, S. 136
3 William Holman Hunt: *Pre-Raphaelitism and the Pre-Raphaelite Brotherhood,* 2 Bde., London 1905, Bd. 1, S. 122
4 John Ruskin: *The Works of John Ruskin,* London 1903-12, Bd. 36, S. 309
5 Augustus Welby Northcote Pugin: *Contrasts,* 2. Aufl. 1841, S. 12
6 Ford Madox Hueffer: *Ford Madox Brown. A Record of his Life and Work,* London 1896, S. 36
7 Brief an Charles Eastlake, 23. Februar 1842; zitiert in: Keith Andrews: *The Nazarenes,* 1964, S. 85
8 *Punch* 1846, Bd. 10, S. 145
9 Elizabeth Eastlake: *Journals and Correspondence of Lady Eastlake,* 2 Bde., 1895, Bd. 2, S. 159
10 Oswald Doughty and J. R. Wahl: *Letters of Dante Gabriel Rossetti,* 4 Bde., 1965-67, Bd. 1, S. 65-66
11 *AJ* 1867, S. 169
12 Etienne Moreau-Nélaton: *Histoire de Corot et de ses Œuvres,* 1905, S. 279
13 *AJ* 1871, S. 176-177
14 Siehe Rosalind Billingham: *George Heming Mason,* Ausst.-Kat. Stoke-on-Trent Museum and Art Gallery 1982, o. S.
15 John George Marks: *Life and Letters of Frederick Walker, ARA* 1896, S. 37
16 Doughty and Wahl (siehe Anm. 10), Bd. 2, S. 527
17 Edward John Poynter in seiner Vorlesung ›Hints on the Formation of a Style‹, in: *Lectures on Art,* 3. Aufl. 1885, S. 119
18 Alfred Thorton: *Fifty Years of the New English Art Club,* 1935, S. 6

19 E. R. and J. Pennell: *The Life of James McNeill Whistler,* 2 Bde., 1908, Bd. 1, S. 50 n
20 *AJ* 1906, S. 9
21 Stanley Olson: *John Singer Sargent,* 1986, S. 39
22 Alfred Sensier: *Jean-François Millet,* 1881. André Theuriet: *Jules Bastien-Lepage and his Art. A Memoir,* 1892. Julia Cartwright: *Jean-François Millet, his Life and Letters,* 1896
23 Alfred Thorton (siehe Anm. 18), S. 3
24 George Clausen: *Six Lectures on Painting,* 1904, S. 106-107
25 George Clausen: ›Jules Bastien-Lepage as Artist‹, in: André Theuriet: *Jules Bastien-Lepage and his Art* (siehe Anm. 22), S. 111, 126
26 Douglas Cooper: *The Courtauld Collection,* 1954, S. 34
27 Walter Sickert: ›Modern Realism in Painting‹, in: André Theuriet: *Jules Bastien-Lepage and his Art* (siehe Anm. 22), S. 143
28 George Moore: ›Half a Dozen Enthusiasts‹, in: *The Bat,* 25. Mai 1896
29 Anna Greutzner: ›Great Britain and Ireland – Two reactions to French Painting in England‹, in: *Post-Impressionism,* Ausst.-Kat. Royal Academy, London 1979-80, S. 180
30 *Magazine of Art* 1888, S. 25
31 George Moore: *Modern Painting,* 1893, S. 105
32 George Moore, in: *The Hawk,* 24. Dezember 1889
33 William Holman Hunt (siehe Anm. 3), Bd. 2, S. 490
34 Unveröffentlichte Niederschrift von Burne-Jones' Unterhaltungen mit Thomas Matthews Rooke, National Art Library, Victoria & Albert Museum, London
35 *Manchester Courier,* 7. April 1900
36 Dennis Farr: *English Art 1870-1940,* 1978, S. 45

Robin Hamlyn

Sezession und Erneuerung:
Kunstakademien in London 1837-1848

Monopolstellung der Royal Academy

Von 1768, dem Gründungsjahr, bis in die Mitte des 19. Jahrhunderts hinein war die Royal Academy of Arts in London die wichtigste Einrichtung ihrer Art in Großbritannien. Durch das Prestige ihrer Präsidenten – der erste war Sir Joshua Reynolds, und seine Nachfolger standen ihm an Ansehen nicht nach –, ihrer gewählten Akademiemitglieder, ihrer Schulen, ihrer Vortragsveranstaltungen und jährlichen Gemälde- und Skulpturenausstellungen trug sie auf eine einzigartige Art und Weise zur Bildung des Geschmacks und zur Förderung der Schönen Künste bei. Der Umzug in ein nagelneues klassizistisches Gebäude, das auch das neue Domizil der National Gallery war[1], schien ihr im Jahre 1837 noch größeres Gewicht zu verleihen. In diesem bedeutenden Moment in ihrer Geschichte, als der alternde König William IV. zusammen mit der damaligen Prinzessin Victoria, die bald Königin werden sollte, die Sommerausstellung moderner Kunst besichtigte, dürften die Akademiemitglieder und ihre Studenten kaum daran gezweifelt haben, daß die Akademie für immer die Heimstätte einer nationalen Schule für Malerei und Bildhauerei sein und noch nach Generationen große Künstler hervorbringen werde. Selbst der Standort der Akademie – am Nordrand des neuen, zum Gedenken an Admiral Nelsons großen Sieg über die französische Flotte bei Trafalgar im Jahre 1805 angelegten Platzes *und* in unmittelbarer Nachbarschaft zu einer Galerie der Alten Meister, die die Akademie von Anbeginn als Vorbilder betrachtet hatte – mußte doch einfach als günstiges Vorzeichen gedeutet werden.

Unser Thema, die Viktorianische Malerei, lädt natürlich geradezu dazu ein, das Selbstverständnis der Akademie zu sondieren, wie es an diesem denkwürdigen Apriltag des Jahres 1837 zutage trat, als der alte Monarch und die künftige Königin die Galerieräume durchschritten, als William IV. dem Präsidenten, Sir Martin Archer Shee, die Schlüssel des neuen Gebäudes mit den Worten übergab, er »könne sie nicht in bessere Hände legen«.[2] Tatsächlich verdankte die Akademie ihren Erfolg nicht zuletzt der Monopolstellung, die sie bislang unter dem Schutz eines königlichen Privilegs genossen hatte. Für einige wenige Kritiker des Jahres 1837 gehörte es zu ihren eher unannehmbaren Errungenschaften, daß es ihr als einer privaten, unabhängigen gelehrten Gesellschaft widerstandslos gelungen war, ein auf Kosten der Steuerzahler erbautes neues Haus zu beziehen. In unserem Zusammenhang ist jedoch wohl eher die Tatsache von Bedeutung, daß es in London zwar eine oder zwei private Kunstschulen und Scharen von etablierten und umherziehenden Zeichenlehrern gab, doch nur eine Kunstschule im eigentlichen Sinne – die der Akademie. Hier konnten strebsame Kunststudenten lernen, nach Gipsabgüssen und lebenden Modellen zu zeichnen, und Vorlesungen über Malerei, Perspektive und Architektur hören, immer unter der Aufsicht eines anerkannten Meisters seines Fachs. Es gab noch andere Künstlergesellschaften in London – insbesondere die Society of Painters in Water Colours (gegründet 1804), die British Institution (gegründet 1805), die Society of British Artists (gegründet 1823) und die New Society of Painters in Water Colours (gegründet 1831) –, die alle ihre eigenen Ausstellungsräume hatten, doch nur in der Royal Academy waren Lehre und Ausstellungsmöglichkeiten – die

1   Johann Zoffany: *Doctor William Hunter liest in der Royal Academy*, um 1772.
Royal College of Physicians, London

2 R. B. Schnebbelie: *John Gregory Smith liest im Hunterian Anatomy Theatre,
Windmill Street, London*, 1839. Londoner Kunsthandel

alljährlich veranstalteten Ausstellungen beflügelten den Ehrgeiz der
Künstler und den Wettbewerb untereinander – unauflösbar unter einem Dach miteinander vereint.

Die Kritik an der Academy wächst

Diese Monopolstellung hatte jedoch Selbstgefälligkeit zur Folge. So
konnte es nicht ausbleiben, daß die Akademie unter Beschuß geriet.
Dies führte zu einer allmählichen Auflösung der ›offiziellen‹ Lehr-
und Ausstellungsstrukturen und ästhetischen Ideale, die in Großbritannien bis in die Mitte des 19. Jahrhunderts Bestand hatten. Dieser
Zerfall der Ordnung, der dem späteren Siegeszug der Moderne den
Weg bahnte und dessen erste Anzeichen in den späten dreißiger und
frühen vierziger Jahren des 19. Jahrhunderts zu beobachten waren,
ist einer der faszinierendsten Aspekte der viktorianischen Kunst-
welt. Es ist ein Aspekt, der im einzelnen ziemlich unerforscht geblieben ist, und der, was die britische Kunst betrifft, für gewöhnlich
eilfertig mit dem angeblich plötzlichen Auftreten der Bruderschaft
der Präraffaeliten – Dante Gabriel Rossetti, John Everett Millais,
William Holman Hunt und anderer – erklärt wird. Überdies setzte
sich dieser ›Zerfall‹ aus mehreren einzelnen, über mehrere Jahre
verteilten Ereignissen zusammen, so daß sein Verlauf nicht einfach
darzustellen ist.

Angriffen, ob aus den eigenen Reihen oder von außen, war die
Akademie immer ausgesetzt gewesen. Es dürfte jedoch schwierig
sein, einen Präzedenzfall für das Verhalten zweier achtzehnjähriger
junger Männer im Jahre 1835 zu finden, die hofften, Künstler zu
werden. George Frederic Watts[3], der sich im April 1835 an den
Academy Schools eingeschrieben hatte, verließ sie nach kurzer Zeit
wieder, weil es, wie er später sagte, »dort überhaupt keinen Unterricht gab«; sein Biograph schrieb, er habe nur so lange am Unterricht teilgenommen, »bis er davon überzeugt war, daß er in seinem
eigenen Atelier genauso viel lernen konnte«.[4] Auch Edward Armitage[5], der sich zur gleichen Zeit wie Watts an der Akademie eingeschrieben hatte, nahm kaum am Unterricht teil, bevor er 1836 nach

Paris ging, um im Atelier des Historienmalers Paul Delaroche zu
studieren.[6]

Auch wenn viele der immer wieder geäußerten Angriffe auf die
Akademie zweifellos auf »persönliche Enttäuschung«[7] zurückzuführen waren, das vernichtende Urteil von Armitage und Watts konnte
zunächst einmal einzig und allein auf persönlicher Erfahrung beru-
hen. Sie hatten ganz richtig die Schwächen erkannt, derer sich die
Akademie selbst nur zu bewußt, die zu beseitigen sie aber offensichtlich nicht in der Lage war, obwohl sie gelegentlich öffentlich
angesprochen wurden. Im wesentlichen ging es dabei um den Kern
des Lehrprogramms: um den Zeichenunterricht und um die Bedeutung, die ihm beigemessen wurde. Schon 1825 sah sich der Akademiepräsident in seiner Ansprache an die Studenten genötigt, sie zu
ermahnen, »immer auf korrektes und sauberes Zeichnen zu ach-
ten«[8], und vier Jahre später ging er ausführlicher auf dieses Thema
ein und drängte die Studenten, sich »gründlicher dem Studium des
Zeichnens« zu widmen; er zeigte ihnen sogar einen Karton des Na-
zareners Friedrich Overbeck (1789-1869) »als Musterbeispiel für
die äußerste Genauigkeit und Einfachheit in den Einzelheiten des
menschlichen Körpers, die in früheren Zeiten als Zeichen der höchsten Vollendung gegolten hatten«.[9] Der folgende Präsident, Martin
Archer Shee, sah sich 1834 veranlaßt, dieselbe Mahnung zu wieder-
holen.[10]

Im selben Jahr mußte Henry Howard, Professor für Malerei,
zu Protokoll geben, daß »die englische Schule noch nie auf diesem
Gebiet [des Zeichnens] sonderlich hervorgetreten ist und … zur Zeit
… der Wert des Zeichnens stärker mißachtet zu werden scheint als
jemals zuvor«.[11] Als wäre dies noch nicht Grund genug zur Sorge
gewesen, mußte derselbe Parlamentsausschuß, dem Howard Rede
und Antwort gestanden hatte, 1836 nicht nur zur Kenntnis nehmen,
daß das allgemeine Niveau an den Academy Schools arg zu wün-
schen übrig ließe, es wurde ihm auch bestätigt, daß in den Jahren
zwischen 1824 und 1834 von den angesetzten 300 Vorlesungen der
Professoren für Anatomie, Perspektive, Architektur, Bildhauerei und
Malerei tatsächlich nur 189 gehalten worden waren.[12]

Die Unterschiede zwischen dem, was die Royal Academy ihren Studenten damals bieten konnte, und dem, was Armitage in seinen drei Pariser Jahren kennenlernte, sind leicht zu umreißen. Vier Stunden täglich wurde er unter den Augen seines Lehrers Delaroche im Zeichnen und Malen »an die Kandare genommen«, und daran schlossen sich abends zwei weitere Unterrichtsstunden in der Ecole des Beaux-Arts an. Das Zeichnen nach dem lebendigen Modell –

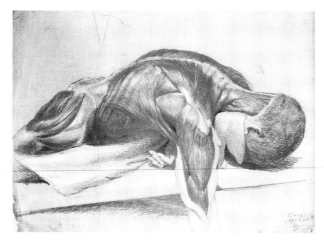

3   Charles Landseer: *Leiche im Hunterian Theatre, Windmill Street*, 1815(?). Wellcome Institute Library, London

»das Rückgrat aller großen Malerei«[13] – stand in Paris wie in London im Mittelpunkt des Unterrichts, doch in Paris hatte ein so junger Student wie Armitage die Möglichkeit, sowohl nach männlichen als auch nach weiblichen Modellen zu zeichnen, vorausgesetzt, er beherrschte sein Handwerk. An der Royal Academy dagegen mußte ein Student mindestens zwanzig Jahre alt (oder aber verheiratet) sein, um zur weiblichen Aktklasse zugelassen zu werden, so verlangten es die Anstandsregeln.[14] In Delaroches Atelier posierte das Modell morgens vier Stunden hintereinander bei vollem Tageslicht[15], in der Royal Academy dagegen nur zwei Stunden lang, und zwar abends, bei dämmerndem Tageslicht oder Gasbeleuchtung.[16] Bei Delaroche befanden sich das lebende Modell, Abgüsse antiker Skulpturen und ein menschliches Skelett in einem Atelierraum, damit der menschliche Körperbau richtig studiert und somit strikte Naturtreue erreicht werden konnte.[17] Wie Zoffanys Ansicht einer anatomischen Vorlesung in der Royal Academy in den siebziger Jahren des 18. Jahrhunderts zeigt, hatte es auch dort Bemühungen gegeben, eben diese Beziehung zwischen dem Realen und dem Idealen herzustellen (Abb. 1). Doch inzwischen hatten andere Institutionen wie etwa das ›Hunterian Theatre of Anatomy‹ in der Windmill Street (das seit etwa 1815 bestand) in diesem Studienbereich die Führung übernommen (Abb. 2) und boten Künstlern und Kunststudenten die Möglichkeit, Sezierungen zu beobachten oder selbst vorzunehmen (Abb. 3).[18] Im Pariser Atelier war das Malen nach dem lebenden Modell fester Bestandteil des Lehrplans, doch erst nachdem »gute, solide Grundlagen« im Zeichnen gelegt und vom Meister selbst begutachtet worden waren.[19] In der Royal Academy tauchte das Malen nach dem lebenden Modell nur gelegentlich im Lehrplan auf und wurde nicht aktiv gefördert.[20] Die forsche Verachtung für das englische Kunsterziehungssystem jener Zeit, die Armitage und Watts an den Tag legten, als sie ihm gleich zu Beginn ihrer Laufbahn den Rücken kehrten, fand ihre triumphale Rechtfertigung, als sie 1843 zwei der drei höchsten Preise im Wettbewerb für Freskenentwürfe für den neuen Palace of Westminster zugesprochen bekamen.[21] Der Erfolg von Armitage, der einen dynamischen und komplexen Entwurf zum Thema *Cäsars Invasion in Britannien* eingereicht hatte (gezeichnet in Paris und durch-

tränkt vom Geist der Historiengemälde Delaroches), war eine wirkungsvolle Mahnung an das englische Publikum, daß eine gründliche Ausbildung in Zeichnen und Komposition grundlegend für eine erfolgreiche künstlerische Laufbahn sei – und genau daran mangelte es in der Ausbildung an der Royal Academy, die deshalb ihren eigenen Ansprüchen nicht gerecht werden konnte. Daß damit der schwache Punkt getroffen war, zeigte sich schon daran, daß bald das – unbegründete – Gerücht laut wurde, Delaroche, nicht Armitage, habe den siegreichen Entwurf gezeichnet.[22]

Daß Armitage und Watts die jungen Aufsteiger des Tages waren, daran bestand damals kein Zweifel. Eine weniger aufsehenerregende, doch auf längere Sicht für den künftigen Weg der britischen Kunst womöglich wichtigere Rolle spielen verschiedene andere Künstler, die ebenfalls im Ausland studiert hatten: Allesamt waren sie nach England zurückgekehrt und hatten dort Kunstschulen eröffnet, die sich an den Ateliers orientierten, in denen sie studiert hatten. Als Künstler waren sie aus heutiger Sicht nur Randgestalten, doch ihre Schulen waren in ihren verschiedenen Ausrichtungen durchaus potentielle Rivalen der Akademie. Auch wenn sie ihr ihre äußerst einflußreiche Stellung nie ernsthaft streitig machen konnten, so gibt doch allein schon die Tatsache, daß diese Schulen allem Anschein nach – wenn auch nur für kurze Zeit – florierten, eine Vorstellung von der allgemeinen Unzufriedenheit mit der Royal Academy und allem, wofür sie stand. Als alternative Diskussionsform zu Fragen der Kunst trugen sie dazu bei, daß der Ruf nach Änderungen immer lauter wurde, und wie es von einer britischen Institution, die unter Druck gerät, nicht anders zu erwarten war, stimmte die Royal Academy schon bald in diesen Ruf ein. Diese Männer forderten die Akademie auf ihrem eigenen Terrain heraus – ging es doch um die Bedeutung des Studiums der menschlichen Gestalt in bezug auf die Historienmalerei; und damit änderten sie allmählich auch das weit verbreitete Selbstverständnis der Künstler: An die Stelle des einsamen Romantikers (Abb. 4) trat der Mann, der die Zusammenarbeit mit Kollegen und Freunden suchte, um seine Ziele zu erreichen.

4   James Sant: *Das Atelier (Selbstporträt)*, 1843/44. National Portrait Gallery, London

Alternative nach französischem Vorbild: die Ateliers

Einer der ersten englischen Künstler, die sich zu einem Studium im Ausland entschlossen, war ein weiterer Preisträger im bereits erwähnten Freskenwettbewerb von 1843, John Zephaniah Bell (1794-1883). Bell, der sich 1817 an der Royal Academy eingeschrieben hatte, fand den Zeichenunterricht dort unbefriedigend und ging nach Paris. Hier inskribierte er sich 1821 an der Ecole des Beaux-Arts und im Atelier des Historienmalers Baron Antoine Jean Gros (1771-1835; Abb. 5) ein[23], zufällig recht genau zu der Zeit, als der in England geborene Maler R.P. Bonington (1802-1828) dieses Atelier verließ.[24] Bell blieb bis etwa 1824 bei Gros. 1830 ging auch James Matthews Leigh (1808-1860), ein Schüler William Ettys, nach Paris und studierte bei dem Historienmaler Louis Hersent (1777-1860). Leigh machte den Vorschlag, ein Atelier mit französischen Lehrern für englische Studenten zu gründen.[25] Und schließlich studierte auch Charles Lucy (1814-1873), der in den Jahren 1836-37 im Salon ausstellte, an der Ecole des Beaux-Arts und unter Delaroche (der nach Gros' Tod dessen Atelier übernommen hatte), bevor er nach England zurückkehrte und sich im Dezember 1837 an der Royal Academy einschrieb.[26]

Das, was diese und einige andere Männer taten, war ein Beitrag zum Demokratisierungsprozeß im Kunst- und Designunterricht. Dieses Thema ist freilich zu komplex, als daß es hier eingehender behandelt werden könnte, dieser Prozeß wurde jedenfalls zu einem Politikum, und zweifellos erhielt er weiteren Auftrieb, als 1848, im ›Jahr der Revolutionen‹, die Bruderschaft der Präraffaeliten gegründet wurde. Ihre Ursprünge können auf die Gründung der Government School of Design im Jahre 1836 in London zurückgeführt werden, die Gestalter für industriell gefertigte Produkte ausbildete. Wie in der Royal Academy gab es auch hier Klassen, in denen nach Gipsabgüssen antiker Skulpturen und nach dem lebenden Modell gezeichnet wurde. Da in dieser Schule größter Wert auf korrekte Linienführung, zeichnerisches Können und auf das gründliche Stu-

dium und die präzise Wiedergabe der Natur gelegt wurde (Blumen und Blätter dienten ja beispielsweise als Quelle für Muster und Ornamente), und da sie über hochqualifizierte Lehrer verfügte, traten die Schwächen der Royal Academy in diesem Bereich bald deutlich hervor. Überdies führte die Spezialisierung der Schule auf das Design – Muster und Ornament – in Gewerbe und Industrie zwangsläufig dazu, daß ein hoher Anteil der Studenten aus der Schicht der Handwerker kam.

Die Ateliers, die Leigh, Bell und Lucy eröffneten, waren letztlich nur Vorbereitungsschulen für die Royal Academy und verschwanden bald schon wieder in der Versenkung. Zweifellos jedoch war ein Grund für ihre Entstehung darin zu suchen, daß mit der zunehmenden Bedeutung des Industriedesigns die Zeichenkunst jetzt nicht mehr auf den Bereich der Schönen Künste beschränkt war und sich damit für Kunsthandwerker neue Möglichkeiten eröffneten, ihren Lebensunterhalt als Gestalter oder Lehrer zu verdienen. Unter diesem Gesichtspunkt reagierten die Gründer dieser Schulen auf einen Bedarf, der von der School of Design initiiert worden war. Zugleich wußten Leigh, Bell und Lucy aus eigener Erfahrung nur zu genau, daß die Royal Academy als Ausbildungsinstitution versagt hatte, und das war ja spätestens seit 1843, als im Ausland ausgebildete Künstler im Westminster-Wettbewerb mit den höchsten Preisen ausgezeichnet wurden, nicht mehr zu verbergen.

Die Alternative, die sie boten, war in der Tat radikal. Im Gegensatz zu den Academy Schools brauchte ein Student kein Empfehlungsschreiben eines Akademiemitglieds oder eines anderen angesehenen Bürgers, um zu diesen privaten Ateliers zugelassen zu werden; er mußte keine offizielle Probezeit hinter sich zu bringen, bevor er Zutritt zu den Zeichenklassen bekam, und es gab in allen Ateliers Zeichenklassen sowohl für Männer als auch für Frauen. Sie erhoben zwar Gebühren – das Studium an der Akademie war kostenfrei –, doch einige Studenten wurden auch unentgeltlich unterrichtet.[27] Die Ateliers waren den ganzen Tag und meist an allen Wochentagen geöffnet. Es gab Vorträge über Anatomie und Perspektive; Zeichen-

5   Auguste Massé: *Baron Gros' Atelier*, 1830.
Musée Marmottan, Paris

und Malübungen wurden von einem Lehrer überwacht, und die Modelle posierten bei Tageslicht. In einer Stadt, in der es bis dahin an Aktzeichenklassen und damit auch an erfahrenen Modellen gefehlt hatte, wurden diese Klassen bald schon nicht nur von Studenten besucht, sondern auch von etablierten Künstlern.

Leighs langlebige Privatakademie

Leighs Pläne für ein ›Atelier anglais‹ in Paris wurden zwar nicht verwirklicht, doch gegen Ende des Jahres 1840, nachdem Henry Sass, der Inhaber der wichtigsten privaten Kunstakademie in London, gestorben war, gründete er rasch seine eigene Schule für »Zeichnen und Malen«.[28] Wie sich später zeigen sollte, war es fast ein Wink des Schicksals, daß er bald darauf ›modelling master‹ an der School of Design wurde und diese Stelle schon 1843 wieder aufgab.[29] 1849 zog Leigh mit seiner Schule in die Newman Street, in unmittelbare Nähe zur Oxford Street, mitten im Londoner Künstlerviertel. Sie wurde zur bekanntesten und langlebigsten aller privaten Akademien in London und bestand als ›Heatherley's Art School‹ (Abb. 6) bis in unser Jahrhundert fort. Sie war von sechs Uhr morgens bis sechs Uhr abends und dann wieder von sieben bis zehn Uhr abends geöffnet[30]: »Es gab eine gute Sammlung von Abgüssen antiker Skulpturen und lebende Modelle, nackt und drapiert; es wurden Kompositionsthemen ausgegeben, und die Ergebnisse wurden kritisch besprochen.«[31] Die Malerei nahm offenbar einen besonders breiten Raum im Lehrplan ein, worin einerseits sicherlich das typisch englische Interesse am Malerischen, an der ›painterliness‹, zum Ausdruck kam.[32] Zum anderen jedoch ist die Tatsache, daß Leigh großen Wert auf diesen Aspekt legte und daß er seine Schüler

6 Samuel Butler: *Mr. Heatherleys Ruhetag: Eine Episode im Atelierleben*, 1874. Tate Gallery, London

sich aneinander messen ließ, wenn sie sich mit kompositionstechnischen Problemen auseinanderzusetzen hatten, ein deutlicher Hinweis auf die ›Concours de composition‹, die zum Programm der französischen Ateliers und der Prix de Rome-Auszeichnungen gehörten, wie Leigh sie in den dreißiger Jahren in Paris kennengelernt hatte. Er beging damit einen in England unbekannten Weg, obwohl interessanterweise viele Jahre zuvor die Royal Academy kurz mit diesem System experimentiert hatte, als nämlich die Kandidaten für die Goldmedaille für Historienmalerei nach einem vorgegebenen Thema in fünf Stunden eine Ölskizze der Komposition anfertigen mußten.[33] Doch bei aller Betonung des Malerischen legte Leigh offensichtlich – und in deutlicher Abkehr von den Normen der Akademie – »großen Wert auf die Bedeutung des ›Tons‹ im Vergleich zur ›Farbe‹; der ›Intention‹ im Vergleich zur ›Ausführung‹«.[34] Die beharrliche Beschäftigung mit den anspielungsreichen Eigenschaften des ›Tons‹ im kreativen Prozeß stellte einen intellektuellen Zugang zur Malerei dar, der in den Akademievorlesungen dieser Zeit kaum angesprochen wurde. Da überdies an den Academy Schools entsprechend ausgebildete Lehrkräfte fehlten, wurden diese Gegenstände dort nicht eingehend und stetig behandelt, sondern allenfalls nach Lust und Laune. In Leighs Schule wurden sie dagegen systematisch und konsequent in den Unterricht einbezogen. Die Kompositionsskizze – die ›Esquisse peinte‹, die in den französischen Ateliers einen so wichtigen Stellenwert hatte – sollte die Studenten vor allem dazu ermutigen, ihre Intentionen im Moment der Inspiration zu formulieren; Farbe, Komposition und Pinselführung waren dabei unentwirrbar und spontan miteinander verflochten. Um dem Ton zu seinem Recht zu verhelfen, ließ sich Leigh die Bilder der Studenten zeigen, bevor sie bei Londoner Ausstellungen eingereicht wurden, damit er sie kritisch beurteilen und Verbesserungsvorschläge machen konnte.

Die Dekorativen Künste gewinnen an Rang

Im Jahre 1846, also noch bevor Leigh sich in der Newman Street etablierte, gründeten Charles Lucy und John Zephaniah Bell ungefähr gleichzeitig ihre eigenen ›Ateliers‹ in London. Teils reagierten sie damit auf den Entschluß der Regierung, weiterhin Gemälde und Skulpturen für den neuen Palace of Westminster in Auftrag zu geben. Die Zukunftsaussichten für junge Künstler waren also gut, und damit stieg auch die Nachfrage nach Unterricht in Anatomie, Perspektive und Aktzeichnen. Daß beide ihre Schulen nahezu gleichzeitig eröffneten, hing jedoch auch mit der plötzlichen und dramatischen Abwanderung einer Gruppe von Studenten aus der Government School of Design zusammen. Sie geschah im Sommer 1845 und war die erste Revolution an einer britischen Kunstschule. Einige Studenten, allesamt leidenschaftliche und tüchtige Zeichner, wurden zu einer gut geführten, von J. R. Herbert (1810-90), einem außerordentlichen Mitglied der Royal Academy, beaufsichtigten Aktzeichenklasse zugelassen. Herberts Bemühungen warfen ein Licht auf die allgemeinen Schwächen im Lehrplan der Schule, gegen die die Studenten protestierten. Die Schulleitung warf ihnen jedoch vor, sie seien mehr an den Schönen Künsten als an Fragen des Designs interessiert und deshalb eine Gefahr für den inneren Frieden an der Schule. Sie wurden relegiert, und Herbert trat von seinem Amt zurück. Im Oktober kam die Gruppe unter der Leitung Leighs in einer privat geführten Akademie mit dem Namen ›The General Practical School of Design for Artists, Designers and Amateurs‹ wieder zusammen. Hier standen die Schönen und die Dekorativen Künste zum erstenmal gleichberechtigt nebeneinander.

Wie bereits gesagt, hatte Lucy in Paris bei Delaroche studiert. Sein eigenes Atelier, die »Akademie für das Studium des lebenden Modells und für die allgemeine Unterweisung in die historische Kunst ... nach den bewährtesten kontinentalen Prinzipien«[35], ging offensichtlich auf diese französischen Erfahrungen zurück – sicher-

7 Anonymer Stecher: *The Free Exhibition Gallery, Knightsbridge*, 1848,
aus: ›Illustrated London News‹, 29. Juli 1848, S. 61

lich jedoch auch auf die Zeit um 1844, als er zusammen mit mehreren anderen Künstlern in einer »Atelierhöhle«[36] in Tudor Lodge im Londoner Norden gearbeitet hatte. Dieses Atelier war Ford Madox Browns erstes Zuhause in London, nachdem er im Sommer 1844 in England angekommen war. Obwohl er dort nur ein Jahr lang blieb – 1845 machte er sich nach Italien auf – und von der Umgebung und den Arbeitsbedingungen nicht sehr angetan war, wird seine enorme, durch und durch kontinentaleuropäisch geprägte künstlerische Präsenz das Ihre dazu beigetragen haben, daß Lucy den Entschluß faßte, in London eine reformerische Kunstschule zu gründen. Er eröffnete sein Atelier im November 1846: Es war an drei Tagen in der Woche geöffnet, von acht Uhr morgens bis zum Mittag und von sechs bis acht Uhr abends. Für ›Ladies‹ gab es eine gesonderte Klasse, jeden Nachmittag zwei Stunden. Lucys Unterricht zeichnete sich durch einen »besonderen Bezug zur ›hohen Kunst‹ aus« und bestand »grundsätzlich aus Zeichnen und Malen nach dem lebenden Modell mit gelegentlichen Ausführungen zur Anatomie«.[37] Damit füllte er ganz offenkundig die Lücken im Lehrplan der Royal Academy. Aus einem Bericht in der Zeitschrift ›Art-Union‹ vom Dezember 1846[38] wissen wir, daß Lucy nicht nur großen Wert auf Aktstudien legte, sondern auch und gerade auf das Studium und das Arrangement von Drapierungen, die seiner Ansicht nach »unter malerischen Gesichtspunkten für gewöhnlich interessanter ... als einfache Aktstudien« waren. Zu Beginn des Jahres 1847 hielt John Marshall, der an einem Lehrhospital Anatomie unterrichtete, eine sechsteilige Vorlesungsreihe in Lucys Atelier. Marshall, der die einzelnen Körperteile detailliert behandelte, stand mit seiner Methode im Gegensatz zum damals üblichen Anatomieunterricht für Kunststudenten, der hauptsächlich bei den allgemeinen Auswirkungen der Knochen- und Muskelbewegungen auf die äußerliche Erscheinung des menschlichen Körpers verharrte.[39]

Wie Leigh hatte auch Bell mit den Government Schools of Design zu tun gehabt: Von 1837 bis 1843 war er der Leiter der Manchester School of Design. Wie zwei Jahre später Herbert an der Londoner Schule, trat auch er deshalb zurück, weil das Zeichnen nach dem lebenden Modell fast vollständig aus dem Lehrprogramm gestrichen wurde, und wie die Londoner Studenten kamen auch Bells Schüler außerhalb der Schule wieder zusammen, um ihre Studien fortzusetzen. Als Bell sein Atelier im November 1846 eröffnete, war ihm natürlich – erst recht nach den Ereignissen in Manchester und London – bewußt, daß es in England an einem strukturierten Kunst- und Designausbildungssystem fehlte, und daß die Royal Academy ein solches System nicht bieten konnte oder wollte. Darüber hinaus machte sich Bell, der im Westminster-Wettbewerb von 1843 einen Preis erhalten hatte, Hoffnung auf weitere Erfolge bei der Fortsetzung des Programms für den Palace of Westminster – das tat auch Lucy –, und ein Atelier paßte gut zu diesen Ambitionen. Über Bells Schule ist nur wenig bekannt, es wurde kaum für sie geworben, und sie scheint schon bald nach ihrer Eröffnung ihre Unterkunft im Londoner Künstlerviertel verlassen zu haben; 1848 gab es sie noch.[40] Es war nicht ganz richtig, daß sie sich als »die einzige Kunstschule« bezeichnete, »wo die Studenten im Zeichnen nach dem unbekleideten lebenden Modell unterwiesen werden«. Die Modelle posierten bei Tageslicht, doch anders als in Lucys und Leighs Akademien scheint die Anatomie, zunächst jedenfalls, nicht zum Lehrplan gehört zu haben.[41]

Da die bisher besprochenen Ateliers mit bestimmten Einzelpersonen assoziiert werden können, bieten sie sich im Rahmen dieser kurzen Untersuchung dafür an, etwas näher betrachtet zu werden. Schon um deutlich zu machen, wie schnell in der kurzen Zeitspanne, die uns hier beschäftigt, Einrichtungen dieser Art sich ausbreiteten, sollten wenigstens noch zwei andere Schulen erwähnt werden.

Künstlerinitiativen für eine freie Kunstpolitik

Im Oktober 1847 eröffnete die Society of British Artists, bis dahin nur eine Ausstellungsgesellschaft, ihre eigene Kunstschule. Das Angebot entsprach (dem Schulprogramm zufolge) weitgehend dem der Royal Academy, obwohl sie sich einer ›School of Anatomy‹ rühmte[42] und in den zwei Jahren ihres Bestehens Vorlesungen zu fachbezogenen Themen wie Geologie[43] und Philosophie der Farbe[44] anbot. Interessanter war da schon die Metamorphose, die Leighs ›General Practical School of Art‹ mit der kuriosen Adresse 18¹/₂ Maddox Street in der Nähe der Oxford Street erfuhr. Im März 1846 wurde sie um eine von dem Porträtmaler Lowes Dickinson (1819-1900) geleitete, »nur auf das akademische Studium ausgerichtete Schule« erweitert.[45] Zu Beginn des Jahres 1848, als die Schule erneut umorganisiert (und um Klassen für Frauen erweitert) wurde, wirkte Charles Lucy dort als Lehrer für Zeichnen und Malen[46] und führte gleichzeitig sein eigenes Atelier fort.[47]

Lucys Ankunft in der Madox Street bezeichnet die Anfänge einer der allmählich – und in diesem Fall unter besonders günstigen Umständen – entstehenden Künstlervereinigungen, die dem ›offiziellen‹ Präraffaelitismus den Weg bereiteten, dem es ausdrücklich darum ging, »genuinen Ideen«[48] Ausdruck zu verleihen – eine Formulierung, die vor allem an J.M. Leighs Hervorhebung der ›Intention‹ gegenüber der ›Ausführung‹ denken läßt. Die beste und deutlichste Parallele zu dieser Bewegung ist selbstverständlich der ›Cyclographic Club‹. Zu den Mitgliedern dieses Skizzierclubs, der etwa von März bis September 1848 bestand, gehörten D.G. Rossetti, Holman Hunt und J.E. Millais, die Gründer der Bruderschaft der Präraffaeliten, sowie Richard Burchett (1815-75), der den Aufstand an der School of Design angeführt hatte und über Leigh auch mit der Schule in der Maddox Street in Verbindung stand.[49] Lucy führte

seine Freunde aus früheren Tagen in Tudor Lodge in die Maddox-Street-Gruppe ein, unter anderen Ford Madox Brown und den in München ausgebildeten Historienmaler William Cave Thomas (1820 bis ca. 1884).[50]

Die Quelle dieser anschwellenden Unterströmung künstlerischen Treibens lag letztlich auf den Hängen des Parnaß, und dieser Parnaß war die Royal Academy. Doch von den weiterhin veranstalteten – und doch recht exklusiven – Wettbewerben zur Ausgestaltung des Palace of Westminster abgesehen, gab es für diese Unterströmung keinen rechten Ausfluß. Denen, die sich von ihr tragen ließen, schien eine neue öffentliche Ausstellungsmöglichkeit die logische Antwort auf dieses Problem zu sein, und im Sommer 1848 eröffnete die 1847 ins Leben gerufene ›Institution for the Free Exhibition of Modern Art‹ ihre erste Ausstellung. Organisiert wurde sie von einem ›Committee of Management‹ (Abb. 7) – viele Mitglieder dieses Komitees waren Künstler, deren Arbeiten von der Royal Academy abgelehnt worden waren –, und zwar nach einem ausgesprochen demokratischen Prinzip: Die Künstler konnten Wandflächen für ihre Bilder mieten und sie dann nach Belieben hängen. Der Gesamteindruck dieser Ausstellung muß ziemlich kläglich gewesen sein, vor allem im Vergleich mit der Pracht der Ausstellungen in der Royal Academy in dieser Zeit (Abb. 8). Die Zielsetzungen, die sich hinter dem »Free« verbargen, waren »größtmögliche Freiheit« für den Künstler, »gesicherte Ausstellungsmöglichkeiten« und »die Anhebung des öffentlichen Geschmacks«. Mit Blick auf den zuletzt genannten Punkt wurde der Vorschlag gemacht, keine Eintrittsgelder für die Ausstellung zu verlangen. Eine derart liberale Kunstpolitik entsprach genau dem politischen Radikalismus, der in dieser Zeit über ganz Europa hinwegzog und der in London mit der großen Chartistendemonstration vom April 1848 beinahe zum Sturz der Regierung geführt hätte. Ein weiteres Indiz dafür, wie das Komitee

8   H. Vizetelly: *Das Bankett in der Royal Academy, 5. Mai 1849,* aus: ›Illustrated London News‹, 26. Mai 1849, S. 353

auf diese radikalen Zeiten reagierte, war die geäußerte Hoffnung, in künftigen Ausstellungen würden auch die »industriellen Künste« vertreten sein – ein Bündnis zwischen den Schönen und den Dekorativen Künsten, von dem ja schon die Rede war.[51]

Zu den Teilnehmern an dieser ersten ›freien‹ Ausstellung gehörten Bell, Lucy und Ford Madox Brown, und in der zweiten im Jahre 1849 zeigte D.G. Rossetti sein erstes bedeutendes Ölgemälde, und zugleich das erste, das die Initialen ›P.R.B.‹ (›Pre-Raphaelite Brotherhood‹) trug, *The Girlhood of Mary Virgin* (Abb. 9). Die Präraffaeliten, vertreten durch Rossetti, und ihr enger Verbündeter W.H. Deverell stellten ihre Arbeiten 1850 noch einmal auf diesem Forum aus (das jetzt den Namen ›National Institution‹ trug), doch diese ›alternative‹ Ausstellung konnte die in sie gesetzten Hoffnungen nicht erfüllen. Die Royal Academy, die Millais schon früh unter ihre Fittiche genommen hatte – er war der jüngste Student, der je dort zugelassen wurde, und jetzt war er der Wortführer der Präraffaeliten –, behauptete ihre Vorherrschaft schon bald erneut: Sie nahm nicht nur seine Bilder in ihre Jahresausstellungen auf, sondern wollte ihn auch schon 1852 zum außerordentlichen Mitglied ernennen.[52] Holman Hunt war fest entschlossen, ganz mit der Royal Academy zu brechen; er schrieb an Ford Madox Brown: »Lange bevor Du, Gabriel [Rossetti] und ich zu außerordentlichen Mitgliedern ernannt werden …, werden wir uns überlegen müssen, ob wir uns damit zufrieden geben, daß unsere Bilder dort in der hintersten Ecke versteckt werden, oder ob wir uns um bessere Ausstellungsmöglichkeiten in anderen Räumen bemühen sollen.«[53] Daraus wurde jedoch nichts, und erst mit der Eröffnung der privat geführten Grosvenor Gallery im Jahre 1877 fand die englische Avantgarde eine wirksame Alternative zur Royal Academy.

9 Dante Gabriel Rossetti: *Die Kindheit der Jungfrau Maria*, 1848/49. Tate Gallery, London

1 Es ist bis heute ihr Domizil geblieben
2 C.R. Leslie: *Autobiographical Recollections,* 2 Bde., London 1860, II, S. 235
3 Siehe Kat. 70 und Biographie
4 M.S. Watts: *George Frederic Watts, The Annals of an Artist's Life,* 3 Bde., London 1912, I, S. 25
5 Siehe Kat. 38 und Biographie
6 Watts (siehe Anm. 4), S. 44; *AJ,* 1863, S. 177
7 *Minutes of Evidence before the Select Committee on Art and Principles of Design,* Teil II, 26. Juli 1836, Par. 1136, S. 178
8 ›Address to the Students of the Royal Academy‹, 10. Dezember 1825, in: *Library of The Fine Arts,* Bd. I, Nr. 2, S. 184 (März 1831)
9 Sir David Wilkie in einem Brief an Andrew Geddes vom 8. Dezember 1829; A. Cunningham: *The Life of Sir David Wilkie,* 3 Bde., London 1843, III, S. 28-29
10 Sir Martin Archer Shee: *Address to the Students of the Royal Academy,* London 1834, S. 1
11 *Ath,* 11. März 1843, S. 238
12 Siehe Anm. 8; *Report,* S. VII; *Minutes* (siehe Anm. 7), 21. Juni 1836, Par. 665, S. 58
13 E. Armitage: *Lectures on Painting delivered to the Students of the Royal Academy,* London 1883, S. 114
14 *Royal Academy of Arts in London. Laws Relating to The Schools, The Library and The Students,* London 1814, S. 11 (und Ausgaben der folgenden Jahre)
15 Armitage (siehe Anm. 13), S. 115
16 Siehe Anm. 14 [RA-Vorschriften], S. 11; 1848 galt diese Regelung immer noch, siehe *Art-Union,* 1. Januar 1848, S. 19
17 Armitage gegenüber dem Untersuchungsausschuß zur gegenwärtigen Lage der Royal Academy (›Commissioners Appointed to enquire into the Present Position of the Royal Academy‹), *Report,* 1863, *Minutes* (siehe Anm. 7), Par. 5060, S. 544

18 *Ath,* 10. März 1838, S. 188
19 Armitage (siehe Anm. 13), S. 115
20 1817 wurde zum Beispiel berichtet, daß einige Künstler »in Schwarz und Weiß [oder] in natürlichen Farben nach lebenden Modellen malen« (*Annals of the Fine Arts,* Nr. VI, Bd. II, S. 332), während 1848 beteuert wurde, es sei den Künstlern »nicht gestattet, nach dem Leben zu malen« (*AU,* 1. Januar 1848, S. 19). 1843 warnte Henry Howard, Professor für Malerei an der Akademie, »vor einer Gewohnheit, die … in letzter Zeit so überhandgenommen hat … [beim Studium des lebenden Modells] zugunsten der verlockenderen Arbeit mit der Ölfarbe den Zeichenstift vorschnell beiseite zu legen« (siehe Anm. 11). Sein Nachfolger, C.R. Leslie, glaubte dagegen, daß »die jungen Künstler zu lange beim Zeichnen verharren, bevor sie mit dem Malen beginnen. Meiner Ansicht nach … sollten sie früh mit dem Malen beginnen, damit sich ihre Augen an die Wahrheit der Farbe gewöhnen« (nach Richard Redgrave, in: *Richard Redgrave. A Memoir,* London 1891, S. 54)
21 Siehe dazu unter Maclise, Kat. 26
22 *AU,* August 1843, S. 210
23 Zu Bell siehe Helen Smailes: *John Zephaniah Bell, 1794-1883,* Edinburgh 1990
24 M.R. Pointon: *The Bonington Circle. English Watercolour and Anglo-French Landscape 1790-1855,* Brighton 1985, S. 73
25 Dennis Farr: *William Etty,* London 1958, S. 55. Leigh vor dem ›Select Committee on Art and Principles of Design‹, siehe *Minutes* (siehe Anm. 7), Par. 183, S. 150
26 *AJ,* 1873, S. 208
27 Zum Beispiel bei Leigh; siehe G.A. Storey: *Sketches from Memory,* S. 98
28 Anzeige in der *Times* vom 28. Januar 1841
29 *Schools of Design, 3rd Report 1843-44,* London 1845 (566), XXI, S. 108

30 H.S. Marks: *Pen and Pencil Sketches,* 2 Bde., London 1894, I,
    S. 22

31 Tom Taylor: *English Painters of the Present Day,* London 1871,
    S. 39

32 Siehe zum Beispiel W.W. Fenn: ›Our Living Artists: Philip Hermo-
    genes Calderon, RA‹, in: *Magazine of Art,* 1878-79, S. 196

33 Royal Academy, *Council Minutes,* IV, 14. November 1807

34 D.W. Wynfield, zitiert in Taylor (siehe Anm. 31), S. 39

35 *Ath,* 3. Oktober 1846, S. 1009

36 F.M. Hueffer: *Ford Madox Brown. A Record of his Life and Work,*
    London 1896, S. 38

37 *Ath,* 31. Oktober 1846, S. 1005

38 S. 335

39 Anzeige im *Builder* vom 30. Januar 1847; Marshall wurde ein
    enger Freund der Präraffaeliten

40 *AU,* 1. Januar 1848, S. 20

41 *Spectator,* 21. November 1846, S. 4122

42 *AU,* November 1847, S. 389 f.

43 *AU,* Februar 1848, S. 40

44 *Times,* 13. Januar 1849

45 *AU,* März 1846, S. 99

46 Anzeige im *Ath,* 25. Dezember 1847

47 Anzeige im *Builder,* 18. November 1848

48 W.M. Rossetti (Hrsg.), *Dante Gabriel Rossetti: His Family Letters,
    with a Memoir,* 2 Bde., London 1895, I, S. 135

49 Zum Cyclographic Club siehe W.E. Fredeman (Hrsg.): *The P.R.B.
    Journal together with other Pre-Raphaelite Documents,* Oxford
    1975, S. 108-112

50 Virginia Surtees (Hrsg.): *The Diary of Ford Madox Brown*
    (10. Januar 1848), New Haven und London 1981

51 Vorwort im Ausstellungskatalog, 1848

52 Eines Formfehlers wegen erfolgte die Ernennung erst im Jahr
    1853

53 Hueffer (Anm. 36), S. 87

Tafeln

SIR EDWIN LANDSEER
(1803-1873)

1 Queen Victoria and Prince Albert
   at the Bal Costumé, 1842-46
   *Königin Victoria und Prinz Albert
   auf dem Kostümball*

   Öl auf Leinwand, 142,6 x 111,8 cm
   Erste Ausstellung: RA 1874 (211)
   Royal Collection, Buckingham Palace,
   London

Dieses von Königin Victoria in Auftrag gegebene Werk wurde anläßlich eines Kostümballs gemalt, der am 12. Mai 1842 in Buckingham Palace stattfand. Victoria war als Königin Philippa (gest. 1369) kostümiert, Prinzgemahl Albert als Edward III. (gest. 1377). Die historische Epoche und die Kostüme, die das königliche Paar als Thema für diesen Ball gewählt hatte, spiegeln die enge Verbundenheit des englischen Hofes mit den einst im mittelalterlichen England und Europa herrschenden ritterlichen Tugenden und Idealen. Das Thema kann durchaus von der Serie aus acht Bildern inspiriert worden sein, die Benjamin West 1786-89 für Schloß Windsor gemalt hatte und die recht genau Episoden aus der Regierungszeit König Edwards III. wiedergeben.

Wie die Kostüme der Hauptpersonen beim Ball auf sorgfältigen historischen Recherchen beruhten, so waren auch die Maler des historischen Genres seit West um Authentizität bemüht. Mit seinem bedeutendsten Vorläufer aus der Reihe der viktorianischen Feste im Stil des Mittelalters, dem Eglinton-Turnier von 1839, ist dieser Ball (und damit Landseers Bild) eine Erinnerung daran, daß die später einsetzende ideologische Hinwendung der Präraffaeliten zum Mittelalter ihre Wurzeln in einer früheren idealisierenden und romantischeren Vision hatte.

Landseer begann für dieses Bild im Mai 1842 mit Ölskizzen von Victoria und Albert; das Tagebuch der Königin enthält für Juni den Eintrag, daß sie ihm in ihren Kostümen Modell standen. Es war für den stets von Selbstzweifeln gepeinigten Maler charakteristisch, daß ihm der Auftrag Schwierigkeiten bereitete. Das Bild verließ sein Atelier erst im August 1846.   R.H.

SIR FRANCIS GRANT (1803-1878)

2 Queen Victoria on Horseback,
   1843-45
   Königin Victoria zu Pferde

   Öl auf Leinwand, 34,3 x 29,8 cm
   Royal Collection, Windsor Castle

Grant wurde Königin Victoria wahrscheinlich von ihrem Premierminister Lord Melbourne empfohlen, der selbst schon von ihm porträtiert worden war. Sein Bild *Queen Victoria riding out with her gentlemen* (1840, Royal Collection), das die Königin in Begleitung Lord Melbournes zeigt, galt als großer Erfolg. Zu Beginn der vierziger Jahre ließ ihn die Königin erneut Studien von ihren Kindern schaffen, die als Geschenke dienen sollten.

Um 1843 wurde Grant beauftragt, ein großformatiges Reiterbildnis der Königin zu malen. Sein erster Entwurf, der sich lose an van Dycks Reiterporträts orientierte und die Königin auf einem Pferd zeigte, das auf den Betrachter zusprengt, verärgerte Edwin Landseer, der 1838 selbst mit einem derartigen Porträt beauftragt worden war, aber daran

scheiterte. Landseer zu Gefallen begann Grant ein neues Bild, auf dem das Pferd der Königin eine Levade vollführt; im Hintergrund erscheinen exerzierende Truppen und die Umrisse von Schloß Windsor. Als Vorbild diente hier das Reiterbildnis des *Conde Olivares* von Velázquez (Madrid, Prado). Die Königin war zufrieden; das zu einer lebensgroßen Fassung ausgearbeitete Bild wurde 1846 in der Royal Academy gezeigt. Heute befindet es sich in der Christ's Hospital School. Insgesamt fanden sie und Prinz Albert indessen zunehmend weniger Gefallen an den britischen Malern im allgemeinen und Grant im besonderen. 1842 wurde Franz Xaver Winterhalter der Königin vorgestellt. Bald danach stellte die königliche Familie ihre Porträtaufträge an englische Künstler ein.   C.S.N.

SIR FRANCIS GRANT

3 Prince Albert, 1843-45

   Öl auf Leinwand, 45,1 x 35,6 cm
   Royal Collection, Windsor Castle

Prinz Albert, der zweitälteste Sohn von Herzog Ernst von Sachsen-Coburg-Gotha, vermählte sich 1840 mit seiner Kusine, Königin Victoria von England. Als Patron der Künste nahm er im öffentlichen Leben einen wichtigen Platz ein und war maßgeblich an der Organisation der großen Ausstellung von 1851 beteiligt, die Großbritannien der Welt als Industrie- und Handelsmacht präsentierte. Der Prinz beriet die Königin in künstlerischen Fragen und ermutigte sie, Gemälde von zeitgenössischen britischen und deutschen Künstlern zu erwerben oder bei ihnen in Auftrag zu geben, wobei die britischen später ins Hintertreffen gerieten (siehe Kommentar Kat. 2).

Das Porträt Prinz Alberts, das als Pendant zu Grants Reiterbildnis der Königin konzipiert wurde, zeigt den Prinzen in der Uniform eines Feldmarschalls der britischen Armee und als Träger des Hosenbandordens. In dem Gemälde in Lebensgröße (RA 1846, Christ's Hospital School; Ormond 1973, Band II, Taf. 17), das nach der hier abgebildeten Ölskizze ausgearbeitet wurde, sind die Gestalt und das Pferd im Verhältnis zum Gesamtformat kleiner, und die Säulen, die links im Hintergrund der Skizze erscheinen, gehören zu einem beeindruckenden Portal, durch das der Prinz den Apfelschimmel geführt zu haben scheint, den er im Begriff ist zu besteigen.
                                    C.S.N.

1   Sir Edwin Landseer, Königin Victoria und Prinz Albert auf dem Kostümball, 1842-46

2   Sir Francis Grant, Königin Victoria zu Pferde, 1843-45

3   Sir Francis Grant, Prinz Albert, 1843-45

FRANZ XAVER WINTERHALTER
(1805-1873)

4   Marie-Louise Victoria,
     Herzogin von Kent,
     geb. Prinzessin von
     Sachsen-Coburg-Saalfeld, 1843

Öl auf Leinwand, 241 x 145 cm
Bez. u. r.: F. X. Winterhalter 1843
Hessische Hausstiftung, Schloß
Friedrichshof, Kronberg/Taunus
Lit.: London 1987 c, S. 33

Eine Schwester des Prinzen Leopold von
Sachsen-Coburg (später Leopold I. König von
Belgien), war Victoria zuerst mit Karl Emich
Prinz von Leiningen verehelicht und heiratete
nach dessen Tod 1818 Edward Herzog von
Kent, den 4. Sohn König Georgs IV., der jedoch bereits 1820 verstarb. Die Herzogin
hatte aus erster Ehe bereits zwei Kinder und
gebar am 24. Mai 1819 die Tochter Victoria,
die dann am 21. Juni 1837 nach dem Tod ihres
Onkels, König William IV., die Thronfolge
antrat. Einflußnahme und Intrigen des Vertrauten der Herzogin, Sir John Conroy, verur-
sachten eine Entfremdung zwischen Mutter
und Tochter, die erst später durch die vermit-
telnden Bemühungen von Prinzgemahl Albert
beigelegt werden konnte. Franz Wilds Verzeichnis der Gemälde von Winterhalter führt
ein fast gleich großes Bildnis der Herzogin
von Kent, lebensgroß und ganzfigurig, aus
demselben Jahr 1843 auf, das sich in der
Royal Collection befindet, ein weiteres
ebenda als Kniestück ist 1849 datiert (London
1987 c, Nr. 91, 154).

Charakteristisch für den an Horace Vernet
geschulten Porträtstil Winterhalters ist neben
dem Kolorit die konsequente Untersicht, wie
sie seit Sir Josua Reynolds' Forderung nach
»grand manner« die Porträts hochgestellter
Auftraggeber vielfach noch während der ersten Hälfte des 19. Jahrhunderts auszeichnet.

C. H.

4   Franz Xaver Winterhalter, Marie-Louise Victoria, Herzogin von Kent,
geb. Prinzessin von Sachsen-Coburg-Saalfeld, 1843

FRANZ XAVER WINTERHALTER
(1805-1873)

5   Victoria, Princess Royal,
     spätere Kaiserin Friedrich, 1856

Öl auf Leinwand, 37,5 x 50 cm
Bez. u. l.: Winterhalter/1856
Hessische Hausstiftung, Schloß
Friedrichshof, Kronberg/Taunus
Lit.: H. Biehn, Schloß Friedrichshof,
Kunstführer Nr. 974, München und Zü-
rich 1975, S. 23 (Farbtaf.); E. Herzog,
Meisterwerke in Schloß Fasanerie,
Fulda 1979, S. 68, 141 (Farbtaf.);
Dictionary of British Portraiture, Hrsg.
R. Ormond und M. Rogers, Bd. 3, Lon-
don 1981, S. 213.

Die älteste Tochter der Queen Victoria, ›Vicky‹ (1840-1901), ist hier als knapp 16jährige von Winterhalter in einer Ölskizze festgehalten, die sie anläßlich ihres ersten ›drawing room‹, also ihres erstmaligen offiziellen Auftretens bei einem Hoffest zeigt. Die Porträtskizze ist somit ein Jahr vor dem Brustbild des ihr verlobten Kronprinzen Friedrich (Kat. 6) und ihrem eigenen, ebenfalls von Winterhalter gemalten Porträt als Braut in Dreiviertel-Figur (Royal Collection) entstanden. Winterhalter hat die Princess Royal über einen Zeitraum von 25 Jahren oft gemalt: als kleines Kind (1842), dann 1849 zusammen mit ihren Schwestern, den Prinzessinnen Alice, Helena und Louise, 1862 mit ihrem Gemahl und den beiden Kindern, Prinz Wilhelm und Prinzessin Victoria, schließlich 1867 nochmals als Pendant zu einem Porträt ihres Gemahls, des Kronprinzen Friedrich. Alle genannten Bildnisse bis auf das letzte (verschollene) Bilderpaar befinden sich in der Royal Collection (London 1987c, Nr. 75, 150, 280, 362).

Victorias höchst sorgfältige Erziehung stand unter dem starken Einfluß ihres Vaters, des Prinzgemahls Albert, der ihre musischen wie historischen Interessen förderte und von dem sich ihre liberale Grundeinstellung herleitet. Wie ihre Eltern, denen sie zeitlebens herzlich verbunden war, führte sie eine außerordentlich glückliche Ehe bei ähnlich musischer Veranlagung und Bildung. Ihre Tragik bestand vor allem darin, daß ihr liberal wie sie denkender Gemahl zu spät und, weil auf den Tod erkrankt, nur für 99 Tage die Nachfolge seines hochbetagten Vaters Kaiser Wilhelm I. antreten konnte und die militaristisch konservative Politik des Berliner Hofes, insbesondere Bismarcks, jeden Ansatz für Reform-Bemühungen des Kronprinzenpaares unterband. Das Verhältnis zu ihrem Sohn Wilhelm II. war immer gespannt, so daß sie die letzten zehn Jahre ihres Lebens auf dem von ihr erbauten Witwensitz Schloß Friedrichshof verbrachte.   C. H.

FRANZ XAVER WINTERHALTER

6   Kronprinz Friedrich Wilhelm
     von Preußen, 1857

Öl auf Leinwand, 43,5 x 53,5 cm
Bez. u. l.: F. Winterhalter London 1857
Hessische Hausstiftung, Schloß
Friedrichshof, Kronberg/Taunus
Lit.: Scheele 1977, S. 119

In verlorenem Profil nach rechts gewandt, zeigt das Brustbild den 26jährigen Kronprinzen Friedrich Wilhelm von Preußen kurz vor seiner Hochzeit mit Victoria, der Princess Royal, am 25. Januar 1858. ›Fritz‹ war erstmals 1851 anläßlich der Eröffnung der ersten Weltausstellung mit seinen Eltern nach London gekommen. Er begegnete hier der damals gerade zehn Jahre alten Victoria (›Vicky‹), von deren schon früh entwickelter Persönlichkeit er sich tief beeindruckt zeigte. Fasziniert war er von Prinzgemahl Albert und seinen klaren Vorstellungen eines liberalen Deutschland. Dieser seinerseits hoffte, den Kronprinzen und seine Mutter, Königin Augusta, geborene Prinzessin von Sachsen-Weimar, für seine liberale Politik zu gewinnen, deren Ziel auch auf ein geeintes Deutschland gerichtet war. In der Absicht, sich mit Victoria zu verloben, kam der Kronprinz 1855 nach Schloß

Balmoral zu Besuch. Es kam zur allseits begrüßten Verlobung mit der Maßgabe, daß eine Heirat erst nach Victorias Konfirmation stattfinden solle. Die Jahre bis dahin nutzte Prinzgemahl Albert, seine Tochter auf ihre Rolle an der Seite des preußischen Kronprinzen vorzubereiten. Nach den Trauungsfeierlichkeiten in der Royal Chapel in St. James' Palace wurde die junge Kronprinzessin in Berlin emphatisch begrüßt, besonders von den großen Patrioten der Befreiungskriege wie Ernst Moritz Arndt, der auf eine Bereicherung des Kulturklimas durch liberale englische Geisteshaltung hoffte. Der militärisch eingestellte preußische Hof fürchtete jedoch Veränderungen auf eine konstitutionelle Monarchie hin und hintertrieb alle Ansätze zu einem Liberalismus, wie er von Königin Augusta und dem Kronprinzenpaar angestrebt wurde.
                                        C. H.

FRANZ XAVER WINTERHALTER

7   Albert Edward, Prince of Wales,
     1859

Öl auf Leinwand, 40,5 x 31 cm
Bez. auf dem Keilrahmen (in eingebrannten Buchstaben): The Prince of Wales. By F. Winterhalter
Hessische Hausstiftung, Schloß
Friedrichshof, Kronberg/Taunus
Lit.: London 1987c (43)

Der Prince of Wales (1841-1910), von 1901 an König Edward VII., ist im Alter von 18 Jahren in der Uniform eines Oberstleutnants der Grenadier Guards dargestellt und trägt den Garter-Sternorden am Bande. Eine für Königin Victoria gemalte gleich große Fassung, ebenfalls in Halbfigur, signiert und datiert 1859, hing in ihrem Schlafzimmer in Buckingham Palace. 1859 erhielt Winterhalter zweimal 30 Pfund für eine Skizze und einen Kopf des Prinzen in Öl. Am 2. Juli 1859 schrieb die Königin an ihre älteste Tochter Victoria, Princess Royal (seit 25. Januar 1858 mit dem preußischen Kronprinzen Friedrich verheiratet), Winterhalter habe »such lovely sketches«, darunter auch vom Prince of Wales, gemalt. Zuvor, am 29. Juni, hatte sie ihr schon geschrieben, Edward sei ein wenig gewachsen, er bekomme allmählich die typische Nase der Coburg, die schon ein wenig gebogen sei; was aber wohl leider so bleibe, sei

das mangelnde Kinn. Winterhalter fertige eine Skizze an, die sehr ähnlich werde.
    Wahrscheinlich wurde die genannte Skizze des Kopfes für die Schwester Victoria gemalt, wobei der Rest möglicherweise von anderer Hand ergänzt wurde, da diese Skizze, entgegen derjenigen der Königin, unsigniert blieb. Vielleicht wurde das Porträt nach Winterhalters Vorbild von einem gewissen W. Corden ergänzt, der im November 1859 fünf Guineen erhielt. Victoria nahm das Porträt zusammen mit mehreren anderen nach Kaiser Friedrichs Tod auf ihren Witwensitz Schloß Friedrichshof mit. Daß das Bildnis als Ganzes von Corden nach Winterhalter kopiert sein sollte, wie im oben angegebenen Ausstellungskatalog vermutet, ist wegen der identischen Qualität des Kopfes und dem Zahlungsbeleg dafür nicht glaubhaft. Die Eigenhändigkeit Winterhalters findet sich zudem durch die Bezeichnung auf dem Keilrahmen bestätigt.   C. H.

5 Franz Xaver Winterhalter, Victoria, Princess Royal, spätere Kaiserin Friedrich, 1856

6   Franz Xaver Winterhalter, Kronprinz Friedrich Wilhelm von Preußen, 1857

7   Franz Xaver Winterhalter, Albert Edward, Prinz von Wales, 1859

8 Carl Haag, John MacKenzie, einer von Prinz Alberts Förstern, mit dem vom Prinzen erlegten Hirsch, 1853

9   Sir Edwin Landseer, Der König der Bergtäler, 1850/51

CARL HAAG (1820-1915)

8 John MacKenzie,
one of Prince Albert's Foresters,
with the stag killed by the Prince,
1853
*John MacKenzie,
einer von Prinz Alberts Förstern,
mit dem vom Prinzen erlegten Hirsch*

Aquarell auf Papier, 35 x 50,1 cm
Royal Library, Windsor Castle
Lit.: Millar 1985

1842 besuchten Königin Victoria und Prinz Albert zum ersten Mal Schottland, aber erst im September 1848 reisten sie zu dem Landsitz Balmoral bei Aberdeen im Nordosten, den sie 1852 kauften. Balmoral wurde rasch zum bevorzugten Feriensitz für Victoria und ihre Familie. Künstler wie Edwin Landseer und Carl Haag wurden häufig dorthin eingeladen, um die Umgebung oder Ereignisse im Leben der königlichen Familie und im Hochland festzuhalten.

Victorias Tagebuch wie auch die Aufzeichnungen von Haag selbst berichten uns detailliert über sein Schaffen für die königliche Familie in den Jahren, nachdem er zum erstenmal nach England und dann 1853 nach Balmoral gereist war. Bei dieser Gelegenheit kam er mit einer Empfehlung von ihrem Halbbruder, Karl Prinz von Leiningen, zur Königin. Da das königliche Paar seine Arbeit

interessiert beobachtete, war der Künstler zur Zügigkeit gezwungen. Viele seiner Skizzen und Aquarelle feierten Alberts Geschicklichkeit als Fischer oder, wie hier, als Jäger. Bei einigen Arbeiten wurde er durch speziell für ihn angefertigte photographische Kalotypien unterstützt. Dieses Aquarell, das eine gewisse photographische Unmittelbarkeit ausstrahlt, zeigt einen von Albert am 11. Oktober 1853 am Loch Wemyss erlegten Hirsch.

Haags farbig reiche und dichte Textur der Aquarelltechnik unterschied sich stark von der transparenten ›nassen‹ Methode, die typisch für die englische Aquarellmalerei war. Um die von ihm gewünschten Effekte zu erreichen, wandte er eine wohldurchdachte Abfolge von Lavierungen und Tönungen an, wobei er Höhungen durch die Verwendung von Löschpapier auf feuchten Farbflächen und durch Ausschaben erreichte.   R. H.

SIR EDWIN LANDSEER
(1803-1873)

9 The Monarch of the Glen, 1850/51
Der König der Bergtäler

Öl auf Leinwand, 163,8 x 168,9 cm
Erste Ausstellung: RA 1851 (112)
United Distillers, Edinburgh
Lit.: Philadelphia 1981 (124)

1824 besuchte Edwin Landseer zum erstenmal Schottland. Damals war die ungezähmte und romantische Schönheit des Hochlandes durch die Romane und Erzählungen von Sir Walter Scott (1771-1832), den übrigens auch Goethe und Schubert bewunderten, in ganz Europa bekannt. Landseer entdeckte in Schottland, wohin er dann Jahr für Jahr fuhr, eine unerschöpfliche Quelle von Bildthemen.

Der König der Bergtäler sollte Teil einer Folge von Gemälden sein, die im Auftrag der Regierung für den Erfrischungsraum im neuen Palace of Westminster bestimmt war. Der tief angesetzte Blickpunkt dieses Gemäldes zeigt, daß es hoch gehängt werden sollte. Tatsächlich wurde es dort niemals installiert. Stattdessen stellte Landseer es in der Royal Academy aus, ohne Titel, aber mit einem Vers

aus ›Legends of Glenorchay‹ versehen, der beschrieb, wie bei Tagesanbruch »der König der Schlucht / die Szene mit durchdringender Klugheit überblickte / und die duftende Luft einsog«.

The Monarch of the Glen ist wahrscheinlich Landseers bekanntestes Bild, zum einen, weil es sich hier um eine Darstellung von verblüffender und überwältigender Unmittelbarkeit handelt, zum anderen aber auch, weil 1852 ein Druck nach dem Bild veröffentlicht wurde. Überdies befindet es sich seit 1916 im Besitz einer schottischen Whisky-Firma. Landseers berühmt gewordene Meisterschaft kommt exemplarisch in der Gestaltung des Hirschfells und der delikaten, silbrigen Transparenz des im Hintergrund aufsteigenden Nebels zum Ausdruck.   R. H.

JOSEPH MALLORD WILLIAM
TURNER (1775-1851)

10 Venice: The Arsenal, 1840
Venedig, Das Arsenal

Aquarell auf Papier, 242 x 307 cm
Erste Ausstellung: National Gallery,
London 1877
Tate Gallery, London
Lit.: Stainton 1985

1840 reiste Turner zum dritten (und letzten) Mal nach Venedig. In den zwei Wochen seines Aufenthalts im Spätsommer schuf er zahlreiche Aquarellstudien von Kanallandschaften – wenngleich keine ›vollendeten‹ Werke. Die Skizzen sind von atmosphärischem Zauber getränkt. Zwar dienten nicht alle dieser Arbeiten als Vorlagen für die Venedig-Bilder, die Turner zwischen 1840-46 in der Royal Academy ausstellte, aber sie belebten von neuem sein Interesse für die ästhetischen und kommerziellen Möglichkeiten der venezianischen Themen.

Es war charakteristisch für Turner, daß er noch im Alter von 65 Jahren nicht müde wurde, neue Ansichten von Venedig zu suchen. Das Arsenal lag in dem weniger bekannten Ostteil der Stadt und zog kaum Künstler an. Canalettos Bild von 1732, *Ponte dell'Arsenale* (Woburn Abbey, Bedfordshire), die Einfahrt in die riesige Werft, dürfte die bekannteste Darstellung dieser Gegend sein. Das Sujet entsprach Turners schmerzlich-pessimistischen Gefühlen gegenüber dieser Stadt verblichenen Glanzes. Das Arsenal, in dem

sich einst Werften, Gießereien und Lagerhäuser befunden hatten, war vom Beginn des 12. Jahrhunderts an bis zur Einnahme Venedigs im Jahre 1797 durch Napoleon das Kernstück der kommerziellen und militärischen Macht der Republik gewesen. Danach wurde es zum Symbol von Aufstieg und Fall – ein Grund für Turner, das Motiv zu wählen.

Mit ihren glühenden Farben rufen die schroffen, klippenähnlichen Wände von Turners Darstellung die Kriegsmaschinen ins Gedächtnis, die sie einst beherbergten. John Ruskin schrieb in ›The Stones of Venice‹, Turner habe in seinen Aquarellen Ziegelmauern zu einer »Flamme spirituellen Feuers« entfacht. In seinem dramatischen Gehalt und dem Gefühl des Eingeschlossenseins ist sein Werk hier wohl Piranesis bedrückend-überwältigenden Gefängnisperspektiven verpflichtet. Doch scheint Turner auch auf einige der Aquarelle seines berühmten Vorgängers J. R. Cozens (1752-1797) aus den siebziger Jahren zurückzublicken, bei dem ein ähnlich tief angesetzter Blickpunkt dramatische Wirkung hervorruft.   R. H.

10   Joseph Mallord William Turner, Venedig, Das Arsenal, 1840

JOSEPH MALLORD WILLIAM
TURNER (1775-1851)

11 Constance, 1842
    Konstanz
    Aquarell und Deckfarbe mit Feder
    und Farbe über Bleistift und
    Schabtechnik auf Papier, 30,7 x 46,4 cm
    York City Art Gallery
    Lit.: Ruskin 1903-12, Bd. 13

Von August bis Oktober ging der weitgereiste Turner in die Schweiz, wo er Luzern, Zürich und Konstanz besuchte. Im darauffolgenden Winter zeigte er die Früchte seiner Reise, fünfzehn ›Musterstudien‹ in Wasserfarben, seinem Kunsthändler Thomas Griffith, dem er vorschlug, zehn davon zu bildmäßigen Aquarellen auszuarbeiten, falls Griffith Käufer für sie fände. *Konstanz*, das schließlich von John Ruskin gekauft wurde, war eines dieser zehn Motive; die ›Musterstudie‹ dazu ist heute in der Tate Gallery.

Turners Versuch, mit solch einer bedeutenden Serie von Aquarellen »den Laden wieder zu eröffnen« (ein Ruskin-Ausdruck), ist ein deutlicher Hinweis auf seine hohe Professionalität und sein Bestreben, sich als Maler sowohl in Wasserfarben wie in Öl zu beweisen. Dies scheint seiner Unzufriedenheit über seine recht ergebnislosen Reisen auf den Kontinent – 1836 in die Schweiz und 1840 nach Venedig – zugrundezuliegen: Viele schöne Studien waren entstanden, aber keine ausgearbeiteten Aquarelle.

Das ›Musterstudienblatt‹, das als Vorlage für *Konstanz* diente, ist spontan hingeworfen. Die Zeichnung zeigt ein paar flüchtige Bleistiftstriche, über die flächige Lavierungen auf befeuchtetem Papier dünn aufgetragen wurden; Elemente in Mittel- und Vordergrund sind mit einem feineren, trockeneren Pinsel und dunkleren Pigmenten rasch hingeworfen. Die Palette ist in beiden Werken annähernd gleich, wenn auch in dem vollendeten Aquarell von wärmerer Qualität. Auch hier benutzte Turner einen hoch angesetzten Blickwinkel, reduzierte den Maßstab des Szenerie im Vordergrund und arbeitete sie dann genau aus, um eine von wimmelndem Leben überquellende Vignette des Seeufers zu schaffen. So erfaßte er den menschlichen Geist, der seine Kunst stets beseelt.   R. H.

11   Joseph Mallord William Turner, Konstanz, 1842

JOSEPH MALLORD WILLIAM
TURNER (1775-1851)

12 Ostende, 1844

Öl auf Leinwand, 91,8 x 122,3 cm
Erste Ausstellung: RA 1844

Bayerische Staatsgemäldesammlungen,
München, Neue Pinakothek

Lit.: Heilmann 1976, S. 221 ff.; M. Butlin und E. Joll 1977, S. 231, (407);
Wilton 1979 (P 407)

Ostende war 1844 auf der Royal Academy
Ausstellung wegen des zum Ausdruck ge-
brachten »general effect« von der Kritik mit
Lob bedacht worden. Wohl unmittelbar dar-
auf gelangte das Bild in die Sammlung von
Turners Mäzen und Freund Munro of Novar.

Mehrmals findet sich seit 1805 in Turners
Reiseskizzenbüchern die Hafeneinfahrt mit
der Silhouette von Ostende festgehalten, wobei verschiedene Lichtstimmungen und Wir-
kungsverhältnisse eigens notiert sind. Das
ausgeführte Bild erscheint wie die Summe
dieser Eindrücke. Es zeigt die von zwei Mo-
len geschützte Einfahrt in den Hafen sowie
zwei Boote beim Versuch, dort Zuflucht zu
finden. Hierin ist eine Polarisierung des dramatischen Geschehens, die das ganze Bild bestimmt, nicht zu verkennen: Bewegung und
Gegenbewegung sind atmosphärisch und ge-
genständlich mit überzeugendem Realismus
erfaßt, das Miteinander von Regenwolken
und Licht, Sturm und Seegang, Schiff und
Mensch geben uns Turners genaues Studium
der Küstenregion wie der dort herrschenden
Verhaltensweisen und Lebensbedingungen zu
erkennen.

Das Thema Meer hat Turner seit seinem
ersten, 1796 in der Royal Academy ausgestellten Gemälde *Fishermen at Sea* zeitlebens
gefesselt. Die für die Romantik geltenden Topoi des Meeres als Unendlichkeitssymbol
oder als Weltganzes sowie des Schiffes als
Lebensschiff waren für Turner primär sicherlich weniger ausschlaggebend als eine spontane, tiefgegründete Verbundenheit mit dem
Naturphänomen Meer, das er jeweils poeti-
sch-kontemplativ umgesetzt hat. Auf die Bedeutung seiner Staffagefiguren für die Bild-
stimmung insgesamt weist er selbst in einem
Brief von 22. Oktober 1841 hin. Auf unserem
Bild (wie auch auf dem damals ebenfalls ausgestellten *Rain, Steem and Speed*) sind sie ei-
gentümlicherweise teils in Verzweiflung, teils
in völliger Teilnahmslosigkeit gezeigt. Die
sich passiv verhaltenden Angler am Pier legen eine solche Interpretation insofern nahe,
als wir durch Thornbury von Turners persönlicher Leidenschaft für diesen Sport wissen,
und wie er die Welt um sich dabei vergessen
konnte, eine Welt, von der er ohnehin glaubte,
daß sie nichts als trügerische Hoffnung bereit-
hielte.   C. H.

12   Joseph Mallord William Turner, Ostende, 1844

DAVID COX (1783-1859)

13 The Night Train, um 1849
Der Nachtzug

Aquarell mit Schabtechnik auf Papier,
27,3 x 36,8 cm
Birmingham Museums and Art Gallery
Lit.: Birmingham 1983 (79)

Die rasche Ausbreitung der Eisenbahn über Großbritannien von den dreißiger Jahren an war bestimmend für den Aufstieg des Landes zur größten Industrienation der Welt Mitte des Jahrhunderts. Die mit der Eisenbahn verknüpften Errungenschaften der Ingenieurstechnik wurden zu Wahrzeichen britischen Unternehmertums, Erfindungsgeistes und des Fortschritts im weitesten Sinn (siehe Danby, Kat. 16). Als Transportmittel hatte die Eisenbahn große Auswirkungen auf das Leben des kleinen Mannes (siehe Frith, Kat. 37). Und für die Landschaftsmaler, zum Beispiel, machte die Bahn Teile des Inselreiches zugänglicher, die zuvor kaum bekannt waren. Andere Künstler wiederum, wie David Cox oder Thomas Webster (Kat. 36), konnten jetzt auf dem Lande leben und doch ihre Kontakte mit der Kunstmetropole London halten.

Cox berührte das Thema der Industrialisie-

rung in seinem Schaffen kaum. Das ist um so erstaunlicher, als er am Rand von Birmingham, der »Werkstatt der Welt« lebte. 1845 jedoch zeigte er ein Gemälde mit dem Titel *Sun, Wind and Rain* (Aberdeen), das in Turners 1844 ausgestelltem *Rain, Steam and Speed* (National Gallery, London) sein Vorbild hatte. In *Night Train* kehrte Cox zu dem in *Sun, Wind and Rain* dargestellten Sujet eines Eisenbahnzuges zurück, der in der Ferne eine ländliche Landschaft durchquert. Es steht mit einem größeren vollendeten Aquarell in Verbindung, das 1849 ausgestellt wurde (Leeds). Die düsteren nächtlichen Farbtöne, der Kontrast zwischen dem Feuer aus der Lokomotive und dem Mondlicht, die scheuenden Pferde – all das sind Motive, die fest in der Idee des ›Sublimen‹ des 18. Jahrhunderts wurzeln. So gesehen, klingt in diesem Werk deutlich eine elegische Note an.

R. H.

WILLIAM J. MULLER (1812-1845)

14 Lycia: The Rocky Stair at Tlos, 1844
Lykien: Die Felsentreppe in Tlos

Aquarell auf Papier, 34,7 x 53,7 cm
Bez. u. l.: Tloss / Lycia. W. Muller
Erste Ausstellung:
London, Graphic Society 1845?
Tate Gallery, London
Lit.: Bristol 1991 (161)

Mullers rastloser Tätigkeitsdrang und seine künstlerische Energie drücken sich nicht nur in einer immensen Produktion kraftvoll gestalteter Aquarelle aus, sondern auch in den weiten Reisen, die er während seiner kurzen Schaffenszeit unternahm. Zwischen 1834 und 1844 besuchte er Frankreich, die Schweiz, Italien, Ägypten, Griechenland und die Türkei. Auf seiner letzten Reise in die Türkei schloß er sich dem Archäologen Charles Fellows an, der an klassischen Stätten in Lykien – hauptsächlich in der Gegend von Xanthus – Ausgrabungen unternahm. Muller verbrachte dort drei Monate; im Januar 1844 machte er eine Exkursion in die eindrucksvoll auf einem Berg liegende Stadt Tlos, die reich an griechischen Überresten war.

Muller war zu Recht begeistert von den malerischen Möglichkeiten dieses Schauplatzes. Er war der erste namhafte Künstler, der diese wilden, fernen Gebiete Kleinasiens be-

suchte, und er erkannte sofort, daß sich hier eine Quelle für ihn auftat, das Publikum zuhause zu faszinieren. Damals schrieb er, er habe beim Zeichnen in Tlos die Freude erlebt, wie sich eine neue Art von Sujet allmählich auf dem Papier entfalte, eine Freude, die nur der wirklich verstehen könne, der gereist sei, um ein ersehntes Ziel zu erreichen.

Selbst innerhalb einer so anerkannten Schule der Aquarellkunst wie der englischen sind Mullers brillante spontane Werke außergewöhnlich. *The Rocky Stair* mit ihrem sparsamen Farbauftrag und der Einbeziehung des weißen Papiergrundes in die Bildgestaltung – womit der Sonnenglanz auf den Felsen suggeriert wird – mag bis zu einem gewissen Grad die Tatsache widerspiegeln, daß Muller während seines langen Aufenthaltes fern von England seine Farben einteilen mußte, stellt aber auch und vor allem sein maltechnisches Können vor Augen.

R. H.

JOHN MARTIN (1789-1854)

15 Joshua Spying out the Land of Canaan, 1851
Josua erkundet das Land Kanaan

Aquarell und Deckfarbe, 35,6 x 73,7 cm
Bez. u. l.: J. Martin. 1851
Manx National Heritage, Douglas, Isle of Man
Lit.: Feaver 1975

Dieses Aquarell ist eine Illustration der im 4. Buch Mose, (13. Kapitel, Vers 17-27) geschilderten Ereignisse. Moses sendet auf Gottes Geheiß Josua und andere Kundschafter nach Kanaan, um das Gelobte Land zu erkunden, das Gott den Kindern Israel geben will. Als Beweis für den Reichtum des Landes bringen die Kundschafter eine Rebe mit einer Traube, Granatäpfel und Feigen mit, um sie Moses zu zeigen (links im Bild).

Martins Ruf als Maler großformatiger und spektakulärer historischer Landschaften in Öl ging in die zwanziger Jahre zurück; später veranlaßten ihn das Alter und seine schlechte Gesundheit, sich Werken von kleinerem Format zuzuwenden. Das Motiv der winzigen Figuren, die über ein weites, wildes und zerklüftetes Land, wie hier, blicken, von dem sie schier erdrückt werden, kehrt in seinem Schaffen häufig wieder. Doch in den späten

vierziger Jahren wirkten derartige poetische Visionen, die auf die Idee des Sublimen aus dem 18. Jahrhundert zurückgriffen, zunehmend anachronistisch. Martins korrekter Wiedergabe der Geologie, wie sie sich in dieser penibel ausgearbeiteten Darstellung der gigantischen Gebirgslandschaft manifestiert, beruht auf einer ausgefeilten Technik, nicht auf einem Studium nach der Natur, das die Präraffaeliten forderten.

Ohne Zweifel konzipierte Martin das Bild als Pendant zu dem Aquarell desselben Formats, das er 1851 als *Entwurf für ein großes Bild von ›Moses sieht das verheißene Land‹* ausstellte (verschollen). Obwohl die rechts im Mittelgrund kniende Figur in dem hier gezeigten Aquarell allgemein als Josua gilt, könnte sie durchaus auch Moses darstellen. In diesem Fall sollte das Bild besser als ›Rückkehr Josuas aus Kanaan‹ bezeichnet werden.

R. H.

13　David Cox, Der Nachtzug, um 1849

14　William J. Muller, Lykien: Die Felsentreppe in Tlos, 1844

15   John Martin, Josua erkundet das Land Kanaan, 1851

FRANCIS DANBY (1793-1861)

16 Dead Calm – Sunset
at the Bight of Exmouth, 1855
*Windstille – Sonnenuntergang
in der Bucht von Exmouth*

Öl auf Leinwand, 77,4 × 107 cm
Bez. u. r.: F DANBY
Erste Ausstellung: RA 1855 (563)
Royal Albert Memorial Museum,
Exeter
Lit.: Bristol 1988 (41)

Wie der Titel nahelegt, ist Danbys Bild mit topographischer Genauigkeit gemalt. Gleichzeitig hat der Künstler bewußt im Zentrum seiner Komposition ein dreimastiges Segelschiff dem Turm einer Pumpstation entgegengesetzt, die Preßluft für eines der recht abenteuerlichen viktorianischen Experimente im Bereich des Eisenbahnbaus lieferte, nämlich I. K. Brunels ›Atmospheric Railway‹ (mit Luftdruck betriebene Bahn).

Die Parallelen zwischen Danbys Gemälde und früheren gemalten Kommentaren von J. M. W. Turner über den Fortschritt liegen wohl auf der Hand: das alte Kriegsschiff, das bei Sonnenuntergang von dem modernen Dampfschiff zum Verschrotten ins Abwrackbecken geschleppt wird in *The Fighting Téméraire* oder die Dampflok, die auf einem Viadukt dahinrast über einem Sämann auf dem Feld in *Rain, Steam and Speed* (1839 und 1844, beide London, National Gallery).

Danby, wie Turner ein Maler von historischen Bildern, hatte wohl diese Art von Symbolismus ganz natürlich übernommen, und in dieser Hinsicht fügt sich *Dead Calm* nahtlos in die englische Tradition der historischen Landschaftsmalerei.

Darüber hinaus ist es nicht nur ein außerordentlich schönes, sondern auch ein sehr suggestives Bild, denn es läßt den Vergleich mit den psychologisch intensiven Seestücken von C. D. Friedrich (1774-1840) zu und sogar mit den zeitgenössischen amerikanischen ›luministischen‹ Gemälden (etwa im Schaffen von Fitzhugh Lane, 1804-1865). In der stillen, traumähnlichen Interpretation seines Bildgegenstandes scheint Danbys Bild genau an der Wasserscheide zwischen den leidenschaftlichen Vorstellungen Turners von der physischen Welt und J. M. Whistlers modernen ›ästhetizistischen‹ Landschaftsbildern der sechziger und siebziger Jahre.   R. H.

JOHN LINNELL (1792-1882)

17 Under the Hawthorn, 1853
Unter dem Weißdorn

Öl auf Leinwand, 94,3 × 140,2 cm
Bez. u. r.: J. Linnell 1853
Erste Ausstellung: RA 1853 (1083)
City of Aberdeen Art Gallery
and Museum Collections
Lit.: Cambridge 1982

1853 schrieb Linnell, es müsse »Aufgabe der Kunst sein, spirituelle Wahrnehmungen zu schaffen, und die ganze Kraft der Nachahmung, die ganze Kunst der Zeichnung, der Farbgebung und des Ausdrucks – alles soll zu diesem Zweck eingesetzt werden.« Diese Philosophie liegt Linnells Landschaftsdarstellungen zugrunde, die – obwohl sie dadurch zu ›idealen‹ oder ›poetischen‹ Landschaften wurden – fest in der Überzeugung wurzelten, daß sich der Landschafter unmittelbar an der Natur inspirieren müsse. Das Prinzip der ›Naturtreue‹ in Verbindung mit seinem religiösen Eifer ließ Linnell schon sehr früh in seiner malerischen Laufbahn Zeugnisse der Existenz Gottes in der Landschaft erkennen. Er unterlegte ihr allegorischen Bedeutungen. Einerseits also mit Landschaftern wie J. M. W. Turner (Kat. 10, 11, 12) und John Constable (1776-1837) verbunden, rückte ihn die Intensität seines Glaubens andererseits mehr in die

Nähe seiner visionären Freunde William Blake (1757-1827) und Samuel Palmer (Kat. 18). Blake hatte geschrieben: »Jeder natürliche Effekt hat einen spirituellen und nicht einen natürlichen Grund.«

Nach 1851, als Linnell aus London in die sanften, bewaldeten Hügel von Surrey übersiedelte, erreichte seine einzigartige Vision der englischen pastoralen Landschaft ihren Höhepunkt. *Unter dem Weißdorn* ist kennzeichnend für seine spätere sehr suggestive biblische Sicht des Landlebens; das Bild ist in allen Teilen nach der Natur beobachtet, wenngleich es keinen bestimmten Ort schildert. Die wehmütige Note, die der Maler durch die Hirtenflöte einbringt, ruft den Geist der englischen vorindustriellen Vergangenheit zurück, eine Vergil beschwörende Stimmung. Wahrscheinlich war es der Zauber dieser Thematik, der Linnells Gemälde damals so beliebt machte.   R. H.

SAMUEL PALMER (1805-1881)

18 The Bellmann, um 1864
Der Nachtwächter

Aquarell und Deckfarbe auf Papier,
17 × 23,7 cm
Bez. u. l.: S. PALMER
The Trustees of the Cecil Higgins
Art Gallery, Bedford
Lit.: Lister 1988 (M 19)

Dieses Bild illustriert einige Zeilen aus John Miltons Gedicht ›Il Penseroso‹, 1645 veröffentlicht, das »... die schlaftrunkene Zauberformel des Nachtwächters, / die nächtlichen Schaden von den Türen abhält«, besingt. ›Bellman‹ nannte man in England einen Nachtwächter, der die Stunden ausrief.

Palmer, ein visionärer Maler, hatte schon in den vierziger Jahren erwogen, Miltons Gedichte ›Il Penseroso‹ und ›L'Allegro‹ zu illustrieren, fühlte sich aber erst in den sechziger Jahren dazu fähig. 1865 hatte er mit seinem Gönner L. R. Valpy vereinbart, acht große Aquarelle nach Miltons Texten zu schaffen. Zuvor hatte er bereits eine Anzahl vorbereitender Studien angefertigt, zu deren ersten *The Bellman* gehörte. Das hier abgebildete Blatt stellte möglicherweise eine der »Arbeitsskizzen« dar, die Palmer Valpy gegenüber im Oktober 1864 erwähnte. Sie weist

Reste einer Rastereinteilung auf und verschiedene Anmerkungen zu den Farben an den Bildkanten, die den Schluß nahelegen, daß es sich hier um den Ausgangspunkt für das große ausgearbeitete Aquarell handelt, das sich zur Zeit von Palmers Tod noch in Arbeit befand.

Um die pastorale Sprache Miltons ›ins Bild zu setzen‹, nahm Palmer in diesem Aquarell Einzelheiten aus seinen Studien nach der Natur auf, ebenso solche, die sich ihm förmlich »aufdrängten, ohne daß er sie gesucht« hätte. Die so entstandene höchst poetische Landschaft, in der die flüchtige Realität mit einem starken Gefühl von göttlicher Schöpferkraft getränkt ist, gemahnt an John Linnells Kunst (Kat. 17). Palmers Milton-Serie markiert in ihrer Gesamtheit eine letzte große Blüte der pastoralen Tradition in der englischen Aquarellmalerei.   R. H.

16   Francis Danby, Windstille – Sonnenuntergang in der Bucht von Exmouth, 1855

17   John Linnell, Unter dem Weißdorn, 1853

18   Samuel Palmer, Der Nachtwächter, um 1864

19   William Mulready, Ein Interieur: Das Atelier des Künstlers, 1839

20   Sir David Wilkie, Die Braut bei der Toilette an ihrem Hochzeitstag, 1836-38

WILLIAM MULREADY (1786-1863)

19 An Interior: The Artist's Studio, 1839
Ein Interieur: Das Atelier des Künstlers

Bleistift mit Kreide auf Papier, 38,7 x 34,8 cm
Manchester City Art Galleries
Lit.: Heleniak 1980

In einer Zeit, da die Peinture als eine der Stärken der britischen Schule galt, stach Mulready nicht nur als ausgezeichneter Maler, sondern auch als vorzüglicher Zeichner hervor. Wie bei Wilkie (Kat. 20) gingen auch bei ihm dem vollendeten Ölbild Bleistift-, Tusch- oder Kreidezeichnungen voraus, die Teile des Bildes festhielten. Das hier abgebildete Blatt, das dasselbe Format hat wie das in der Akademie 1840 ausgestellte Gemälde desselben Sujets, bezeugt die sensible und kontrollierte Art, mit der Mulready die Teile zu einer Einheit verband, bevor er sie auf Leinwand oder Holztafel übertrug. Seine Methoden wurden innerhalb der Akademie sehr bewundert, wo zeichnerische Fähigkeiten seit jeher der Kunst des Malens untergeordnet waren. Als häufiger ›Besucher‹ der Malklasse, wo nach lebenden Modellen gearbeitet wurde, nahm Mulready mit seinem hohen Anspruch aus Künstlertum und seinem disziplinierten Modellstudium prägenden Einfluß auf die jüngere Künstlergeneration, einschließlich der künftigen Präraffaeliten.

Das Gemälde (verschollen), für das dieser Entwurf geschaffen wurde, behandelte das Thema von Liebe und Liebeswerben, das schon in einigen von Mulreadys früheren Werken aufgetaucht war. Es scheint ein Pendant zu dem Bild *Sonett* von 1839 zu sein (London, Victoria & Albert Museum), das einen hoffnungsvollen jungen Schriftsteller zeigt, der auf das Lob seiner Liebsten für sein Werk wartet. Hier sind ein Künstler, seine Frau und ihr neugeborenes Kind vereint, Kunst und Leben also untrennbar miteinander verbunden und somit das angemessene Studienobjekt für den Maler.   R.H.

SIR DAVID WILKIE (1785-1841)

20 The Bride at her Toilet on the Day of her Wedding, 1836-38
Die Braut bei der Toilette an ihrem Hochzeitstag

Öl auf Leinwand, 97,2 x 122,6 cm
Bez. u. l.: David Wilkie ft London:/ 1838
Erste Ausstellung: RA 1838 (201)
National Galleries of Scotland, Edinburgh
Lit.: New Haven 1987 (41)

Wilkie war einer der wenigen britischen Künstler aus der ersten Hälfte des 19. Jahrhunderts mit euopäischem Ruf. Dieser begann sich zu verbreiten, als König Max I. Joseph von Bayern 1820 sein Gemälde *Testamentseröffnung* kaufte (München, Neue Pinakothek).

Die Braut bei der Toilette wurde von Rudolf Arthaber, einem Wiener Kaufmann, 1836 in Auftrag gegeben und hing von 1838 bis 1868 in seiner Sommerresidenz in Döbling. Wilkie war entzückt und stolz, in einer Wiener Sammlung vertreten zu sein und malte ein Thema, das, wie er schrieb »neu war, von angenehmem Charakter und von jenem allgemeinen Interesse, das in allen Ländern verstanden wird«. Wie er es gewohnt war, fertigte Wilkie, einer der besten Zeichner der Zeit, vorbereitende Skizzen nach der Natur für die Figuren an. Diese Arbeit dauerte etwa achtzehn Monate, verzögert durch den Auftrag der Königin, ihre erste Kronratssitzung nach der Thronbesteigung im Juli 1837 zu malen.

Das Bild macht Wilkies großes erzählerisches Talent, seinen geschickten Einsatz des Sentimentalen und seine meisterliche Malkunst anschaulich. Die Geschichte, die es erzählt, läßt sich unschwer ablesen, wenngleich ihr auch eine tiefere Bedeutung zugrundeliegt, die man als Variante von Shakespeares ›Sieben Menschenalter‹ bezeichnen könnte. Wilkies Drang, erhabenere Themen zu gestalten, führte ihn 1840 ins Heilige Land. R.H.

CHARLES ROBERT LESLIE (1794-1859)

21 Fairlop Fair, 1840-41
Der Markt von Fairlop

Öl auf Leinwand, 99 x 142 cm
Erste Ausstellung: RA 1841 (95)
His Grace the Duke of Norfolk
Lit.: Leslie 1860

Schon vom Beginn seines Aufenthaltes in England fühlte sich Leslie – nicht anders als sein Mentor Benjamin West (1738-1820) – zur Landschaft und den Themen des Alltagslebens hingezogen. Seine erste bedeutende Arbeit in diesem Genre war *Londoners Gipsying*, das 1820 ausgestellt wurde. Es zeigte nach Leslies Worten »Menschen aus der Mittelklasse« beim Picknick im Wald von Epping nördlich von London.

Das Bild fand keinen Käufer. Leslie sollte es später bedauern, daß ihn seine Erfolge als Maler des literarischen Genres davon abhielten, andere zeitgenössische Themen zu malen. Der Wohlstand seiner reifen Jahre ermöglichte es ihm, zu seiner früheren Vorliebe zurückzukehren: Im Falle von *Fairlop Fair* bewegte ihn auch der Wunsch, seinem verehrten Freund, dem großen Landschaftsmaler John Constable (1776-1837) zu huldigen. *Fairlop Fair*, wieder eine im Wald von Epping angesiedelte Szene und Leslies größte Landschaftsdarstellung, ist gewissermaßen das visuelle Gegenstück zu seinen *Memoirs* an Constable von 1842.

Der Einfluß Constables zeugt sich am sinnfälligsten an der Gestaltung des Himmels, abgesehen davon, daß der trockene Farbauftrag des ganzen Bildes Constables Spätstil spiegelt. Wie es für Leslie typisch war, bezog er seine Familienangehörigen und Freunde in das Bild ein: Das Kind im Vordergrund, George Dunlop Leslie, ist ein künftiges Mitglied der Royal Academy. *Fairlop Fair* weist voraus auf Bilder wie *Ramsgate Sands* oder *The Railway Station* (Kat. 37). Wenn ein allgemein geachteter Künstler wie Leslie solch ein Sujet ausstellte, mußte er zweifellos als Vorbild für Frith und in einem gewissen Grad auch für die Präraffaeliten wirken. R.H.

21   Charles Robert Leslie, Der Markt von Fairlop, 1840-41

22   Charles West Cope, Die junge Mutter, 1845

23   William Mulready, Die Wahl des Hochzeitskleides, 1845

CHARLES WEST COPE (1811-1890)

22 The Young Mother, 1845
Die junge Mutter

Öl auf Holz auf Kreidegrund,
30,5 × 25,4 cm
Bez. u. r.: C W Cope 1845
Erste Ausstellung: RA 1846 (102)
The Board of Trustees of the
Victoria & Albert Museum, London
Lit.: Parkinson 1990, S. 46

Cope schuf zahlreiche Studien und Gemälde im Kabinettformat, die Mutterschaft oder häusliches Leben zum Inhalt haben und für die seine Frau und Kinder Modell standen. *Die junge Mutter* läßt sich bis zu der Ausstellung der Royal Academy von 1846 zurückverfolgen. Dort wurde es von dem Sammler John Sheepshanks gekauft, einem Freund von Copes Vater. Es scheint in der Akademieausstellung einen günstigen Platz erhalten zu haben, da Cope selbst sich erinnerte, es sei »gut in der Ecke eines großen Raum gehängt gewesen« (Cope 1891, S. 165). Der Kritiker des ›Athenaeum‹ sprach anerkennend von dem Gefühl des Stolzes, mit dem das Bild getränkt sei: »So einfach und ungekünstelt es auch sein mag, es ist erfüllt von jener Delikatesse, zu der der Pinsel fähig ist, wenn sich der Künstler unbefangen den Gefühlen der Zärtlichkeit überläßt, wie sie durch die Zuneigung einer ihr Baby liebevoll umarmenden Mutter hervorgerufen wird.« (Ath. 1846, S. 504). Danach wurde das Bild zusammen mit einem anderen Gemälde der gleichen Thematik – ebenfalls aus der Sammlung Sheepshanks – unter dem Titel *Une Mère et Son Enfant* auf der Pariser Weltausstellung von 1855 gezeigt.

Vielleicht war es Copes Katholizismus und seine daraus resultierende Vertrautheit mit der traditionellen Ikonographie der Muttergottes, die ihn zu seiner Motivwahl veranlaßten. In der viktorianischen Epoche, da man im allgemeinen Hemmungen hatte, die Intimität und Körperbezogenheit einer solchen Beziehung darzustellen, konnte dieses Sujet als recht ungewöhnlich gelten. C. S. N.

WILLIAM MULREADY (1786-1863)

23 Choosing the Wedding Gown, 1845
Die Wahl des Hochzeitskleides

Öl auf Holz, 52,9 × 44,7 cm
Erste Ausstellung: RA 1846 (140)
The Board of Trustees of the
Victoria & Albert Museum, London
Lit.: Heleniak 1980

Dieses Motiv ist dem ersten Kapitel von Oliver Goldsmiths Roman ›The Vicar of Wakefield‹ entnommen, der 1766 erschien und viele Auflagen erlebte. Mulready schuf dieses Gemälde in Anlehung an seine Illustration für eine 1843 publizierte Auflage. Die Mischung aus Humor, sanfter Ironie und Moralpredigt und die anschauliche Darstellung des Landlebens im 18. Jahrhundert faszinierte an dem Buch auch die Maler des literarischen Genres. Mulready greift sich eine Feststellung des Pfarrers heraus: »Ich wählte mein Weib, wie sie ihr Hochzeitskleid wählte, nicht wegen der feinen, glänzenden Oberfläche, sondern wegen der soliden Qualität des Stoffes.«

Mulready war ein scharfsinniger Interpret und schöpferischer Erzähler. Der wachsame Blick, mit dem der Vikar das Gesicht seiner zukünftigen Frau studiert und sich kein Zeichen entgehen läßt, das seine Beurteilung ihres Charakters vielleicht Lügen strafen könnte, ist ein ausgezeichnetes Beispiel für das Talent des Künstlers, dem Betrachter die Absichten seines Protagonisten zu vermitteln.

Anders als viele seiner Zeitgenossen war Mulready ein sorgfältiger Handwerker. Die vorbereitenden Arbeiten für sein Gemälde umfaßten einen detailliert ausgeführten Karton, in Stil und malerischen Mitteln dem *Atelier des Künstlers* an die Seite zu stellen (Kat. 19). Die Reinheit seiner Farben und ihr Glanz verweist auf die Präraffaeliten. Mulready stand den Zielen und Methoden der präraffaelitischen Bruderschaft sehr positiv gegenüber, einige ihrer Mitglieder hatte er an der Royal Academy unterrichtet. R. H.

SIR JOSEPH NOEL PATON
(1821-1901)

24 The Reconciliation
of Oberon and Titania, 1847
Oberons und Titanias Versöhnung

Öl auf Leinwand, 76,2 × 122,6 cm
Bez. u. l.: J Noel Paton / Feb 1847
Erste Ausstellung: RSA 1847 (362)
National Galleries of Scotland,
Edinburgh

Patons Gemälde zeigt den Beginn der 1. Szene des 4. Akts von Shakespeares ›Sommernachtstraum‹. Oberon und Titania erscheinen inmitten eines Schwarms von Feen, Elfen und Kobolden; der Morgen bricht an, und bald wird Puck das Lied der Lerche ankündigen, das Zeichen für die Geister, zu verschwinden und die beiden Liebenden Lysander und Hermia zurückzulassen, damit sie von ihren Familien gefunden werden.

Patons erster Versuch, Szenen aus dem Feenreich zu malen, nämlich *Oberon's and Titania's Quarrel*, wurde 1846 in der Royal Scottish Academy ausgestellt und als Diplomarbeit des Künstlers von der Akademie erworben. Im folgenden Jahr stellte er das vorliegende Werk neben *Puck and the Fairy* aus, 1850 eine zweite Version von *The Quarrel of Oberon and Titania* (National Gallery of Scotland). Zu den weiteren viktorianischen Malern, die Motive aus dem Feenreich nach

Shakespeare übernahmen, zählten Daniel Maclise und Edwin Landseer, der übrigens 1847 von dem Ingenieur Isambard Kingdom Brunel den Auftrag erhielt, *Titania and Bottom* als Teil einer Shakespeare-Folge zu malen. J. E. Millais führte in das Feen-Genre eine neue realistische Ebene ein mit einem Motiv aus dem ›Sturm‹ (*Ferdinand lured by Ariel*; 1849-50, Makins Collection). Ein oder zwei Jahre später sollte Richard Dadd sein außergewöhnliches Bild *Contradiction: Oberon and Titania* (1854-58, Privatsammlung) malen.

Das abgebildete Gemälde wird 1847 in der Ausstellung der Royal Scottish Academy in Edinburgh und später anläßlich eines Wettbewerbs im Westminster Palace ausgestellt. Der belgische König bewunderte es in London und wollte es erwerben, doch die Akademie hatte es bereits für ihre eigenen Sammlungen angekauft. C. S. N.

24 Sir Joseph Noel Paton, Oberons und Titanias Versöhnung, 1847

WILLIAM DYCE (1806-1864)

25 Jacob and Rachel, 1853
Jacob und Rahel

Öl auf Leinwand, 58,4 x 57 cm
Erste Ausstellung: RA 1853
Hamburger Kunsthalle
Lit.: London 1964 (28, 56); Krafft und
Schümann 1969, Kat. S. 55; Pointon
1979, S. 119 ff.; Lister 1989 (55)

Das Bild kam 1886 zusammen mit zwei weiteren Gemälden von William Dyce aus der Schwabeschen Sammlung zeitgenössischer englischer Malerei in die Hamburger Kunsthalle. Dargestellt ist die schicksalhafte erste Begegnung von Jacob und Rahel, die die Schafe ihres Vaters zum Brunnen führt (1. Mose 29, 9-12). Die sittsame Haltung Rahels steht gegen die emphatische Umarmung Jacobs, der somit seiner soeben entdeckten Liebe zu Labans Tochter spontan Ausdruck gibt.

Neben der von Raphael gemalten Szene in den Vatikanischen Loggien ist die Darstellung des Themas aus dem 16. Jahrhundert von Palma Vecchio berühmt (Gemäldegalerie, Dresden), von der sich zweifellos Joseph Führich hat anregen lassen zu seinem ebenfalls figurenreichen Bild im Oberen Belvedere in Wien (datiert 1836). Ob dieses dann die erste Anregung für Dyce lieferte oder eher vielleicht der ebenfalls figurenreiche Entwurf Julius Schnorrs zu seinen Bibelillustrationen, muß vorläufig offen bleiben. Berührungspunkte mit Schnorr von Carolsfeld ergaben sich jedenfalls 1827 in Rom und 1837 in München.

In der ganz auf das junge Menschenpaar konzentrierten Komposition von William Dyce ist der emotionale Impuls erkennender Liebe herausgehoben, wobei eine dunkel leuchtende Farbigkeit vor hellerem Grund harmonisch jeden lauten Ton vermeidet.

Eine erste dreiviertelfigurige Fassung (70,4 x 91,1 cm) befindet sich nach Carter (London 1964) und Howoldt (freundliche Mitteilung) im Leicester Museum and Art Gallery; sie war 1850 in der Royal Academy London ausgestellt, wobei man wohl zurecht auf autobiographische Bezüge zu William Dyce hingewiesen hat, der im selben Jahr nach langer Wartezeit heiraten konnte. Das sofort allenthalben begehrte Bild zählte u.a. Prinzgemahl Albert und Schatzkanzler William Gladstone zu seinen Bewunderern, und Dyce ließ deshalb vom jungen William Holman Hunt Kopien malen, deren Verbleib jedoch noch unbekannt ist.

Dyce selbst malte 1851 eine kleinere Wiederholung, die sich (signiert und datiert) in der St. Lawrence Church, Knodishall, Suffolk, befindet (freundliche Mitteilung Jenns Howoldt). Zur hier vorgestellten ganzfigurigen Bildversion von 1853 gibt es eine Federzeichnung in der Aberdeen Art Gallery (London 1964), die Howoldt als Entwurf zu dem Hamburger Bild ansieht und, wie ich meine, mit guten Gründen, denn einiges daran (Weinschlauch am Gürtel, Palmen im Hintergrund) erinnert noch an die beiden nicht ganzfigurigen Fassungen von 1850 und 1851, während die ganzfigurige Gesamtkomposition nur in Details von dem ausgeführten Hamburger Bild abweicht. Über den Verbleib einer weiteren Fassung in Dreiviertelfigur ist nichts Näheres bekannt. C.H.

DANIEL MACLISE (1806-1870)

26 The Spirit of Chivalry, um 1845
Der Geist des Rittertums

Öl auf Leinwand, 125,7 x 89,5 cm
Erste Ausstellung: Westminster Hall,
1845 (43)?
Sheffield City Art Galleries
Lit.: London 1972 (91)

Nach der Zerstörung des Palace von Westminster durch eine Feuersbrunst 1834 und während seines 1840 begonnenen Wiederaufbaus im neugotisch historisierenden Stil des sog. Gothic Revival war die Regierung überzeugt davon, das Projekt eigne sich, die Förderung der ›hohen‹ Kunst in England zu demonstrieren. Im Gedenken an die Renaissance wurde beschlossen, das Innere des neuen Gebäudes mit Fresken zu schmücken. Die Künstler ergriffen begierig die Gelegenheit, in einem Bereich der Historienmalerei oder des ›Großen Stils‹ zu glänzen, der ihnen bisher verwehrt gewesen war. Die Erfolge der Nazarener in Rom oder Peter Cornelius' in München in diesen schwierigen Medium beflügelte ihren Ehrgeiz um so mehr.

Daniel Maclise war einer von sechs Malern, die aufgefordert wurden, Entwürfe für die geplanten Westminster-Fresken 1845 vorzulegen. Das hier abgebildete Ölgemälde bildete einen Teil seiner Einsendung. Er erhielt 1846 den Auftrag, es zu einem Karton zu vergrößern, und vollendete das Fresko selbst 1847. Ein Vorbild für die Konzeption war ihm nicht nur der bestinformierte Befürworter der Freskenkunst in England, William Dyce, sondern ebenso Paul Delaroches ›Hémicycle‹ im Palais des Beaux-Arts in Paris. Doch in ihrem allegorischen Charakter und ihrer Verwobenheit von mittelalterlichen und Renaissance-Prototypen ist die Komposition von Maclise offensichtlich den Arbeiten Johann Friedrich Overbecks und Philipp Veits in Frankfurt verpflichtet. Das Fresko existiert heute noch, freilich flacher in den Farben und in vielen Details anders als das hier gezeigte Ölbild. R.H.

WILLIAM DYCE (1806-1864)

27 Neptune Resigning to Britannia the Empire of the Seas, 1847
Neptun überläßt Britannia die Herrschaft über die Meere

Öl auf Papier auf Holz montiert,
31,7 x 48,9 cm
Erste Ausstellung: RA 1847 (42)
The Forbes Magazine Collection,
New York
Lit.: New York 1975, S. 40, 148;
Pointon 1979, S. 93-95, 201

Dies ist die Ölskizze für das große Fresko in Osborne House, der Sommerresidenz von Königin Victoria und Prinz Albert auf der Isle of Wight. Dyce hatte den Auftrag für das Fresko im August 1846 erhalten: Er schlug dafür ein Thema aus Boccaccio vor, aber seine Auftraggeber hielten eine Allegorie über die britische Vorherrschaft auf den Weltmeeren für angemessener. Das Bild zeigt Britannia im Kreise von allegorischen Figuren, die britische industrielle, landwirtschaftliche und geistige Errungenschaften darstellen. Merkur in der oberen Mitte des Bildfeldes überreicht Britannia die Krone, die von Neptun dargeboten wird. Neben ihm steht seine Frau Amphitrite. Tritonen blasen auf Muschelhörnern, Nereiden bringen die Reichtümer des Meeres herbei.

Diese Skizze wurde von der Königin im Januar 1847 »gnädig aufgenommen«. Dyce vermerkte, daß »der Prinz sie für recht nackt hielt, was die Königin aber ganz und gar nicht meinte« (C. W. Cope, ›Reminiscences‹, 1891, S. 167-168). Von August bis Oktober 1847 hielt sich Dyce in Osborne auf und malte das Fresko, für das er 800 Pfund erhielt. Die Komposition orientiert sich an Raffaels *Galatea* in der Farnesina in Rom und an Poussins *Triumph Neptuns und der Amphitrite* in Philadelphia.

Dyce teilte Alberts Anliegen, die Freskomalerei in Großbritannien in Anlehnung an das Vorbild der Renaissance und der Nazarener in Rom und München wiederzubeleben. Albert war Vorsitzender der Königlichen Kommission, die die Ausschmückung von Westminster überwachte, in dem Dyce seine wichtigsten Fresken schuf. J.B.T.

25　William Dyce, Jacob und Rahel, 1853

26   Daniel Maclise, Der Geist des Rittertums, um 1845

27   William Dyce, Neptun überläßt Britannia die Herrschaft über die Meere, 1847

EDWARD MATTHEW WARD
(1816-1879)

28 The disgrace of Lord Clarendon
after his last Interview
with King Charles II, 1861
*Der Sturz Lord Clarendons
nach seiner letzten Audienz
bei König Charles II.*

Öl auf Leinwand, 66,2 x 91,6 cm
Bez. u. l.: E.M. Ward, R.A./1861
Sheffield City Art Galleries
Lit.: Dafforne 1879

Edward Hyde, First Earl of Clarendon (1609-1674) war Lordkanzler eines der schillerndsten und ausschweifendsten Könige Englands, Charles II. Des Königs grundsätzliche Vernachlässigung der nationalen Interessen in Verbindung mit den besonderen Auswirkungen des Englisch-Holländischen Seekrieges sowie Hofintrigen führten zu Clarendons Entlassung am 30. August 1667. In Wards Gemälde wird Clarendon beim Verlassen des königlichen Palastes in Whitehall gezeigt, während Charles, der ihm nach diesem Gespräch vorausgeeilt ist, links großspurig in den Garten hinaustritt. Diese Pose gehört zu den Anspielungen, wie Sie die Maler historischer Genrebilder liebten: Sie erinnert an den Porträtstil der damaligen Zeit. Die Höflinge, sichtlich erfreut über Clarendons Entlassung, betrachten die Szene mit Genugtuung.

Ward, der in die Fußstapfen von C.R. Leslie (Kat. 21) trat, spezialisierte sich auf literarische und historische Themen. Er und W.P. Frith (Kat. 33, 37) waren um die Jahrhundertmitte die gefragtesten Maler dieser Motive. Das Gemälde ist eine halbformatige Version eines 1846 in der Royal Academy ausgestellten Bildes, das ein Kritiker »zu den besten« zählte.

Da es keinerlei staatliche Förderung für ›hohe‹ Kunst gab, suchten manche Künstler durch eine alltäglichere Behandlung historischer Themen, etwa durch Anreicherung mit anekdotischen Zügen wie hier, den Beifall privater, patriotisch gesinnter Auftraggeber. Ward mit seiner reichen Palette und virtuosen Pinselführung, die sich ideal zur Wiedergabe von Seide und Spitzen eigneten, war besonders erfolgreich. Diese Malweise entsprach jener »Schmiererei«, gegen die die Präraffaeliten rebellierten.   R.H.

EDWARD HENRY CORBOULD
(1815-1905)

29 King Arthur's Charge to the Nuns
respecting Guinevere, 1865
*König Artus befiehlt Guinevere
in die Obhut der Nonnen*

Aquarell und Gouache, 57 x 44,1 cm
Bez. u. M.:
EDWARD HENRY CORBOULD
Feby 10th 1865
Erste Ausstellung: Institute of Painters
in Water Colours, Sommer 1865 (348)
Royal Library, Windsor Castle

Das Motiv dieses Aquarells ist dem Gedicht ›Guinevere‹ aus Tennysons Zyklus ›Idylls of the King‹ entnommen, in dem der Dichter die Geschichte von König Artus und seiner Königin Guinevere erzählt. Nach ihrem frevelhaften Ehebruch mit Sir Lancelot zog sich die Königin in ein Kloster zurück, wo sie inkognito blieb, bis König Artus' sie aufsuchte, um ihr zu vergeben und sie für immer zu verlassen. Das Aquarell zeigt den Augenblick, als Guinevere aus dem Fenster ihres Gemachs einen letzten Blick auf Artus Gesicht zu erhaschen sucht, der bereits zu Pferde sitzt: »Nur einmal noch ein Blick ohn' daß sie

gewahrt, / Doch weh, er saß zu Pferd schon vor dem Tor / Und rings um ihn die Nonnen, Fackeln in der Hand, / Empfingen seinen Auftrag für die Königin, / Sie immerdar zu hüten und zu pflegen.«

Tennysons Zyklus ›Idylls of the King‹, zu denen Gedichte wie ›Guinevere‹, ›Enid‹, ›Vivien‹ und ›Elaine‹ gehören und der im Jahre 1859 erschien, fand in der Öffentlichkeit begeisterte Aufnahme. Vor allem Königin Victoria und Prinz Albert bewunderten diese Dichtung; Corbould malte sein Aquarell wahrscheinlich auf Geheiß des Prinzgemahls.   C.S.N.

PAUL FALCONER POOLE
(1807-1879)

30 A Scene from ›The Tempest‹, 1856
Eine Szene aus Shakespeares ›Sturm‹

Öl auf Leinwand, 88,8 x 97,8 cm
Bez. u. r.: P.F. Poole 1856
The Forbes Magazine Collection,
New York
Lit.: Altick 1985, Abb. 249;
Montgomery 1985, Nr. 51

Das Bild stellt jene Szene aus Shakespeares ›Der Sturm‹ dar, in der der Luftgeist Ariel die Ermordung von König Alonso durch Sebastian und Antonio verhindert. In der Ausstellung der Royal Academy von 1849 zeigte Poole ein Triptychon mit drei ›Sturm-Szenen‹: *Ferdinand erklärt Miranda seine Liebe, Die Verschwörung Sebastians und Antonios* und *Ferdinand und Miranda, von Alonso am Eingang der Höhle beim Schachspiel entdeckt.* Dem ›Art Journal‹ zufolge (1849, S. 172-173) war das Triptychon »ein Werk

von beträchtlicher Größe ... In der Farbgebung sind die Figuren, der Himmel und alle Komponenten sehr kraftvoll und die Modellierung bis zu einem gewissen Grad eindrucksvoll, aber es gibt Eigentümlichkeiten in der Zeichnung, die da und dort in die Augen springen.« Wir kennen das Aussehen des gesamten Triptychons aufgrund einer kleinen Ölstudie, ebenfalls in der Forbes Magazine Collection: Die zentrale Bildtafel ähnelt dem hier abgebildeten und auf 1856 datierten Werk, ist aber nicht mit ihm identisch.   J.B.T.

28   Edward Matthew Ward, Der Sturz Lord Clarendons nach seiner letzten Audienz bei König Charles II., 1861

29   Edward Henry Corbould, König Artus befiehlt Guinevere in die Obhut der Nonnen, 1865

30   Paul Falconer Poole, Eine Szene aus Shakespeares ›Sturm‹, 1856

RICHARD DADD (1817-1886)

31 Portrait of Sir Alexander Morison, 1852
Bildnis Sir Alexander Morison
Öl auf Leinwand, 51,1 x 61,3 cm
Bez. u. l.: Richard Dadd 1852
Scottish National Portrait Gallery,
Edinburgh

Sir Alexander, der Porträtierte, war Arzt am Bethlem Hospital, in das Dadd nach dem Mord an seinem Vater eingewiesen wurde. Er nahm sich Dadds an, versorgte ihn mit Malutensilien und Geld und erhielt im Austausch dafür Bilder. So war Morisons Porträt in diesem Sinne wohl eine Art Auftragsarbeit.

Die Bildnisse, die Dadd von dem Arzt schuf, der ihn in Bethlem und später in der Anstalt von Broadmoor betreute, weichen auf bemerkenswerte Weise von der konventionellen Porträtkunst der mittleren viktorianischen Epoche ab – vielleicht ein Experiment, das durch die Isolation Dadds ermöglicht wurde, der von den zeitgenössischen künstlerischen Tendenzen isoliert war. In jedem dieser Porträts richtet der Dargestellte seinen Blick ruhig und voll menschlichen Mitgefühls auf den Betrachter; jeder falsche Schein, jede eitle Zurschaustellung ist zugunsten einer eindringlich-aufrichtigen Erforschung der Phy-

siognomie getilgt. In mancher Hinsicht mit dem Porträttyp vergleichbar, den die Präraffaeliten in den fünfziger Jahren schufen (etwa Ford Madox Brown, Kat. 46), vermitteln sie durch ihre innere Intensität dem Betrachter einen starken Eindruck vom Charakter des Porträtierten.

Der Hintergrund des Bildes zeigt den Firth of Forth bei Edinburgh: aus diesem Teil Schottlands stammte Morison. Dadd besaß ein außergewöhnliches visuelles Gedächtnis, und es ist gut möglich, daß er die Landschaft nach einem elf Jahre zurückliegenden Eindruck aus der Erinnerung malte. Doch kann er sich auch nach Photographien oder Zeichnungen von Newhaven gerichtet haben. Gewiß hatte er Zugang zu der Serie von Photographien, die D. O. Hill und Robert Adamson 1845 von Fischersfrauen aus Newhaven gemacht hatten und die den beiden Figuren im Mittelgrund zugrundeliegen.   C. S. N.

31　　Richard Dadd, Bildnis Sir Alexander Morison, 1852

ROBERT SCOTT LAUDER
(1803-1869)

32 Portrait of David Roberts, 1839/40
Bildnis David Roberts

Öl auf Leinwand, 133 x 101,5 cm
Erste Ausstellung: RA 1840 (169)
Scottish National Portrait Gallery,
Edinburgh
Lit.: Edinburgh 1983 (21)

Lauder schuf das Porträt von David Roberts im Winter 1839/40 in London. Künstler wie Modell waren erst kurz vorher aus fremden Regionen zurückgekehrt: Lauder hatte die Jahre 1833-38 in Italien und Deutschland verbracht, während Roberts Mitte 1839 eine Zeichenexkursion von elf Monaten beendete, die ihn nach Ägypten, Syrien und das Heilige Land geführt hatte. Die beiden schottischen Maler entdeckten, daß sie beide in der Nähe des Fitzroy Square in Bloomsbury wohnten und nahmen eine Freundschaft wieder auf, die zwanzig Jahre zuvor in Edinburgh begonnen hatte, wo beide geboren wurden, und die bis in die fünfziger Jahre dauern sollte.

Ein Brief vom 13. Februar 1840, den Roberts an David Ramsay Hay schrieb – einen Freund beider Maler und zudem der Auftraggeber des Porträts –, hält die Vollendung des Bildes fest: »Ich habe heute Lauder zum letztenmal gesessen oder vielmehr gestanden – ich selbst kann natürlich nichts über die Ähnlichkeit sagen, aber so weit es die Metamorphose durch ein östliches Gewand zuläßt, soll ich gut getroffen sein, wie man mir sagte –, das Bild ist mit breitem Pinselstrich und für Lauder kühn gemalt, und ich glaube, es wird in der Ausstellung der Royal Academy Eindruck machen.« (Edinburgh, 1983 S. 58) In dieser Phase seiner künstlerischen Laufbahn

war Lauder ein produktiver Bildnismaler und scheint sich auf Bildnisse befreundeter Künstler spezialisiert zu haben. Keines jedoch läßt sich in seiner üppigen und blühenden Farbgebung und reichen Textur mit diesem vergleichen, das den Ruf Lauders, als führender Kolorist unter den schottischen Malern der Jahrhundertmitte rechtfertigt.

Sicherlich hat der farbenfrohe, aus dem Nahen Osten mitgebrachte Aufzug den Maler zu einem romantischen und exotischen Porträt seines Freundes angeregt. Roberts hatte auf seiner Reise die orientalische Tracht aus praktischen Erwägungen angelegt: Er war von dem englischen Konsul in Kairo informiert worden, er sollte, »um die verschiedenen Moscheen zu besuchen, geschweige denn zu zeichnen«, sich türkisch kleiden. »Ich habe mir daher heute ein Gewand gekauft, und morgen muß ich mich meines Schnurrbartes entledigen.« (Brief vom 2. Januar 1839, National Library of Scotland) Roberts hatte sich mit seinem Aussehen recht zufrieden gezeigt und gemeint, sein »rundes und nicht besonders ausdrucksvolles Gesicht« und seine unauffällige Erscheinung seien so von dem Kleiderwechsel verändert, daß »meine liebe alte Mutter mich nie erkennen würde« (National Gallery of Scotland, Annual Report 1980, S. 39).
                                                    C. S. N.

32   Robert Scott Lauder, Bildnis David Roberts, 1839/40

WILLIAM POWELL FRITH
(1819-1909)

33 The Opera Box, 1855
Die Opernloge

Öl auf Leinwand, 34,9 x 45 cm
Erste Ausstellung: RA 1855 (305)
Harris Museum and Art Gallery,
Preston
Lit.: Frith 1887, S. 264

In seinem Tagebuch hielt Frith unter dem Datum vom 3. Mai 1855 fest: »Die Königin kam in die Akademie. Prinz Albert bat, mir vorgestellt zu werden, und machte mir Komplimente über die ›Opernloge‹.« Kleine Halbfigurenbilder mit Darstellungen elegant gekleideter Damen waren als ›Keepsake Pictures‹ bekannt, nach den ähnlich ausgeführten Stichen in den Alben, Jahrbüchern und Almanachen wie ›The Keepsake‹ oder ›The Book of Beauty‹, die in den dreißiger und vierziger Jahren erschienen. Viele davon zeigten Figuren in historischen oder Phantasiekostümen. Doch Frith bevorzugte nicht nur in seinen Hauptwerken moderne Themen, auch seine kleineren Arbeiten haben Szenen aus dem Alltagsleben zum Inhalt: das Kind, das kniend betet, den Diener mit Weinflasche auf einem Tablett, den Straßenkehrer, der einer Dame über die Straße hilft. Das Thema des jungen Mädchens in der Oper mag dem Bild *Anticipation* (auch *The Opera Mantle*, 1851, Preston) seines Freundes Augustus Egg nachempfunden sein, in dem das Mädchen ein Programm von Meyerbeers ›Der Prophet‹ liest. Beide Bilder gehörten einem typischen Sammler der frühviktorianischen Zeit, dem Rechtsanwalt Richard Newsham aus Preston, der die Ausstellungen der Royal Academy von 1820 bis 1870 alljährlich besuchte und eine stattliche Sammlung von Gemälden zusammentrug, die er 1883 seiner Heimatstadt vermachte.   J.B.T.

33 William Powell Frith, Die Opernloge, 1855

WILLIAM MAW EGLEY
(1826-1916)

34 Omnibus Life in London, 1859
In einem Londoner Omnibus

Öl auf Leinwand, 44,8 x 41,9 cm
Bez. u. l: W. Maw Egley
Bez. u. r.: 1859
Erste Ausstellung: BI 1859 (318)
Tate Gallery, London
Lit.: Wood 1976

Der große Erfolg, den Frith mit seiner großformatigen Gegenwarts-Darstellung *The Derby Day* in der Royal Academy 1858 erlebte,
regte andere Künstler zu einem ähnlichen
Weg an. Egley, der mit Frith befreundet war
und auch mit den Präraffaeliten in Verbindung stand, fand als einer der ersten eine andere Londoner Szene, die das Ausstel-
lungspublikum so fesseln würde wie die Darstellung des beliebten Derby Day.

Sein Blick in eine Omnibus-Szenerie
wurde bei der Februar-Ausstellung von 1859
gezeigt. Der stets präzise und penible Egley
hatte anderthalb Tage mit vorbereitenden
Skizzen verbracht sowie 44 Tage zum Malen
des Bildes. Er verwendete Berufsmodelle
(und sicherlich auch Laien) für die Figuren
und besuchte einen Wagenbauer, um das Innere eines Omnibusses zu malen. Ein Rohmo-
dell wurde auch in Egleys Garten aufgestellt.
Den Blick aus dem rückwärtigen Teil des
Busses malte er nach der Natur in einer
Straße in der Nähe seines Ateliers.

Obwohl das Bild für 80 Pfund verkauft
wurde, erhielt es geteilte Kritiken. Das ist
wahrscheinlich der Grund, warum Egley im
weiteren Verlauf seiner Karriere wieder auf
erprobte literarische Genrebilder zurückkam.
Der *Londoner Omnibus* blieb sein einziges
Gegenwartsthema. Der Kritiker des ›Art Journal‹ (1859) nannte das Bild »schrecklich
wahr«, aber die Wochenzeitschrift ›The Illustrated London News‹ veröffentlichte einen
Holzschnitt nach dem Bild und trug damit zu
dessen Popularität bei.   R.H.

34　William Maw Egley, In einem Londoner Omnibus, 1859

ABRAHAM SOLOMON (1824-1862)

35 A Contrast, 1855
Der Gegensatz

Öl auf Leinwand, 105 x 151 cm
Bez. u. l.: A. Solomon 1855
Erste Ausstellung: RA 1855 (355)
Privatsammlung
Lit.: London 1985 b (15)

Als dieses Bild zum ersten Mal ausgestellt wurde, war es von einem Gedicht begleitet, dessen Autor unidentifiziert blieb: »Wird Glück niemals mit vollen Händen kommen? ... / So geht's den Armen, sind sie doch gesund, / So geht's den Reichen, die / im Überfluß besitzen und die dennoch leiden.«

Solomon machte sich einen Namen als Maler literarischer und historischer Genrebilder. Doch um 1850 begann ihn, wie W. P. Frith (Kat. 37) und W. M. Egley (Kat. 34), die Gegenwarts-Darstellung zu interessieren. Er schilderte zumeist häusliche Ereignisse, wobei er, wie hier, gelegentlich ernst wurde. Die Figuren, Kostüme und Hintergründe gab er stets detailgenau wieder, womit er den geschilderten Ereignissen, die eher imaginär als aus dem wirklichen Leben gegriffen zu sein scheinen, eine Atmosphäre von Realismus verlieh.

A Contrast zeigt eine an einen Rollstuhl gefesselte wohlhabende Engländerin am Strand von Boulogne, einem bei Engländern und Franzosen gleichermaßen beliebten Badeort. Sie besitzt alles – schöne Kleider, die liebende Fürsorge eines Ehemanns, sogar künstlerisches Talent –, nur keine Gesundheit. Der Kontrast zwischen dem aus Neugier und Mitleid gemischten Blick, mit dem die armen, aber gesunden Fischermädchen sie betrachten, und der Art, in der das fleißige Mädchen rechts und der Junge mit den Krabben links sie und ihre Traurigkeit ignorieren, bildet das Thema des Bildes. In der Szenerie und dem milden und spielerischen Hinweis auf das Thema von Glück und Unglück spiegelt dieses Bild das beliebte Gemälde *Ramsgate Sands* von Frith, das 1854 in der Royal Academy mit großem Beifall bedacht wurde (London, Royal Collection).   R. H.

35   Abraham Solomon, Der Gegensatz, 1855

Thomas Webster (1800-1886)

36 Roast Pig, 1862
Der Schweinebraten

Öl auf Leinwand, 72,4 x 118,7 cm
Bez. u. r.: T. W. 1862 (Initialen als
Monogramm)
Erste Ausstellung: RA 1862 (142)
Sheffield City Art Galleries
Lit.: Wolverhampton 1977 (72)

Von den frühen dreißiger Jahren an spezialisierte sich Webster auf Bilder mit Kindern als Hauptpersonen. Anders als William Mulready, der ebenfalls Kinderszenen malte, sie aber mit einem ernsthaften moralischen Unterton darbot, indem er die Handlungen der Kinder als vorweggenommene Taten im Erwachsenenalter zeigte, befaßte sich Webster mit der heiteren Seite der Jugendzeit. Die Hartnäckigkeit, mit der er immer wieder auf dieses Thema zurückkam, spiegelt das Interesse des 19. Jahrhunderts an den Tugenden der Häuslichkeit, was uns heute als ›typisch viktorianisch‹ gilt. Doch war Websters Sujet im holländischen Genrebild des 17. Jahrhunderts verwurzelt, etwa den ›Arme-Leute‹-Gemälden von Jan Steen. Von den Holländern hat Webster viele seiner maltechnischen Effekte entlehnt, wie sich hier am Beispiel des Lichts zeigt, das von einer einzigen Quelle her in den Raum fällt.

Roast Pig ist eines der größten und erfolgreichsten von Websters Gemälden. Bei der Ausstellung in der Royal Academy wurde es von einem Zitat aus Charles Lambs Essay ›A Dissertation upon Roast Pig‹ von 1821 begleitet. Darin werden Herrlichkeiten dieses »leckersten aller Leckerbissen« witzig beschrieben. Webster zeigt ein Interieur eines königlichen Beamten kurz vor dem Mittagessen. Wenn ein Haus keinen genügend großen Backofen besaß, benutzte man den Backofen der örtlichen Bäckerei. Gerade ist der Bäcker vor dem Fenster angekommen, den frischen Braten balanciert er auf einem Tablett auf seinem Kopf. Die Familie blickt erwartungsvoll nach draußen.

Das Bild wurde von einem der größten zeitgenössischen Gönner, Joseph Gillott aus Birmingham, in Auftrag gegeben, der durch die Fabrikation von Stahlfedern reich geworden war. R. H.

William Powell Frith
(1819-1909)

37 The Railway Station, 1860-62
Der Bahnhof

Öl auf Leinwand, 116,7 x 256,4 cm
Bez. u. r.: W. P. Frith fec^t 1862
Erste Ausstellung: Flatow's Gallery,
Haymarket, London 1862
Royal Holloway
University of London
Lit.: Frith 1887, S. 327-335;
Leeds 1978 (15); Chapel 1982, S. 87-91

Das Bild zeigt ein Gewühl von Menschen auf dem Bahnsteig von Paddington Station in London vor Abfahrt eines Zuges. Links eilt eine Familie dem Gepäckträger nach, auf dessen Karren sich die Koffer türmen, rechts von dieser Gruppe beugt sich eine Mutter zu ihrem kleinen Sohn hinab und gibt ihm einen Abschiedskuß, umstanden vom Vater, dem älteren Bruder, der Schwester und dem jüngsten Bruder: Porträts von Frith, seiner Frau und seinen Kindern. Der Junge, der von der Mutter umarmt wird, hält einen Kricketschläger in der Hand; offensichtlich fahren er und sein Bruder ins Internat. In der Mitte des Bildes streiten ein ausländischer Reisender und seine Frau ganz offensichtlich mit dem Kutscher über den Fahrpreis: Als Modell für den Ausländer diente dem Maler, wie man weiß, ein venezianischer Graf, der als politischer Emigrant vor der österreichischen Herrschaft nach England geflohen war und Friths Töchtern Italienischunterricht erteilte. Rechts schließt sich eine Hochzeitsgesellschaft an, die Braut und Bräutigam verabschiedet. Ganz rechts wird gerade ein Krimineller auf der Flucht verhaftet. Die beiden Männer mit den Zylindern, die Haftbefehl und Handschellen vorweisen, haben ihre Vorbilder in zwei sehr bekannten Kriminalbeamten der Zeit, Michael Haydon und James Brett von der Londoner Polizei.

Frith beauftragte Samuel Fry, Photographien von der Bahnhofshalle, den Lokomotiven und Waggons in Paddington Station zu machen, und ließ den Architekturmaler William Scott Morton den Hintergrund des Bahnhofs malen. Dessen ungeachtet behauptet er in seiner ›Autobiographie‹, er habe jedes Detail des Bildes vor dem Motiv gemalt.

Die in ein Gespräch mit dem Lokomotivführer vertiefte Gestalt hinten links stellt den Kunsthändler Louis Victor Flatow dar, der das Bild in Auftrag gegeben hatte. Frith begann mit den zahlreichen Studien für das Gemälde im August 1860. Am 10. September unterzeichnete er einen Vertrag über den Verkauf des Bildes, den Originalentwurf und das Copyright für insgesamt 4500 Pfund, zahlbar in Raten von 500 Pfund alle drei Monate, bis das Bild fertiggestellt sein würde. Der Preis war für die damaligen Verhältnisse außergewöhnlich hoch, wenngleich wir von noch höheren wissen. Flatow soll für das Werk 30 000 Pfund erzielt haben; allerdings hätte Frith einen günstigeren Handel gemacht, wenn er das Bild auf eigene Faust verkauft hätte.

Das Gemälde war im März 1862 vollendet. Ursprünglich hatte sich Frith das Recht ausbedungen, es auszustellen, doch dieses verkaufte er dann für weitere 750 Pfund an Flatow. Das Bild wurde nicht in der Royal Academy gezeigt, sondern in Flatows Privatgalerie in Haymarket, wo es innerhalb von sieben Wochen von 21 150 zahlenden Besuchern gesehen wurde. Danach wurde es auf eine Wanderausstellung durch zahlreiche Provinzstädte geschickt. Derartige Ausstellungen eines einzigen Bildes dienten dazu, Subskriptionen für Stiche nach dem Bild zu sammeln. *The Railway Station* wurde von Francis Holl gestochen (Vater des Malers Frank Holl, siehe Künstlerbiographien) und 1862 von Henry Graves in einer Auflage von 3050 Exemplaren herausgebracht. Drei Repliken des Ölgemäldes, jede von Frith signiert, sind uns bekannt; zwei davon stammen wahrscheinlich von der Hand des Marcus Stone, den Frith mit zwei Kopien beauftragt hatte, von denen eine als Vorlage für den Stecher gedient haben mag.

The Railway Station war die dritte und größte von Friths Panorama-Szenen mit Menschenmengen in eleganter moderner Kleidung. Obwohl zunächst als vulgär kritisiert, fanden seine zeitgemäßen Darstellungen als »Spiegel des Epoche« um 1860 bei der Kritik wie bei der breiten Öffentlichkeit Zustimmung. »Mr. Frith tut für unsere Zeit, was Hogarth für die seine tat«, schrieb die ›Times‹ (19. April 1862, S. 5). Außer Frith gab es einer Reihe viktorianischer Maler, die das Thema Eisenbahn in ihr Repertoire aufgenommen hatten, so Abraham Solomon und Augustus Egg, auf dem Kontinent Daumier, Monet und Menzel. Friths Motive der fünfziger und sechziger Jahre – die Eisenbahn, die Küste, die Rennbahn und die Oper – waren Vorwegnahmen der Szenen des modernen Lebens, die die französischen Impressionisten in den siebziger und achtziger Jahren schaffen sollten. J. B. T.

36   Thomas Webster, Der Schweinebraten, 1862

37   William Powell Frith, Der Bahnhof, 1860-62

38   Edward Armitage, Das Schlachtfeld von Inkerman, 1855

39 William Simpson, Die Rückkehr der Garderegimenter von der Krim im Juli 1856, 1856

EDWARD ARMITAGE (1817-1896)

38 The Field of Inkerman, 1855
Das Schlachtfeld von Inkerman

Kreide auf Leinwand, 81,3 x 121,9 cm
Bez. u. r.: E. Armitage,/Inkerman
Privatsammlung
Lit.: London 1989b (3)

Die Schlacht von Inkerman, die im November 1854 stattfand, war einer der blutigsten Kämpfe des Krimkrieges zwischen Rußland und der Türkei (1854-56), an deren Seite Frankreich und England standen. Beherrscht wurde die Lage durch die fast einjährige Belagerung der Festung Sebastopol, Kriegshafen der russischen Schwarzmeerflotte. Die Schlacht ereignete sich während dieser Belagerung, als die Russen versuchten, die britischen Linien zu durchbrechen.

Da auf der Krim Journalisten und Photographen anwesend waren, war die britische Öffentlichkeit den grausamen Realitäten des Krieges auf bislang unbekannte Weise ausgesetzt. Die Greuel auf den Schlachtfeldern, und die Unfähigkeit, mit der das Britische Kriegsministerium agierte, standen in schroffem Gegensatz zu dem patriotischen Glauben der Öffentlichkeit an einen Sieg. Der Krieg bewegte Schriftsteller und Maler. Für die Maler war die Zeit gekommen, zu überprüfen, ob

die schon etablierten Forderungen der Präraffaeliten nach Behandlung zeitgemäßer, aus dem Leben gegriffener Themen aufrichtig seien. F. M. Browns *Waiting* (Kat. 45) war eines der ersten Bilder dieser Kriegswelt. Einige Künstler wurden von Kunsthändlern eigens auf die Krim geschickt, so z. B. William Simpson (Kat. 39) und Edward Armitage, der 1855 dorthin ging. Er schuf Zeichnungen am Ort des Geschehens, aus denen später panoramagroße Schlachtenszenen entstanden, die 1856 in London ausgestellt wurden.

Das Schlachtfeld von Inkerman mit den Leichnamen der Soldaten, die durch die Schneeschmelze freigelegt werden, ist das Protokoll einer intensiven und persönlichen Reaktion auf den Krieg. Der Kontrast zwischen dem Tod, den durch die Schmetterlinge symbolisierten entfliehenden Seelen, und der Rückkehr des Lebens, das in den blühenden Blumen triumphiert, prägt sich schmerzlich ein.   R. H.

WILLIAM SIMPSON (1823-1899)

**39 The Return of the Guards
from the Crimea, July 1856, 1856**
*Die Rückkehr der Garderegimenter
von der Krim im Juli 1856*

Aquarell auf Papier, 30,7 x 45,5 cm
Bez. u. l.: Wm. Simpson/July 1856
Royal Library, Windsor Castle
Lit.: Miller und Dawney 1970 (2340)

1854 wurde Simpson von dem Verleger Colnaghi auf die Krim geschickt, um den Verlauf des Krieges gegen Rußland im Bild festzuhalten. So wurde er Großbritanniens erster künstlerischer Kriegsberichterstatter. Viele seiner Zeichnungen erschienen in Form von Lithographien auf dem englischen Markt. Zum einen war er in der Tradition der topographischen Landschaftszeichnung bestens ausgebildet, zum anderen verstand er es, die wahre Tragödie des Krieges zu beleuchten, nämlich seine Auswirkung auf das Geschick des Individuums. Sein Aquarell *Sommer auf der Krim* von 1857 (London, British Museum) zeigt die Trümmer auf einem Schlachtfeld, während im Vordergrund das Schicksal des einfachen Soldaten »durch einen Schmetterling suggeriert wird, der über eine brennende Bombe fliegt«.

Die Stimmung jenes Bildes stellt quälende Fragen. Wie andere vom Krimkrieg inspi-

rierte Werke (Kat. 38, 45) oder das sehr unterschiedliche, aber ebenso realistische Werk *The Stonebreaker* (Kat. 49) läßt erkennen, wie weit die Idee der Präraffaeliten, Kunst müsse geschaffen werden, »um den Sinn der Menschen zum Guten zu wenden« (Millais), und die Erwartung der Öffentlichkeit, daß sie das auch tun würde, in das allgemeine Bewußtsein gedrungen war.

Königin Victoria und Prinz Albert waren über den Krimkrieg und die schrecklichen Bedingungen, denen die Armee ausgesetzt war, zutiefst bestürzt. Der triumphale Einzug der Garderegimenter, die an der Front gekämpft hatten, fand am 5. Juli 1856 statt. Simpsons Blick auf die Feierlichkeiten der siegreichen Armee vor dem Buckingham Palast – er beleuchtet die Szene durch einen glorreichen Einfall von Sonnenlicht – verhüllte erfolgreich das grausam-reale Ergebnis: 20000 britische Gefallene.   R. H.

WILLIAM HOLMAN HUNT (1827-1910)

**40 The Flight of Madeline
and Porphyro during the Drunkenness
attending the Revelry
(The Eve of St. Agnes), 1848**
*Die Flucht von Madeline
und Porphyro während des
Gelages (Der Abend von St. Agnes)*

Öl auf Leinwand, 78,75 x 114,3 cm
Bez. u. r.: WILLIAM H. HUNT
Erste Ausstellung: RA 1848 (804)
Guildhall Art Gallery,
Corporation of London
Lit.: Liverpool 1969 (9);
London 1984b (9)

Hunt ließ sich zu dem Bild anregen durch das Gedicht von Keats ›The Eve of St. Agnes‹, dem die Legende zugrunde liegt, daß die jungen Mädchen am Abend des St. Agnes-Festes ihren zukünftigen Ehemann erblicken können. Porphyro kommt während des Festes zu Madeline, und die Liebenden fliehen:

Sie gleiten, Geistern gleich, zur weiten Halle hin,
Wie Geister zu dem Eisentore gleiten sie,
Dort wo der Pförtner liegt, verkrümmt vom Schlaf
  gefällt,
Der Krug, geleert, ihm noch zur Seite steht.
Der treue Bluthund wacht und schüttelt schwer
  sein Fell.

Doch klug hat er den Freund sogleich erkannt;
Und leise gleitend schieben Riegel sich zurück
Die Ketten ruh'n auf abgetretenen Stufen
Der Schlüssel dreht im Schloß sich langsam um
Das Tor in seinen Angeln knarrt und ächzt.

Hunt entdeckte Keats' Dichtung 1847. Das Bild offenbart auch den Einfluß von Ruskins ›Modern Painters‹. Ein ernster, von moralischem Sendungsbewußtsein getragener Ton

dominiert, kontrastiert heilige Liebe mit schwächlicher Ausschweifung. Viele der Details gehen auf direkte Beobachtung zurück. Da Hunt während des Tages an den Royal Academy Schools studierte, arbeitete er häufig abends bei Kerzenlicht an dem Gemälde, was Diskrepanzen in den Schattenwirkungen zur Folge hatte. Er mußte das Bild rasch vollenden, um es rechtzeitig an die Akademie schicken zu können, deshalb half ihm Millais bei einigen der Details. Einige Elemente der Komposition scheinen den Umrißzeichnungen zu Goethes ›Faust‹ von Moritz Retzsch entlehnt. Als das Bild 1848 auf der Ausstellung der Royal Academy gezeigt wurde, begeisterte es Dante Gabriel Rossetti, der soeben Illustrationen zu Keats' ›La Belle Dame sans Merci‹ geschaffen hatte. Die beiden Künstler wurden Freunde und gründeten im selben Jahr die Präraffaelitische Bruderschaft. Das Bild ist Hunts erstes bedeutendes Gemälde; es nimmt bereits Züge der künftigen Anschauungen der Bruderschaft vorweg.   J. B. T.

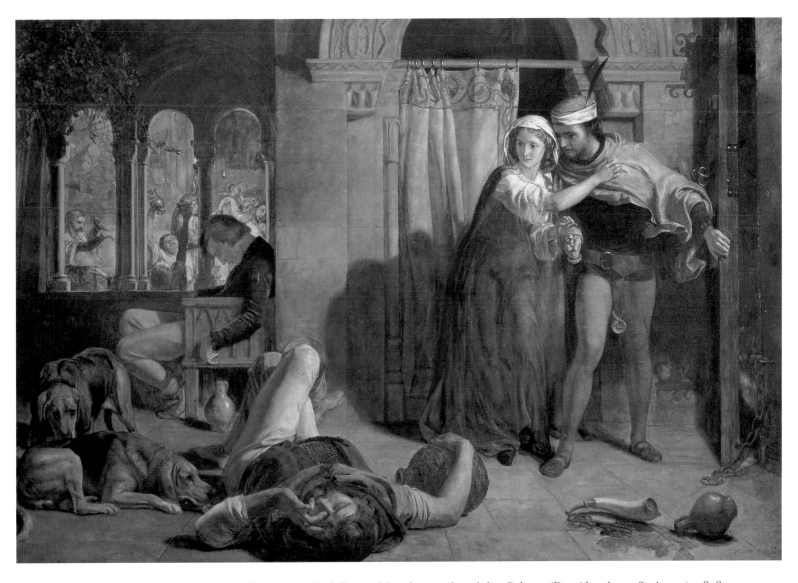

40   William Holman Hunt, Die Flucht von Madeline und Porphyro während des Gelages (Der Abend von St. Agnes), 1848

SIR JOHN EVERETT MILLAIS
(1829-1896)

41 The Disentombment
of Queen Matilda, 1849
*Die Grabschändung Königin
Matildas*

Feder und Tusche, 22,9 x 42,9 cm
Bez. u. r.: J E MILLAIS 1849/PRB
(Initialen als Monogramm)
Tate Gallery, London
Lit.: Bolton 1979 (13);
London 1984b (165)

Diese außergewöhnliche Zeichnung führt den Präraffaelitismus in seiner frühesten, radikalsten und absichtsvoll primitiven Phase vor Augen. Den eckigen Stil mit seinen manierierten Physiognomien und der eckigen Gestik der Figuren hat Millais, der durchaus zur Anmut fähig war, hier bewußt eingesezt. Damit demonstrierte er seine Ablehnung der an der Akademie gelehrten Auffassungen und sein Bestreben, zu den Meistern vor Raffael zurückzugehen. Der Schauplatz des Bildes, eine romanische Kirche mit mittelalterlichem Wandschmuck, bezeugt Millais' Kenntnis des Schönheitskanons der Frührenaissance. Die streng die Konturen umreißende Linienführung und die klargezeichneten Schatten erinnern an die Umrißzeichnungen, die Künstler wie der Deutsche Moritz Retzsch pflegten, dessen Werke in England Verbreitung fanden.

Das Thema des Bildes entstammt dem Werk ›Lives of the Queens of England‹ (1840-1848) von Agnes Strickland. 1562 nahmen die Calvinisten die Stadt Caen ein, Ort der Grabstätte Wilhelm des Eroberers, König von England, und seiner Gemahlin, der Königin Matilda von Flandern. Die Dreifaltigkeitskirche wurde geplündert und Matildas Grab aufgebrochen. Einer der Eindringlinge zog einen goldenen Ring vom Finger der Leiche und bot ihn der entsetzten Äbtissin. Millais' ungewöhnliche Stoffwahl könnte mit der zeitgenössischen ekklesiologischen Kontroverse in Verbindung gebracht werden, ob man den Gebrauch ritueller Gegenstände, wie Heiligenbilder und kostbare Gewänder, in der Kirche von England wieder einführen solle.

J. B. T.

41   Sir John Everett Millais, Die Grabschändung Königin Matildas, 1849

ROBERT BRAITHWAITE
MARTINEAU (1826-1869)

42 Kit's Writing Lesson, 1851-52
Kit lernt schreiben

Öl auf Leinwand, 52,1 x 70,5 cm
Bez. u. r.: RBM 1852 (Initialen
als Monogramm)
Erste Ausstellung: RA 1852 (1286)
Tate Gallery, London
Lit.: Hunt 1905

Dieses Bild geht auf Charles Dickens' Roman ›Der Raritätenladen‹ (1840/41) zurück: Dessen Heldin, ›Little Nell‹, lebt bei ihrem Großvater, der einen düsteren Laden in einer Londoner Straße besitzt. Zweimal in der Woche gibt sie ihrem aufrichtigen jungen Verehrer und Kameraden Kit Nubbles Unterricht. Als Nell und ihr Großvater gezwungen werden, ihr Heim aufzugeben, beweist Kit seine Liebe und Treue zu dem Mädchen auf unermüdliche Weise – bis hin zu ihrem Totenbett. Das Schicksal der ›Kleinen Nell‹ ergriff Dickens' Leserschaft tief; die Beschreibung ihres Todes noch im Kindesalter gehört zu den rührendsten Szenen in der englischen Romanliteratur.

Es war wahrscheinlich diese Popularität des ›Raritätenladens‹, die Martineau anzog. Vielleicht weil Holman Hunt 1846 ebenfalls eine Szene aus diesem Buch ausgestellt hatte, wandte sich Martineau an ihn und bat ihn, sein Schüler werden zu dürfen, wenngleich er die Arbeit an *Kit lernt schreiben* schon begonnen hatte, als er sich Holman Hunt Anfang 1852 anschloß. Die Szenerie eines Raritätenladens gab Martineau die Möglichkeit, ein überfülltes Interieur zu schildern. Er tat dies mit echt präraffaelitischer Genauigkeit, die im Roman so nicht zu finden ist. Die Symbolik einiger Gegenstände nimmt auf rührende Weise Nells frühes Ende vorweg: den Hänfling im Käfig rettet Kit aus dem Laden und bringt in ihr, als er sie endlich findet; die Kreuzigungsszene in Glasmalerei verweist auf Nells und ihres Großvaters bevorstehende Prüfungen, während die engelgleiche Gestalt unter einem Glassturz ihren Tod symbolisiert. In ihrer religiösen Intensität spiegeln diese beiden letzten Hinweise den Einfluß Hunts.

Das Bild – das erste, das Martineau ausstellte – wurde für 50 Pfund von C.E. Mudie erworben, dem Gründer einer beliebten Leihbücherei.   R.H.

42   Robert Braithwaite Martineau, Kit lernt schreiben, 1851-52

SIR JOHN EVERETT MILLAIS
(1829-1896)

43 The Blind Girl, 1854-56
Das blinde Mädchen

Öl auf Leinwand, 82 x 60,8 cm
Bez. u. r.: J Millais 1856 (Initialen als
Monogramm)
Erste Ausstellung: RA 1856 (586)
Birmingham Museums and Art Gallery
Lit.: London 1967 (51);
London 1984 b (69)

Das blinde Mädchen sitzt inmitten einer Landschaft, deren Schönheit um so ergreifender wirkt, als sie sie nicht sehen kann. Ihre Blindheit wird durch ihre Begleiterin betont, die den Kopf wendet, um den doppelten Regenbogen im Hintergrund zu betrachten, und durch den Schmetterling, der sich auf ihren Schal gesetzt hat. Den Tast-, Geruchs- und Gehörsinn des Mädchens suggerieren Details wie das Musikinstrument, die Feldblumen, die groben Stofftexturen und vor allem ihre Hände: Mit der einen tastet sie einen Grashalm ab, während sie mit der anderen die Hand ihrer Führerin festhält. Millais hat es verstanden, die Frische des feuchten Grases nach dem Regen wiederzugeben, wie Ruskin beifällig vermerkt hat.

Die Landschaft entstand 1854 in Winchelsea in Sussex. Einige Details vollendete der Künstler im schottischen Perth, wo zunächst seine Frau Effie für das blinde Mädchen posierte; da sie aber höchst ungern in der Sonne saß, nahm Millais später einheimische Mädchen als Modelle für den Körper. Der Regenbogen zeigte zunächst die gleiche Farbanordnung in jedem Bogen; nachdem jedoch ein Brief im ›Art Journal‹ (1856, S. 236) nach der Akademieausstellung des Bildes dies als Fehler angekreidet hatte, änderte Millais die Farben.

Viele Zeichnungen und Ölgemälde des Präraffaeliten haben Themen des modernen Lebens zum Gegenstand, wie dieses Bild. Ford Madox Brown nannte es »ein religiöses und ein wunderbares Bild« (Millais 1899, i, S. 240), wahrscheinlich im Hinblick auf den Regenbogen als Symbol des göttlichen Erlösungsversprechens. Eine poetische Vision, die ebenso wie *Autumn Leaves* (RA 1856, Manchester City Gallery) auf die Vergänglichkeit weltlicher Schönheit anspielt, ist *The Blind Girl* ein zutiefst ernstes Bild; nicht zufällig hat die Hauptfigur eine madonnengleiche Ausstrahlung.   J.B.T.

43   Sir John Everett Millais, Das blinde Mädchen, 1854-56

44   Dante Gabriel Rossetti, Elizabeth Siddal, lesend, 1854

45   Ford Madox Brown, Warten: An einem englischen Kamin im Jahre 1854-55

DANTE GABRIEL ROSSETTI
(1828-1882)

44 Portrait of Elizabeth Siddal,
reading, 1854
Elizabeth Siddal, lesend

Bleistift mit Feder und Tusche,
23,8 x 28,6 cm
Bez.: Hastings / June 2. 1854
Erste Ausstellung: BFAC 1883 (119)
The Syndics of the Fitzwilliam
Museum, Cambridge
Lit.: Surtees 1971, Bd. 1, S. 190, Bd. 2,
S. 427

Im Frühling und Sommer 1854 litt Rossetti
an Niedergeschlagenheit und Orientierungs-
losigkeit, überdies plagte ihn Geldmangel.
Seine Geliebte, Lizzy Siddal, war nach Hastings in Sussex an der Kanalküste umgezogen,
um der Hitze und schlechten Luft in der Stadt
zu entkommen. Rossetti besuchte sie vom
3. Mai bis Ende Juni; die vorliegende Zeichnung entstand während dieses Aufenthalts.
Sie zeigt Elizabeth Siddal in einem Kranken-
stuhl sitzend, sie blickt mit schweren Lidern
in ein Buch in ihrem Schoß.
   Von 1850 an bis zu ihrem Tod 1862 waren
Lizzys Gesicht und Gestalt Rossettis zentrales
Motiv. Nach den Aussagen F. M. Browns, des
Freundes von Rossetti, war der Künstler völlig abhängig von ihr. Im Oktober 1854 schien

sie dem Freund »dünner und totenähnlicher
und schöner und zerstörter denn je; eine rich-
tige Künstlerin, eine Frau, die lange Zeit nicht
ihresgleichen haben wird. Gabriel wie üblich
diffus und inkonsequent in seiner Arbeit;
zeichnet wunderbare und reizende ›Guggums‹ (Rossettis Kosename für Lizzy), eine
nach der anderen, jede von frischem Reiz,
jede von Unsterblichkeit geprägt.« Ein Jahr
später zeigte Rossetti Brown »eine Schublade
voller Guggums, Gott weiß, wieviele ... das
ist bei ihm wie eine Monomanie. Viele davon
sind über die Maßen schön« (Rossetti 1899,
S. 19, 40). Die Zeichnungen, die Rossetti von
Lizzy schuf, lassen erkennen, welch eine
Macht ihre traurige und fragile Schönheit
über ihn hatte.   C. S. N.

FORD MADOX BROWN (1821-1893)

45 Waiting: An English Fireside
of 1854-55
*Warten: An einem englischen Kamin
im Jahre 1854-55*

Öl auf Holz, 30,5 x 20 cm
Bez. u. r.: Ford Madox Brown / 55
Erste Ausstellung: Weltausstellung
Paris 1855
Trustees of the National Museums
and Galleries on Merseyside
(Walker Art Gallery, Liverpool)
Lit.: Bennett 1986, S. 28

In den späten vierziger und frühen fünfziger
Jahren malte Brown eine Reihe von häuslichen Mutter-und-Kind-Bildern, die er mit in-
tensivem Gefühl und einer spirituellen Note
begabte, so daß das Thema Madonna mit Je-
susknabe mitklang.
   Dieses Bild fällt durchaus in diese Gruppe,
doch ist es gleichzeitig das erste Gemälde
Browns über ein Thema der Zeit. Er begann
es 1851-52 als Studie für ein Bild, das 1853
in der Akademie gezeigt wurde; 1854-55
nahm er es sich erneut vor, um es zu ändern.
Großbritannien war damals in den Krimkrieg
verstrickt; so wandelte er die Hautpfigur in
eine Offiziersfrau um, die an ihren vor Sebastopol liegenden Mann denkt und auf seine
Rückkehr wartet. Auf dem Tisch fügte er das
Miniaturbild eines Soldaten in Uniform und

einige Briefe ein. Browns zweite Frau Emma
und ihre 1850 geborene Tochter Catherine
dienten als Modelle für die Figuren. Der Einsatz von Familienangehörigen oder Freunden
anstelle professioneller Modelle verlieh vielen Bildern der Präraffeliten einen ausgeprägteren Naturalismus. Die Alltagsgegen-
stände im Zimmer oder die unterschiedlichen
Effekte des Lampenlichts und des Kaminfeu-
ers sind mit Genauigkeit und Delikatesse wiedergegeben. Browns scharfer Blick für die
Wirklichkeit zeigt sich auch an der Wahl eines durchschnittlichen bürgerlichen Interieurs
und besonders an der so gar nicht idealisierte
Haltung des Babys. Das Bild ist bemerkenswert frei von der in den zeitgenössischen Darstellungen von Mutter und Kind vorherrschenden Sentimentalität.   J. B. T.

FORD MADOX BROWN

46 William Michael Rossetti,
painted by Lamplight, 1856
*William Michael Rossetti,
bei Lampenlicht gemalt*

Öl auf Holz, 24,1 x 23,5 cm
Bez. o. r.: To FMLR 1856 FMB
(Initialen als Monogramm)
Erste Ausstellung:
Pre-Raphaelite Exhibition,
Russell Place, London 1857 (17)
Wightwick Manor, Mander Collection
(The National Trust)
Lit.: London 1984b (81)

William Michael Rossetti (1829-1919),
Dante Gabriel Rossettis jüngerer Bruder,
hatte im Gegensatz zu dem phantasiereichen
und sprunghaften Temperament des Älteren
ein ruhiges, ausgeglichenes, bescheidenes
und zuverlässiges Wesen. Er war von 1845
bis 1894 als Steuerbeamter tätig. Obwohl er
kein Maler war, gehörte er der präraffelitischen Bruderschaft seit ihrer Gründung im
Jahr 1848 an und gab deren kurzlebige Zeitschrift ›The Germ‹ heraus, die schon nach
vier Nummern (Januar bis April 1850) ihr Erscheinen einstellte. Er verfaßte auch etliche
Bücher über seinen Bruder und die präraffelitische Bewegung, veröffentlichte Kunstkriti-
ken, rezensierte zeitgenössische Literatur und

gab Gedichtsammlungen von Whitman, Shelley und Blake heraus.
   William Michael war 27 Jahre alt, als dieses Porträt geschaffen wurde. Nach dem Tagebuch des Künstlers wurde es in der Zeit
zwischen Oktober 1856 und März 1857 in
Browns Haus Fortress Terrace in Kentish
Town, North London, gemalt. Brown mußte
bei künstlichem Licht daran arbeiten, weil
William ihm nur abends für die Sitzungen zur
Verfügung stand. Der Schein des hellen Lampenlichts, der Schatten im Hintergrund, die
gemusterte Tapete, von der sich der Kopf ab-
hebt, dies alles verstärkt die Intimität und
Aufrichtigkeit dieses Bildes, Eigenschaften,
die für Browns Porträt kennzeichnend sind.
                                        J. B. T.

46   Ford Madox Brown, William Michael Rossetti, bei Lampenlicht gemalt, 1856

WILLIAM SHAKESPEARE BURTON
(1824-1916)

47 A Wounded Cavalier, 1855-56
Ein verwundeter Kavalier

Öl auf Leinwand, 88,9 x 104,1 cm
Erste Ausstellung: RA 1856 (413)
Lit.: London 1984 b (71)
Guildhall Art Gallery,
Corporation of London

Von allen historischen Ereignissen, die den viktorianischen Historienmalern Motive boten, war der Bürgerkrieg das am häufigsten geschilderte Thema, übrigens schon zu Beginn des Jahrhunderts durch die Romane Sir Walter Scotts populär geworden. Dieses Gemälde einer imaginären Szene aus dem Bürgerkrieg demonstriert, wie menschliches Mitgefühl sektiererisches Vorurteil überwindet. Ein königstreuer Meldereiter mit Depeschen ist angegriffen, zu Tode verwundet und seinem Schicksal überlassen worden – die Bresche in der Steinumwallung macht deutlich, welchen Weg die Angreifer genommen haben. Zwei Puritaner auf dem Weg zu ihrer Versammlung haben den Verwundeten gefunden. Der Mann verweigert ihm die Hilfe, aber die Frau nimmt ihn mitleidig-stützend in ihre Arme. Das strenge Gewand des Puritaners und die große Bibel bilden einen auffallenden Kontrast zu dem prächtigen Gewand des königstreuen Kavaliers und seinen am Boden

verstreuten Spielkarten. Ein Spinnennetz, das sich zwischen Schwert, Baum und Gestrüpp spannt, verweist darauf, daß der Kavalier hier schon geraume Zeit liegt; der Schmetterling auf dem Schwert symbolisiert die entfliehende Seele.

Das Gemälde wurde im Spätsommer 1855 begonnen, wahrscheinlich inspiriert von John Everett Millais' *The proscribed Royalist* (RA 1853, Privatsammlung) mit der Darstellung eines Puritanermädchens, das seinen Kavalier-Liebhaber in einem hohlen Baum versteckt. Burton hat den landschaftlichen Hintergrund – wohl nach Studien im Loseley Park bei Guildford – mit präraffaelitischer Delikatesse gemalt; er grub für sich und seine Staffelei einen tiefen Graben in die Erde, damit er die Farne und das Brombeergestrüpp aus der Nähe studieren konnte. Diese Gründlichkeit wurde 1856 von Ruskin als »meisterhaft« gepriesen (Ruskin 1903-12, Band 14, S. 66).   J. B. T.

FREDERIC JAMES SHIELDS
(1833-1911)

48 One of our Breadwatchers, 1866
Eine Hüterin unseres Brotes

Aquarell, 39,2 x 57,6 cm
Erste Ausstellung: OWCS Sommer 1866
(259)
Manchester City Art Galleries
Lit.: Mills 1912, S. 108-110;
Manchester 1987 (25)

Dieses ausgefeilte Aquarell, das vom sorgfältigen Studium der präraffaelitischen Technik zeugt, hat Shields im Winter 1865/66 in Porlock in Somersetshire begonnen. Er beobachtete die Kinder, die selbst bei strenger Kälte den ganzen Tag über auf die Felder geschickt wurden, um die Vögel von dem frisch ausgesäten Korn zu verscheuchen. Der Lohn für diese Tätigkeit war jämmerlich gering. Mit hölzernen Klappern bewaffnet, saßen sie in rasch und grob zusammengefügten Unterständen, nur von einem winzigen Öfchen gewärmt. In seinem Tagebuch des Jahres 1866 hielt Shields fest, er habe drei Tage lang auf einem schneebedeckten Feld zusammen mit seinem Modell der beißenden Kälte getrotzt.

Viele von Shields Aquarellen schildern Bauernkinder bei der Arbeit, beim Sammeln von Stechpalmenzweigen und bei ihren ländlichen Spielen. Die ergreifende Aussage dieser Bilder und ihre Anklage gegen die ausbeuterische Kinderarbeit räumte ihnen eine Sonderstellung ein und erinnert an Henry Wallis' berühmten *Stonebreaker* (Kat. 49). Shields Titel, der nicht nur die Tätigkeit des Mädchens beschreibt, sondern jedem Betrachter stillschweigend Mitverantwortung an ihrer elenden Lage zumißt, rügte die ›Times‹ (9. Mai 1866) als »fragwürdig vom Geschmack«, wenngleich derselbe Kritiker das Aquarell wegen seiner Technik und seiner Emotionalität lobte.   J. B. T.

HENRY WALLIS (1830-1916)

49 The Stonebreaker, 1857-58
Der Steinklopfer

Öl auf Leinwand, 65,4 x 78,7 cm
Bez. u. r.: HW 1857
(Initialen als Monogramm)
Erste Ausstellung: RA 1858 (562)
Birmingham Museums and Art Gallery
Lit.: London 1984 b (92)

Dieses Bild wurde ohne Titel ausgestellt, trug jedoch als Inschrift auf dem Rahmen die erste Zeile von Alfred, Lord Tennysons Gedicht ›A Dirge‹ (›Ein Klagelied‹) von 1830: »Nun ist dein langes Tagewerk vollbracht«. Im Ausstellungskatalog war überdies ein langes Zitat aus Thomas Carlyles ›Sartor Resartus‹ von 1834 abgedruckt: »Hart behandelter Bruder! Für uns hat sich dein Rücken so gekrümmt, für uns wurden deine geraden Glieder und Finger so verbogen ...«. Wallis' Sujet aber wurde auch unmittelbar von einem vertrauten Anblick angeregt, der sich in ländlichen Gebieten häufig dem Betrachter bot: Dort mußten kraft der harten Armengesetzgebung die Armen Steine für den Straßenbau klopfen als Entgelt für Essen und Unterkunft, die man ihnen gab.

Der Steinklopfer ist ein deprimierendes und pessimistisches Werk. Wallis steigert die niederdrückende Stimmung, indem er die stille Figur in eine Landschaft versetzt, die sich mit dem Einbruch der Nacht verdüstert. Das Bild reflektiert die wachsende Beschäftigung der

Gesellschaft mit sozialen Fragen: Die Diskussion über die ›Zustände in England‹ tauchte auch häufig in zeitgenössischen Romanen auf, vor allem bei Charles Dickens. Ein Kunstkritiker erkannte in dem Gemälde die Tendenz der zeitgenössischen Kunst, den eigennützigen Anteil der reichen Leute am Leben des ›heutigen Zeitalters‹ aufs Korn zu nehmen.

Wallis hatte in den späten vierziger oder frühen fünfziger Jahren in Paris studiert; die Direktheit des *Steinklopfers* trägt denn auch eher den Stempel der französischen als der englischen realistischen Kunst. Offensichtlich diente ihm Gustave Courbets Gemälde *Die Steinklopfer* (zerstört), das im Pariser Salon von 1850/51 und nochmals 1855 in Paris ausgestellt wurde, als Vorbild. Ein kleineres realistisches Werk von Octave Tassaert, *Eine Ecke seines Ateliers* (Paris, Louvre), kurz zuvor geschaffen und im Salon von 1849 gezeigt, stellt einen einsamen verarmten Künstler in einer Pose dar, die derjenigen der Steinklopferfigur von Wallis ähnelt.   R. H.

47   William Shakespeare Burton, Ein verwundeter Kavalier, 1855-56

48 Frederic James Shields, Eine Hüterin unseres Brotes, 1866

49   Henry Wallis, Der Steinklopfer, 1857-58

WILLIAM DYCE (1806-1864)

50   The Man of Sorrows, 1860
Der Schmerzensmann

Öl auf Pappe, 34,9 x 48,4 cm
Erste Ausstellung: RA 1860 (122)
National Galleries of Scotland,
Edinburgh
Lit.: Pointon 1979, S. 161, 194;
London 1984 b (109)

Auf dem Rahmen des Bildes und im Ausstellungskatalog der Royal Academy erscheinen die Zeilen der Inschrift, die Dyces Freund Keble diesem Gemälde widmete. Keble war ein berühmter Kleriker und gehörte zu den führenden Persönlichkeiten der High-Church-Bewegung, mit der Dyce ebenfalls in enger Verbindung stand. Seine Worte beziehen sich auf Christi vierzigtägiges Fasten und seine Versuchung durch den Teufel. Dyce mag die Episode im Matthäus-Evangelium IV, 3-4, im Sinn gehabt haben: »Und der Versucher trat zu ihm und sprach: ›Bist du Gottes Sohn, so sprich, daß diese Steine Brot werden.‹ Und er antwortete und sprach: ›Der Mensch lebet nicht vom Brot allein, sondern von einem jeglichen Wort, das durch den Mund Gottes gehet.‹«

Nicht als traditionellen Schmerzensmann, der auf seine Wunden weist, stellt Dyce Christus dar, sondern als meditierenden Eremiten in der Wüste, die als trostlos-öde schottische Karstlandschaft erscheint. Die Felsen und Steine, die er mit der von Ruskin befürworteten Akribie schildert, sind eine Erinnerung an die gegen die Bibel und insbesondere den Schöpfungsmythos gerichtete Herausforderung, die die viktorianischen Entdeckungen des geologischen Ursprungs des Universums mit sich gebracht hatten. Dyce wählte bewußt eine steinige und wilde schottische Landschaft anstelle der biblischen Gefilde. Er glaubte an einen zeitgenössischen Christus und präsentierte ihn als reale Person, mit der sich der Betrachter zu identifizieren vermag, in einer realen Umgebung. Derselbe gesteigerte Sinn für die Realität findet sich in verschiedenen Genre- und religiösen Bildern des Künstlers aus den späten fünfziger Jahren.

J. B. T.

50   William Dyce, Der Schmerzensmann, 1860

WILLIAM HOLMAN HUNT
(1827-1910)

51 Fairlight Downs –
Sunlight on the Sea, 1852-58
Fairlight Downs –
Sonne auf dem Meer

Öl auf Holz, 22,7 x 31 cm
Bez. u.l.: Whh/Fairlight
(Initialen als Monogramm)
Erste Ausstellung:
Gambart, French Gallery,
Winterausstellung 1858 (71)

Privatsammlung

Lit.: London 1984b (52)

Diese in Fairlight bei Hastings an der Küste von Sussex gemalte Landschaft schildert die Natur ganz im präraffaelitischen Sinn der ›Naturwahrheit‹: Hunt hat den schroffen Kontrast zwischen dem in der Sonne glitzernden Meer und den im Schatten liegenden Küstenland in detailgetreuer Wiedergabe festgehalten. Dieser verblüffende Lichteffekt wurde von den Kunstkritikern bei der ersten Ausstellung des Gemäldes im Jahr 1858 als unnatürlich bemängelt, zeigt jedoch in Wahrheit eine tatsächlich vorhandene und für die Küste von Sussex typische Erscheinung. Dennoch bietet das Werk nicht nur ein getreues Abbild der Wirklichkeit. Links bringt der Maler einen in die Luft geschleuderten Stock ins Bild, den eine nicht sichtbare Person für den ihr nachjagenden Hund geworfen hat. Dieser unorthodoxe Einfall hat die Szene verwandelt: aus einer pastoral-zeitlosen Stimmungslandschaft ist die Beschreibung eines flüchtigen Augenblicks geworden, die menschliche Gegenwart impliziert und menschliche Gefühle wie Humor und Fröhlichkeit anklingen läßt.

Hunt ging 1852 nach Fairlight, um *Our English Coasts* (später unbenannt zu *Strayed Sheep*, RA 1853, Tate Gallery) zu malen. Das hier gezeigte Bild begann er im Herbst 1852, um seine Zahnarztrechnung damit zu begleichen. Es blieb aber unvollendet, bis Hunt 1858 wieder im Herbst nach Fairlight kam, um es fertigzustellen. Die Eltern von Hunts Schüler Robert Braithwaite Martineau wohnten in der Nähe in ihrem Haus Fairlight Lodge, sie hatte einen Hund, Caesar. Hunt berichtet in seiner Autobiographie, daß es ihnen großen Spaß machte, ihn Stöcke apportieren zu lassen.   J.B.T.

51   William Holman Hunt, Fairlight Downs – Sonne auf dem Meer, 1852-58

WILLIAM HOLMAN HUNT
(1827-1910)

52 Asparagus Island, 1860

Aquarell und Bleistift, 20 x 26 cm
Erste Ausstellung: Fine Art Society,
London 1886 (30)
Privatsammlung
Lit.: London 1984 b (232)

Diesen Blick auf eine schroffe Insel vor der Küste von Cornwall bei Kynance Cove malte Hunt im September 1860, als er zusammen mit dem Maler Val Prinsep, dem Bildhauer Thomas Woolner und den Dichtern Alfred Tennyson und Francis Turner Palgrave eine Wanderung durch Devon und Cornwall machte. Hunt betrachtete diesen Ausflug als Urlaub und malte die in seinem Verlauf entstehenden Aquarelle mehr zu seinem eigenen Vergnügen als zum Verkauf. Wie *Fairlight Downs* (Kat. 51) bringt Asparagus Island

Hunts Interesse an den Reflexen des Sonnenlichts auf dem Wasser und an schimmernden Farbwirkungen in der freien Natur zum Ausdruck. Wie seine Briefe belegen, malte er dieses Bild von der Spitze einer Klippe aus. Das Blatt wurde von einem plötzlichen Windstoß erfaßt und wäre beinahe ins Meer geweht worden, wenn es sich nicht an einem Grasbüschel verfangen hätte. So blieb es an der Felskante hängen, und Hunt konnte es mit Hilfe seines Regenschirmes wieder zurückerobern.

J. B. T.

WILLIAM HENRY HUNT
(1790-1864)

53 John Ruskin's Dead Chick, 1861
John Ruskins totes Küken

Aquarell und Gouache auf Papier,
10,8 x 15,4 cm
Bez. u. l.: BF (Initialen als Monogramm)
Erste Ausstellung: OWCS 1861 (258)
Trustees of the National Museums
and Galleries on Merseyside,
(Walker Art Gallery, Liverpool)
Lit.: Witt 1982, S. 54 (653)

Ruskin legte Kunststudenten das Vorbild Hunts mit der folgenden Begründung ans Herz: »Es gibt nur einen oder zwei unter den Präraffaeliten, und dazu William Hunt von der Old Water-Colour Society, die Ihnen sichere Führer sein können. Verläßlicher ist keiner als Hunt, denn die Präraffaeliten sind alle mehr oder weniger ihrer Begeisterung und verschiedenen morbiden Veranlagungen ihres Intellekts und Temperaments unterworfen, nur der alte Hunt ... ist in seinen Grenzen ebenso vernünftig wie die alten Venezianer und, was noch mehr ist, beinahe so unnachahmlich wie sie.« (Ruskin, 1903-12, Band 16, S. 315)

1859 überredete Ruskin Hunt dazu, eine Folge von Stilleben-Motiven als Arbeitsvorlagen für Studenten an Kunstschulen zu schaffen. Die erste dieser Arbeiten zeigt ein

Schneckenhaus und einen Stechpalmenzweig und wurde der Manchester School of Art überreicht. Weiterhin gehörten zu dieser Serie u. a. *Mushrooms: Study of Rose-Grey* und *Pilchards: Study of Gold.* Als *John Ruskins totes Küken* 1879-80 in der Fine Art Society mit anderen Blättern der Serie ausgestellt wurde, entschuldigte sich Ruskin: »Diese Arbeit schuf der alte Mann auf meine Bitten hin aus Güte und Fürsorge, als Arbeitsvorlagen für Kunstschulen auf dem Lande. Doch alle Güte und Fürsorge konnten ihn letztlich nicht dazu bringen, sich in seiner Arbeit einem anderen Geist unterzuordnen, und so ließ ich das Projekt schließlich fallen.« (Ruskin, 1903-12, Band 14, S. 441) Wie viele seiner Kollegen war Hunt von Ruskins Neigung abgestoßen, Künstler rücksichtslos für seine eigenen Zwecke einzusetzen.

C. S. N.

MYLES BIRKET FOSTER
(1825-1899)

54 The Green Lane
(Lane near Dorking), um 1884
Der Grüne Weg
(Weg bei Dorking)

Aquarell, 44,7 x 34,5 cm
Erste Ausstellung: OWCS 1884 (9)
The Trustees of
the Royal Watercolour Society,
The Diploma Collection, London

Obwohl Birket Foster um einiges älter war als die meisten Landschafter, die sich die präraffaelitischen Anschauungen zu eigen machten, hatte er als ausstellender Künstler erst in den ausgehenden fünfziger Jahren Erfolg, als er seine Tätigkeit von der Stech- und Gravierkunst und der Illustration auf die Aquarellmalerei verlegte. Die leuchtenden Farben und feinen Detailgestaltungen der Arbeiten, die er von den sechziger Jahren an in der Old Water-Colour Society zeigte, wurden als präraffaelitische Merkmale anerkannt.

Wie viele andere Landschafts-Aquarellisten benutzte Foster eine Technik, die auf Deckfarben beruhte – Farbe, die durch Beimengung eines weißen Füllstoffes (er benutzte Chinesischweiß), mit Wasser gemischt, opak gemacht wurde. Seine Kompositionen füllte er dicht mit Details in satten Farben und Farbklängen. Im Gegensatz zu den transparenten Lavierungen, wie sie die englischen

Aquarellisten im 18. und frühen 19. Jahrhundert eingeführt hatten, folgte Foster Künstlern wie W. H. Hunt und J. F. Lewis und baute die Texturen seiner Motive aus winzigen, fein aufgetragenen Punkten und Stichen auf.

Trotz seiner modernen Technik war Foster im Kern ein altmodischer Künstler – etwa im Vergleich mit seinen Beinahe-Zeitgenossen G. P. Boyce (Kat. 57). Seine frühen Landschaften, in denen er eine besondere Vorliebe für von Bäumen eingefaßte Sujets und schwindelerregende Perspektiven offenbart, verdanken vieles den Formeln der romantischen Landschaftsmalerei und sind holländischen Malern wie Ruisdael und Hobbema verpflichtet. Während seines späteren malerischen Schaffens führte er so vertraute Elemente wie ländliche Gebäude und spielende Kinder – wie hier – in seine Bilder ein, was ihm zu Lebzeiten den Ruf eines volkstümlichen Malers eintrug.

C. S. N.

52   William Holman Hunt, Asparagus Island, 1860

53   William Henry Hunt, John Ruskins totes Küken, 1861

54   Myles Birket Foster, Der Grüne Weg (Weg bei Dorking), um 1884

JOHN RUSKIN (1819-1900)

55 Study of Rocks and Ferns,
Crossmount, Perthshire, 1847
*Fels- und Farnstudie,
Crossmount, Perthshire*

Feder, Tusche und Aquarell,
32,3 x 46,5 cm
Abbot Hall Art Gallery, Kendal,
Cumbria

Ruskins früher Zeichenstil war das Produkt des Unterrichts, den er als junger Mann bei Copley Fielding und J. D. Harding genossen hatte; beide waren angesehene Aquarellisten konventioneller, gar altmodischer Richtung. Später begeisterte ihn das Schaffen von David Roberts und J. M. W. Turner, deren Arbeiten er kopierte und imitierte. In den vierziger Jahren fand er zu einer Synthese dieser unterschiedlichen Einflüsse und verschmolz sie zu einer eigenständigen persönlichen Handschrift. Während des Sommers und Herbstes 1847 in Schottland offenbarten sich Ruskin die grundlegenden Strukturen der physischen Welt. Die in den Landmassen erkennbaren Rhythmen, Muster und Formen, die sowohl die geologischen Ursprünge wie auch die Herausbildung der Landschaft durch Erosion und Verfall enthüllen, faszinierten ihn. In die-

ser Studie hat Ruskin von einem betrachternahen Blickpunkt ein Sujet festgehalten, das scheinbar keinen malerischen Reiz hat. Das einfache Stück Waldboden könnte ein Wissenschaftler, der eine Gesteins- und Bodenprobe untersucht, kaum genauer betrachten. Damit hielt sich Ruskin selbst eng an die Grundsätze der »naturgetreuen Wiedergabe«, die er in seinem Buch ›Modern Painters‹ so eindrucksvoll erläutert hatte. Er empfahl dort den Künstlern, »in aller Herzenseinfalt hinaus in die Natur zu gehen und fleißig und vertrauensvoll in ihr zu wandeln, nur von dem einen Gedanken beseelt, sie in ihrem Sinn zu durchdringen; nichts abzulehnen, nichts auszuwählen, in der tiefen Überzeugung, daß alle Dinge gut und richtig sind, und von der Freude an der Wahrheit durchdrungen.« (Ruskin, 1903-12, Bd. 3, S. 624)   C. S. N.

JOHN WILLIAM INCHBOLD
(1830-1888)

56 The Chapel, Bolton, 1853
Die Kapelle von Bolton

Öl auf Leinwand, 50 x 68,4 cm
Bez. u. l.: J. W. Inchbold 53
Erste Ausstellung: RA 1853 (?)
Northampton Museums and Art Gallery
Lit.: Staley 1973, S. 112-113

Im Zusammenhang mit diesem Bild zitierte der Ausstellungskatalog der Royal Academy von 1853 einen Vers aus ›The White Doe of Rylstone‹ von Wordsworth: »Sänftigend und glättend wirkt über das Land / Heilende Natur mit lösender Hand.« Das Gemälde nimmt Bezug auf den Vers, indem es seine Szenerie vorführt, nicht die Handlung des Gedichtes illustriert, die in Bolton Abbey im Gebiet West Riding von Yorkshire spielt, in der Nähe von Inchbolds Heimat. Inchbold wurde wohl durch Ruskins Buch ›Modern Painters‹ auf Wordsworth aufmerksam, den Ruskin »den modernen Dichter mit dem schärfsten Blick für alles Tiefe und Wesentliche in der Natur« genannt hat (Ruskin, 1903-12, Bd. 3, S. 307) und der für ihn das Streben der Präraffeliten nach ›Naturtreue‹ vorwegnahm.

Das Gemälde zeigt die von Flechten überwucherten Säulenbasen des verfallenen Kirchenschiffs von Bolton. Die Komposition ist ganz auf den Mittelgrund konzentriert; darüber hinaus macht sie keinerlei topographische Angaben. Diese gründlich beobachtete Darstellung der Formen und Farben der Vegetation und der Oberfläche der Steine ist Inchbolds erster Schritt zur rein präraffelitischen Maltechnik (mit Ausnahme seines 1852 in der Akademie ausgestellten und heute verschollenen Werks *A Study*, das nach W. M. Rossetti ebenfalls ein Exempel präraffelitischer Landschaftsmalerei bildet). Ein zweites Gemälde desselben Themas, *At Bolton* (Leeds City Art Gallery), stellte Inchbold 1855 aus: Dort erscheint die Hirschkuh (aus dem Gedicht) in einem gotischen Bogengang.
     C. S. N.

GEORGE PRICE BOYCE
(1826-1897)

57 At Binsey, near Oxford, 1862
In Binsey bei Oxford

Aquarell, 37 x 54 cm
Bez. u. r.: G. P. Boyce Janr 1862
Erste Ausstellung: OWCS 1864 (106)
The Trustees of the Cecil Higgins
Art Gallery, Bedford
Lit.: London 1987a

Im Spätsommer 1862 besuchte Boyce das Dorf Binsey an der Themse bei Oxford. Das dort entstandene Aquarell zeigt die Dächer einer Scheune, eines Bauernhauses und eines Taubenschlages hinter zwei Zaunreihen (zwischen denen wohl ein Weg verläuft), gesehen durch eine Reihe von Kopfweiden im Vordergrund, deren Zweige und Blätter den oberen Teil des Bildfeldes füllen. Links im Bild picken einige Perlhühner im Gras, rechts sitzt ein Mädchen mit einem Kind unter einem Apfelbaum. Boyce' Blickwinkel ist charakteristisch für seine Aquarelle: Er bewirkt, daß die Hauptelemente der Komposition einander überlappen, so daß jede Aussicht auf die umgebende Landschaft ausgeschlossen wird. Die Farben sind hier in dichtem Muster über die gesamte Fläche gelegt, die präzise ausgear-

beiteten Details und die intensive Kolorierung reichen bis in die Ecken hinein. Das Bild vermittelt den Eindruck, die Ansicht sei Teil eines weit umfassenderen Panoramas, auf das verwiesen wird, das aber nicht enthüllt wird. Der Maler sucht an dieser Szenerie nichts zu arrangieren, zu komponieren; er hält sie so fest, wie er sie vorfindet, mit ruhiger Distanz und ohne Rücksicht auf ihre pittoresken Eigenschaften. Als das Bild 1864 in der Old Water-Colour Society ausgestellt wurde, befand das ›Art Journal‹, Boyce habe »ein einzigartiges Auge für die schlichte Natur, die er in der tiefen Ehrfurcht seines Herzens nicht zu verändern, ja, nicht einmal zu komponieren sucht. Die Kunst dieses erst kürzlich zum Mitglied der OWCS gewählten Malers ist ungekünstelt.« (AJ, 1864, S. 171)   C. S. N.

55   John Ruskin, Fels- und Farnstudie, Crossmount, Perthshire, 1847

56   John William Inchbold, Die Kapelle von Bolton, 1853

57 George Price Boyce, In Binsey bei Oxford, 1862

ALFRED WILLIAM HUNT
(1830-1896)

58 Burg Eltz, um 1859

Aquarell, 46 x 60 cm
Erste Ausstellung: OWCS 1863 (151)
Privatsammlung

Höchstwahrscheinlich malte Hunt Burg Eltz an Eltzbach und Mosel im Sommer 1859, als er und seine zukünftige Frau Margaret – beide in Sorge wegen ihrer beginnenden Kurzsichtigkeit – nach Deutschland reisten, um den Augenarzt Hofrat de Leeuwe zu konsultieren, der in Grafrath bei Düsseldorf praktizierte. Gleichzeitig nützten sie die Gelegenheit, um die landschaftlich reizvollen Täler von Rhein und Mosel zu erkunden. Hunt mag es zu Burg Eltz gezogen haben, weil er die Ansichten gesehen hatte, die Turner dort 1844 schuf. Sie zeigen das Schloß von unten, nicht wie hier, von oben. Als dieses Aquarell 1863 in der Old Water-Colour Society ausgestellt wurde, apostrophierte ›Art Journal‹ Hunt als einen Angehörigen »der neuen Landschaftsschule, einer Schule des gewissenhaft ausgearbeiteten Details, das im Freien nach der Natur ausgeführt wird«. *Burg Eltz* wurde gelobt als »äußerst minutiöse Transkription einer Szenerie, die so schwierig ist, daß nur virtuoses Können sie vor der Konfusion retten konnte« (AJ, 1863, S. 119).

Ungeachtet der in Punktiermanier ausgeführten Details und der Lokalfarben dieses Blattes, wurde Hunt im Laufe der Zeit als der Bewahrer des von Turner begründeten Landschaftsstils betrachtet, der nach Edmund Gosse »auf der Annahme beruhte, daß wir die Natur nicht malen können, wie sie ist, nicht einmal, wie wir sie sehen, sondern daß wir sie arrangieren, komponieren und übersetzen müssen. Turners Ziel war es, nicht die Wahrheit der Tatsachen festzuhalten, sondern die Wahrheit des Effekts«. Hunt galt ihm als einziger lebende Vertreter der Tradition Turners. (Gosse 1884, S. 4-5, 13)   C.S.N.

DANIEL ALEXANDER
WILLIAMSON (1823-1903)

59 The Startled Rabbit, Warton Crag, um 1861-64

Das aufgeschreckte Kaninchen, Warton Crag

Öl auf Holz, 26,4 x 38,9 cm
Bez. u. r.: DAW (Initialen als Monogramm)
Williamson Art Gallery and Museum, Birkenhead, Wirral
Lit.: Staley 1973, S. 148-49

In diesem Bild zeigt Williamson zwei Kinder, ein Mädchen sowie einen Jungen mit einem Reisigbündel auf dem Rücken, gerade in dem Sekundenbruchteil, als ein aufgeschrecktes Kaninchen vor ihnen aufspringt. Noch stehen die Kinder wie erstarrt, ohne zu reagieren. Das Kaninchen ist mitten im Sprung festgehalten, alle vier Pfoten in der Luft, für immer in der Bewegung des Abstoßens vom Boden eingefangen. Über der Szene liegt demgemäß ein eigentümlicher Hauch, als sei die Zeit stehengeblieben, was vielleicht auch darauf zurückzuführen ist, daß der Künstler sich bei der Landschaftsdarstellung auf Photographien statt auf die unmittelbare Beobachtung stützte.

In gewisser Hinsicht stand Williamson außerhalb der Hauptströmung der zeitgenössischen Landschaftsmalerei: Dieses Bild ist der präraffaelitischen Phase der anfänglichen fünfziger Jahre verwandt, wenn nicht sogar vor ihr inspiriert. So hatte zum Beispiel Holman Hunt in *Fairlight Downs* (Kat. 51) einen Hund gezeigt, der einem in die Luft geworfenen und soeben landenden Stock nachjagt, ohne Hinweis darauf, wer diesen Stock geworfen hat und wo er niederfallen wird. In den sechziger Jahren suchten die meisten Landschaftsmaler nach Wegen, ihren Werken einen universellen und zeitlosen Charakter zu verleihen, und vermieden präzise detaillierte und spezialisierte Darstellungen zugunsten einer ausgeprägten Atmosphäre und der Suggestion des unablässigen Fließens der Natur. Williamson wandte sich nur ein oder zwei Jahre nach Vollendung von *The Startled Rabbit*, einer subjektiveren Auffassung der Landschaft zu, um schließlich in eine nahezu völlig zeit- und gegenstandslose Darstellungsweise einzumünden.   C.S.N.

CHARLES NAPIER HEMY
(1841-1917)

60 Among the Shingles at Clovelly, 1864

Am Kiesstrand von Clovelly

Öl auf Leinwand, 43,5 x 72,1 cm
Bez. u. r.: CNH 1864
(Initialen als Monogramm)
Erste Ausstellung: RA 1864 (426)
Laing Art Gallery,
Newcastle upon Tyne
(Tyne and Wear Museums)
Lit.: Newcastle 1984 (10);
Newcastle 1989 (41)

Diese überraschend frische und klare Ansicht eines kiesbedeckten Strandes stellt im Œuvre Hemys ein vereinzeltes Beispiel des präraffaelitischen Stils dar. 1864 geschaffen, war es das erste Gemälde, das Hemy in der Akademie ausstellte. Die Intensität und Genauigkeit der Beobachtung, das strahlende, harte Schatten werfende Sonnenlicht, die Sorgfalt, mit der jeder Stein gemalt ist, das selbstvergessene Tun des Jungen – alles verrät die Lehren Ruskins und das Vorbild der Landschaften von Brett, Hunt und Dyce. Das Bild macht den übermächtigen Einfluß deutlich, den Ruskins Landschaftsauffassung auf die jungen Maler ausübte. In den späten fünfziger und frühen sechziger Jahren standen viele junge Künstler, die später durch Bilder ganz anderen Charakters bekannt wurden – etwa Frederic Leighton, Albert Moore und sein Bruder Henry Moore – im Banne des Präraffaelitismus und malten minutiös beobachtete Studien nach der Natur, bevor sie zu der großzügigeren Darstellungsweise ihrer reifen Stilphase fanden.

Hemy besuchte die Weltausstellung von 1862 in London, wo er wohl präraffaelitische Landschaften studieren konnte. Auch mag er Zugang zu der Privatsammlung von James Leathart gehabt haben, dem Eigentümer eines Bleiwerkes in Newcastle, der präraffaelitische Bilder unter Anleitung von Bell Scott, Hemys Lehrer, zu kaufen pflegte.   J.B.T.

58   Alfred William Hunt, Burg Eltz, um 1859

59   Daniel Alexander Williamson, Das aufgeschreckte Kaninchen, Warton Crag, um 1861-64

60   Charles Napier Hemy, Am Kiesstrand von Clovelly, 1864

Dante Gabriel Rossetti
(1828-1882)

61 Paolo and Francesca da Rimini,
1855

Aquarell, 25,4 x 44,9 cm
Bez. u. l.: quanti dolci pensier
quanto disio
Bez. u. r.: meno costoro al doloro
passo
Bez. o. M.: o lasso!
Erste Ausstellung: BFAC 1883 (13)
Tate Gallery, London.
Lit.: Surtees 1981, Bd. 1, S. 190;
London 1984b, S. 278

1855 schüttelte Rossetti die Trägheit und Lustlosigkeit ab, die ihn im Jahr zuvor niedergedrückt hatten. Er fühlte sich ermutigt durch das Interesse, das John Ruskin seinen Zeichnungen und Aquarellen entgegenbrachte, und fand zum ersten Mal einen aufnahmebereiten Markt für seine Werke. Im Herbst 1855 arbeitete er an fünf Aquarellen mit biblischen und literarischen Themen, die hauptsächlich auf Ruskins Auftrag zurückgingen. *Paolo und Francesca* hingegen entstanden aus eigenem Impuls, weil er das Thema für gut verkäuflich hielt und schnell Geld brauchte, um es Lizzy zu schicken, die mit einer Begleiterin in Paris festsaß. F. M. Brown beschrieb die heikle Situation: »Gabriel, der sah, daß er keine der Zeichnungen auf der Staffelei in kurzer Zeit vollenden konnte, begann eine neue in drei Teilen, *Francesca da Rimini*. Er arbeitete Tag und Nacht, war in einer Woche fertig, erhielt

von Ruskin 35 Guineas und machte sich auf, sie loszuwerden ... So kann er, wenn es not tut, arbeiten.« (Rossetti 1899, S. 46-47)

Die Geschichte von Paolo und Francesca ist dem fünften Gesang von Dantes ›Inferno‹ entnommen. Der linke Teil der Komposition stellt Francesca und ihren Schwager Paolo in einer Umarmung dar; im Mittelfeld erscheinen Dante und Vergil, während der rechte Teil die Liebenden zeigt, wie sie zur Strafe für ihren Mord an Sigismondo Malatesta, Francescas Ehemann und Paolos Bruder, durch die Feuer der Hölle treiben. Zitate aus Dantes Text sind an den Bildrändern angebracht. Die Komposition ist wie eine Bildergeschichte angelegt, was dem Maler erlaubt, sein Thema mit strenger Schlichtheit anzulegen. Jeder Teil ist in sich abgeschlossen, aber alle stehen miteinander in symbolischer Verbindung.

C. S. N.

Sir Edward Burne-Jones
(1833-1898)

62 The Wise and Foolish Virgins,
1859 oder 1860
*Die klugen und die törichten
Jungfrauen*

Tuschfederzeichnung, grau laviert,
50 x 61 cm
Erste Ausstellung: NG 1892-93
Exhibition of the Works
of Edward Burne-Jones (155)
Privatsammlung, London
Lit.: London 1984b, S. 288-89

In seinem Frühwerk schuf Burne-Jones eine Anzahl sorgfältig ausgearbeiteter Zeichnungen, die nicht als Studien, sondern als bildmäßige Arbeiten gedacht waren. Dieses Blatt ist das größte und schönste davon. Es greift das Gleichnis Christi aus dem 25. Kapitel des Matthäus-Evangeliums auf: Die klugen Jungfrauen, die vorsorglich Öl für ihre Lampen vorbereitet haben, werden zur Hochzeit geladen und treten vor das Angesicht des Herrn, indes die törichten und unvorbereiteten Jungfrauen von dem Fest als Gleichnis des Himmelreichs ausgeschlossen sind. Als Burne-Jones dieses Werk schuf, beschäftigte sich Rossetti mit einer vergleichbaren Tuschfederzeichnung, die ebenfalls ein biblisches Motiv zum Thema hatte. *Mary Magdalene at the Door of Simon the Pharisee* (Fitzwilliam Museum, Cambridge). Die Künstlerfreundschaft zwischen Rossetti und Burne-Jones wird in den stilistischen und kompositionellen Ähn-

lichkeiten beider Werke ebenso deutlich wie durch die Tatsache, das Burne-Jones als Modell für die Gestalt Christi in Rossettis Werk posierte.

Doch Burne-Jones' Zeichnung spiegelt bereits seine Hinwendung zu einer dichteren und abstrakteren Formenwelt und einer Bildsprache, die mehr das symbolische als das psychologische Element betont. Der zweite große Einfluß, dem er in jener Zeit unterlag, war der Ruskins, der in seinem ›The Elements of Drawing‹ (1857) und als Lehrer am Working Men's College seine Studenten zum Kopieren von Dürerstichen und zum Komponieren in Punktier- und Strichmanier anregte. Genau in dieser Technik entstand die abgebildete Zeichnung. Das Werk bildet in Burne-Jones' Schaffen einen Wendepunkt zwischen den mittelalterlich inspirierten Tendenzen seines Frühwerks und seinen späteren klassischen Zielsetzungen.

C. S. N.

Dante Gabriel Rossetti

63 Sir Launcelot in the Queen's
Chamber, 1857
*Sir Lancelot im Schlafzimmer
der Königin*

Feder und schwarze und braune Tusche
auf Papier, 28 x 37 cm
Bez. u. r.: DGR Oxford/1857
(Initialen als Monogramm)
Erste Ausstellung: BFAC 1883 (14)
Birmingham Museums and Art Gallery
Lit.: Surtees 1981, Bd. 1, S. 54;
London 1973, S. 45

1857 löste sich die Bruderschaft der Präraffaeliten vollständig auf, ihre Mitglieder schlugen getrennte Wege ein, und die sie vorher einende Begeisterung über ihre gemeinsamen Ziele verwandelte sich schnell in Bitterkeit. Doch 1856 hatte E. Burne-Jones Kontakt mit Rossetti aufgenommen, und in den folgenden Jahren bildete sich eine neue Bruderschaft heraus. Als Rossetti 1857 den Auftrag übernahm, die Debating Hall im Union Building der Universität Oxford mit Wandgemälden auszuschmücken, erklärten sich seine neuen Anhänger dazu bereit, ihm zu helfen. Burne-Jones und William Morris beteiligten sich ebenso an dem Projekt wie Arthur Hughes, Valentine Prinsep, John Hungerford Pollen und Spencer Stanhope. Die Themen wurden Malorys ›Le Morte d'Arthur‹ entnommen

und die zehn Wandflächen unter den Künstlern aufgeteilt. Rossetti übernahm zwei Joche, aber arbeitete immer nur an einer der Kompositionen, *Sir Launcelot's Vision of the Sanc Grael*, und selbst diese blieb unvollendet. Sein zweites geplantes Thema, *The Attainment of the Sanc Grael*, kam nie über die Anfangsskizzen hinaus. Unsere Zeichnung zeigt einen dritten Entwurf, aber auch dieser wurde nie realisiert. Rossetti gab als Thema in einer Inschrift aus Goldbuchstaben auf der oberen und unteren Rahmenkante an: »Wie Lancelot im Schlafzimmer der Königin entdeckt wurde und wie Sir Agravaine und Sir Mordred mit zwölf Rittern eindrangen, ihn zu töten«. Königin Guinevere erleidet vor Angst über Sir Lancelots bevorstehenden Tod einen Schwächeanfall.

C. S. N.

61 Dante Gabriel Rossetti, Paolo und Francesca da Rimini, 1855

62   Sir Edward Burne-Jones, Die klugen und die törichten Jungfrauen, 1859 oder 1860

63   Dante Gabriel Rossetti, Sir Lancelot im Schlafzimmer der Königin, 1857

ARTHUR HUGHES (1832-1915)

64 The Rift in the Lute, 1862
Der Sprung in der Laute

Öl auf Leinwand, nach oben gewölbt,
55,2 × 92,7 cm
Erste Ausstellung: RA 1862 (129)
Tullie House, City Museum
and Art Gallery, Carlisle
Lit.: Cardiff 1971 (6);
Newcastle 1989 (50)

Der Titel bezieht sich auf Viviens Lied in ›Vivien und Merlin‹ aus Alfred Tennysons ›Idylls of the King‹ (1859):

Wenn Liebe Liebe ist, wenn Liebe uns verbindet,
Sind Trau'n und Mißtrau'n ungleich von Gewicht.
Mißtrauen nur im Kleinen heißt nun nirgends
        trauen,
Das ist der Sprung, der in der Laute wirkt,
Der nach und nach den Klang läßt leiser tönen
und, stetig sich erweiternd, macht verstummen.
Der kleine Sprung in meines Liebsten Laute
Der winz'ge Fleck in der gefund'nen Frucht
Der sie von innen faulend endlich ganz zerhöhlt.
Sie ist nicht wert, bewahrt zu werden,
        wirf sie fort!
Doch wirklich? Liebster sprich, oh sage: nein!
Und trau mir gar nicht oder ganz und gar.

Eine kleinere Version dieses Bildes mit zwei Figuren (Privatsammlung) trägt den Titel *Enid and Geraint* und zeigt noch deutlicher als diese, daß es sich hier nicht um genaue Illustrationen, sondern freie Beschwörungen poetischer Stimmungen handelt. Das Thema der unglücklichen Liebe, die Landschaftsszenerie und der Einsatz der Farbe als Steigerung des emotionalen Ausdrucks tauchten bereits in Hughes' Gegenwartsszenen mit elegant gekleideten Menschen aus den fünfziger Jahren auf, aber die romantische Mittelalter-Phantasie und die melancholischen musizierenden Schönen bekunden den Einfluß Rossettis. Das Gemälde wurde auf der Ausstellung der Royal Academy von dem Bleiwerksbesitzer James Leathart aus Newcastle erworben, der ein bedeutender Förderer der Präraffaeliten war.   J.B.T.

64   Arthur Hughes, Der Sprung in der Laute, 1862

Dante Gabriel Rossetti
(1828-1882)

65 The Blue Bower, 1865
Das blaue Boudoir

Öl auf Leinwand, 82,5 x 69,2 cm
Bez. u. r.: DGR / 1865
(Initialen als Monogramm)
Erste Ausstellung: RA 1883 (303)

The Barber Institute of Fine Arts,
The University of Birmingham

Lit.: Surtees 1981, Bd. 1, S. 102;
London 1984 b, S. 209-210

Im April 1865 schrieb Rossetti an F. M. Brown: »Ich habe ein Ölgemälde ganz in Blau für Gambart begonnen, das *Das blaue Boudoir* heißen soll.« (Rossetti 1965-67, Bd. 2, S. 552) Fanny Cornforth, Rossettis langjährige Geliebte, war das Modell; sie trägt hier einen prachtvollen grünen Mantel mit weißem Pelzbesatz. Der Hintergrund der Komposition besteht aus einem Muster von orientalischen blauen Kacheln, mit Passionsblumen und Winden, die der Maler als Symbole seiner sexuellen Beziehung zu seinem Modell eingeführt hat. Am unteren Bildrand liegt ein Büschel Kornblumen, ein persönliches Emblem von Fanny in Anspielung auf ihren Nachnamen. Ihre Hand ruht auf den Saiten eines Musikinstruments.

Das Format und die Stimmung des Gemäldes – das halbfigurige Porträt einer sinnlich blühenden Frau, die aus dem Bild heraus-blickt, als sei sie sich durchaus der Tatsache bewußt, daß sie ein Objekt der Begierde darstellt – orientieren sich an dem zuvor geschaffenen Bild *Bocca Baciata* (1859, Boston Museum of Fine Arts). Gemäß den Regeln der Ästhetizistischen Bewegung, deren zentrales Prinzip ›Kunst um der Kunst willen‹ in den britischen Künstlerkreisen von Whistler, Leighton und anderen Malern, die in Paris gelebt hatten, ein oder zwei Jahre zuvor verkündet worden waren, vermeidet das Bild jedes erzählerische Beiwerk, sondern verläßt sich auf den malerischen Stimmungsgehalt und die Symbolik, um seine Wirkung zu entfalten. »Hier gibt es nichts, was Thema, Zeit oder Ort anklingen läßt. Wenn wir das aber beiseite lassen, beginnt sich die intellektuelle und rein künstlerische Pracht des Bildes zu entwickeln«, bemerkt F. G. Stephens (The Athenaeum, 1856, S. 545-546).   C. S. N.

65   Dante Gabriel Rossetti, Das blaue Boudoir, 1865

FREDERICK SANDYS (1829-1904)

66 Proud Maisie, 1867
Die stolze Maisie

Kreidezeichnung, 43,8 x 33,8 cm
The Board of Trustees of the
Victoria & Albert Museum, London
Lit.: Brighton 1974 (142)

1867-1868 schuf Sandys eine Folge von sorg-fältig ausgearbeiteten Mädchenköpfen, die in Typus und Format den erotischen Gemälden Rossettis, ebenfalls aus den sechziger Jahren, ähneln (Kat. 65). Einige dieser Zeichnungen – *Red Rose and White* (Allen Memorial Art Museum, Oberlin College, Ohio) oder *Love's Shadow* (verschiedene Fassungen in Privat-sammlungen) – schienen kein literarisches oder historisches Sujet zu haben, andere, dar-unter *Proud Maisie*, fußten dagegen offen-sichtlich auf einer literarischen Quelle. Wahr-scheinlich zeigen alle diese Zeichnungen das Gesicht und – am wichtigsten – das Haar von Sandys Geliebter Mary Jones. In *Red Rose and White* erscheint sie in Frontalansicht mit Blumen in den üppigen Haarmassen. In *Love's Shadow* ist sie wie hier im Profil und mit einer auf ihre Schultern rieselnden Lok-kenflut wiedergegeben; dort nagt sie mit den Zähnen an einem Blumensträußchen, hier beißt sie zornig oder verzweifelt auf eine Haarlocke.

Daß Sandys Sir Walter Scotts Gedicht ›Proud Maisie‹ aus dessen Roman ›The Heart of Midlothian‹ als Thema einer Zeichnung wählte, war vielleicht von persönlich-biogra-phischer Bedeutung für den Maler. Das Ge-dicht erzählt von einem jungen Mädchen, das bei einem Spaziergang im Wald einen Vogel fragt, wann es denn einen Ehemann fände: »Sag an, du muntrer Vogel / wann werde ich getraut?« Die düstere Antwort lautet: »Wenn sechs edle Herren / Zur Kirche dich tragen.« Sandys empfand das Gedicht wohl als trauri-ges Echo von Marys eigenem Schicksal, denn obwohl sie viele Kinder miteinander hatten, konnte er sie nicht heiraten, da er sich nicht scheiden lassen durfte.

C. S. N.

66   Frederick Sandys, Die stolze Maisie, 1867

SIR JOHN EVERETT MILLAIS
(1829-1896)

67 A Souvenir of Velasquez, 1868
Erinnerung an Velázquez

Öl auf Leinwand, 103 x 82 cm
Bez. u. r.: JEM / 1868
(Initialen als Monogramm)
Erste Ausstellung: RA 1868 (632)
Royal Academy of Arts, London

Lit.: Millais 1899, Bd. 2, S. 14-15;
London 1981 b, S. 36

Dieses Gemälde eines kleinen Mädchens im spanischen Kostüm, das eine Orange an einem Zweig in der Hand hält, gehört zu einer Folge sentimentaler Bilder von hübschen kleinen Mädchen, die mit *My First Sermon* (RA 1863, Guildhall Art Gallery) einsetzte und Millais immensen Erfolg eintrug. Die reiche Maltechnik, die sich deutlich von seinem präraffaelitischen Œuvre unterscheidet, veranschaulicht seinen reifen Stil: Von der Mitte bis zu den endenden sechziger Jahren wurde sein Duktus breiter und fließender, der Farbauftrag pastoser, der Pinselstrich lockerer und flimmernder, ein Wandel, der seinem Studium der alten Meister, insbesondere Tizians und Velázquez' zu danken war. Der Velázquez-Kult im späten 19. Jahrhundert war hauptsächlich mit Whistler, Manet und Sargent verknüpft: Whistlers *At the Piano*, 1860 in der Royal Academy ausgestellt, wurde vom Kritiker der ›Times‹ mit Velázquez verglichen. Man weiß, daß Millais das Bild ebenfalls bewunderte; er kannte das Werk des Spaniers auch durch seinen Freund, den schottischen Maler John Phillip, der Spanien in den fünfziger Jahren bereist und Kopien nach Porträts von Velázquez geschaffen hatte. Millais könnte auch bei der Ausstellung spanischer Kunst 1864 in der British Institution Gemälde von Velázquez gesehen haben.   J. B. T.

67   Sir John Everett Millais, Erinnerung an Velázquez, 1868

FREDERIC, LORD LEIGHTON
(1830-1896)

68 Golden Hours, um 1864
Goldene Stunden

Öl auf Leinwand, 86,4 x 132,1 cm
Erste Ausstellung: RA 1864 (293)
The Christie Chattels Trust
Lit.: Manchester 1978, S. 105-106

Die drei Werke, die Leighton 1864 in der Ausstellung der Royal Academy zeigte, veranschaulichten die Hauptstränge seiner bisherigen künstlerischen Entwicklung: *Dante im Exil* (Privatsammlung) und *Orpheus und Eurydike* (Leighton House) waren hauptsächlich Kostümstücke im mittelalterlichen bzw. mythologischen Gewand. *Golden Hours* hingegen war von einer modernen Auffassung geprägt, bei der die formalen Elemente Linie und Farbe sowie der Stimmungsgehalt über das Erzählerische dominierte. So erfüllte das Bild die Anforderungen der Ästhetizistischen Bewegung, derzufolge Kunst ihre Rechtfertigung in sich selbst trägt und keiner narrativen oder dokumentarischen Funktion bedarf.

In seinem kunstvollen Bildaufbau aus symmetrischen und gegensätzlichen Strukturen folgte Leighton bestimmten Kompositionsformeln der Renaissance- und Barockmeister. So

hat er in *Goldene Stunden* die beiden halbfigurigen Gestalten in einem wohlausgewogenen Gleichgewicht in die Bildfläche gesetzt. Die zentrale Achse der Komposition wird durch die Kante des Spinetts, die reichen Draperien und den Raum zwischen den Köpfen markiert. Die Lichtintensität ist über die Bildfläche hinweg fein abgestuft, um das Kleid der Frau hell von dem dunklen Grund abzuheben und das schwarze Haar des Musikers gegen die goldene Nische hervortreten zu lassen.

Die Stimmung des Szene, die Versunkenheit des Paares in die Klänge der Musik, ist subtil erfaßt. Der Zauber der Intimität, den diese Szene atmet, entstammt einer langen europäischen Maltradition. Man denkt an Giorgione, Tizian und Vermeer, die das Musizieren mit Vorliebe als erotische Metapher benutzten.   C.S.N.

SIR EDWARD BURNE-JONES
(1833-1898)

69 Study of a Girl's Face and Hair, for ›The Sirens‹, 1895
Studie eines Mädchenkopfs
für ›Die Sirenen‹

Bleistift auf Papier, 36 x 32 cm
Bez. u. r.: EB-J / 1895 / for the picture of / the SIRENS
Birmingham Museums and Art Gallery

Während seiner späteren Laufbahn begann Burne-Jones mehr Bilder zu malen, als er je vollenden konnte. Das führte dazu, daß sein Atelier mit halbfertigen Arbeiten vollgestopft war, die er je nach Laune und Kundenwunsch hervorholte, bearbeitete, wieder stehen ließ. Unaufhörlich stürmten neue Bildideen auf ihn ein, viele Studien für Kompositionen entstanden, die nur in seinen Gedanken und Träumen existierten. 1892 beschrieb er seinem Auftraggeber Frederick Leyland ein Sujet, das er malen wollte: »Ich mache gerade einen Entwurf für ein Bild, das nicht sehr groß, aber sehr hübsch ausfallen soll. Es ist eine Art Sirenenland – ich weiß nicht, aus welcher Zeit und an welchem Ort – keine griechischen Si-

renen, sondern irgendwelche Sirenen, irgendwo, die Männer ins Verderben locken.« (Burne-Jones 1904, Bd. II, S. 222) Dieser Einfall wurde zwar nie ausgeführt, aber auch nie ganz aufgegeben, wie vorliegende Zeichnung beweist. Doch sind Zeichnungen dieses Typus bei ihm im Grunde genommen abgeschlossene Kunstwerke, wie auch *Die klugen und die törichten Jungfrauen* (Kat. 62) zeigen. Im Alter stand Burne-Jones im Bann eines bestimmten Typs ätherischer weiblicher Schönheit: Er zeichnete mit Vorliebe Mädchen mit großen, seelenvollen und tiefliegenden Augen, traurigem oder melancholischem Gesichtsausdruck und flutender Haarfülle.   C.S.N.

GEORGE FREDERIC WATTS
(1817-1904)

70 Paolo and Francesca, 1872-84

Öl auf Leinwand, 152,5 x 129,5 cm
Erste Ausstellung: GG 1879 (73)
Trustees of the Watts Gallery, Compton, Guildford
Lit.: Manchester 1978, S. 86-87

Zum ersten Mal ließ sich Watts während seiner Jahre in Florenz, 1843-47 von der tragischen Geschichte Paolos und Francescas aus dem fünften Gesang von Dantes ›Inferno‹ anregen. Er malte damals ein Fresko (heute im Victoria & Albert Museum, London), das die ehebrecherische Umarmung von Paolo Malatesta und der Frau seines Bruders, Francesca da Rimini, zum Inhalt hat. Das abgebildete Gemälde stellt das Paar in inniger Umarmung durch die Flammen der Hölle treibend dar: die ewige Strafe, der sie wegen ihrer frevlerischen Liebe verfallen waren. Watts' erste Versuche mit Szenen nach Dante scheinen D. G. Rossetti zu seinen eigenen Versionen über das Thema ermutigt zu haben (Kat. 61).

Wie es seine Gewohnheit war, arbeitete Watts auch an diesem Gemälde über eine Zeitspanne von mehreren Jahren. Nach Aussage seiner Witwe war das Bild um 1875 im wesentlichen vollendet und wurde 1879 ausgestellt. Doch zwischen 1882 und der Präsentation bei einer Watts-Ausstellung im Metropolitan Museum of Art in New York 1884 hat der Künstler es offenbar weitgehend übermalt. Die dichten Krusten seines Farbauftrags und die wirbelnde Dynamik, die er den im Wind wehenden Stoffen verlieh, sowie die düstere und leichenhafte Farbgebung klingen im so überarbeiteten Bild zu einer finsteren Wirkung zusammen.   C.S.N.

68   Frederic, Lord Leighton, Goldene Stunden, um 1864

69   Sir Edward Burne-Jones, Studie eines Mädchenkopfs für ›Die Sirenen‹, 1895

70   George Frederic Watts, Paolo und Francesca, 1872-84

Das Herz begehrt

Die Hand entsagt

71
Sir Edward Burne-Jones,
Die Pygmalion-Folge, 1868-70

Die Gottheit entflammt

Die Seele erreicht ihr Ziel

SIR EDWARD BURNE-JONES
(1833-1898)

71   The Pygmalion Series, 1868-70
Die Pygmalion-Folge

The Heart Desires (*Das Herz begehrt*,
bez. u. l.: EB-J/18/68);
The Hand Refrains (*Die Hand entsagt*,
bez. u. r.: EB-J);
The Godhead Fires (*Die Gottheit entflammt*, bez. u. r.: EB-J/1870);
The Soul Attains (*Die Seele erreicht
ihr Ziel*, bez. u. l.: EB-J/1870)

Jeweils Öl auf Leinwand, 66 x 51 cm
Privatsammlung

In den späten sechziger Jahren strebte Burne-Jones nach klassischer Monumentalität und Stilisierung. Wenn seine Bilder im allgemeinen auch einen traditionell erzählerischen Charakter hatten, benutzte er doch eine weit raffiniertere Bildsprache als die meisten seiner Zeitgenossen. Sie evozierte poetische Stimmungen und setzte symbolische Attribute und Anspielungen ein, die entschlüsselt werden wollten. Burne-Jones fand zu dieser seiner ganz persönlichen Lösung der Aufgabe, durch die Malerei Geschichten zu erzählen, als er für seinen Freund William Morris dessen Gedichtzyklus ›The Earthly Paradise‹ illustrierte. Zwischen 1865 und 1867 schuf er eine Reihe von Zeichnungen zur Pygmalion-Sage nach Morris' Gedicht ›Pygmalion and the Image‹. Daraus kristallisierte er die grundlegende kompositionelle Konzeption für die vorliegende, in vier Bilder aufgegliederte Serie (siehe Rom 1986, S. 163).

Burne-Jones war ein höchst sensibler und emotionaler Mann, dessen Werke Aufschlüsse über seine Denk- und Fühlweise geben können. 1868 begann er eine Liebesbeziehung zu Maria Zambaco, die bis 1871 währte und also fast genau mit der Schaffensperiode zusammenfiel, in der er an der *Pygmalion*-Folge arbeitete (die er übrigens für die Mutter von Maria, Euphrosyne Cassavetti,

schuf). Die Serie kann infolgedessen als biographisches Dokument gelten. Wenngleich die Einzelheiten der Liebesgeschichte mit Maria für uns im Dunkel liegen, deuten Berichte von Freunden und Zeitgenossen an, daß ein tiefer Konflikt sie überschattete: Zum einen widerstrebte dem Künstler die Verbindung mit Maria, teils aus seiner tiefverwurzelten Selbstunsicherheit, teils als Loyalität gegenüber seiner Frau Georgiana, zum anderen aber fühlte er sich von Maria physisch und psychisch unwiderstehlich angezogen. Als er schließlich seiner Leidenschaft nachgab, entdeckte er – wie der Pygmalion der Sage –, daß die Frau, die er als seine eigene Schöpfung angesehen hatte, in Wirklichkeit eine eigenständige und vitale Persönlichkeit war, deren ungestüme Forderungen er nicht erfüllen konnte. So bedeutete das Pygmalion-Thema für ihn weit mehr als einen Ausdruck erotischer Phantasien (in diesem Sinne wurde es zumeist von den viktorianischen Dichtern, Malern und Bildhauern benutzt – es war ihm ein Gleichnis seines eigenen schmerzlichen Erlebens.

Burne-Jones arbeitete nach den hier vorliegenden Bildern größere Fassungen aus, die er 1879 in der Grosvenor Gallery ausstellte und die sich heute im Birmingham Museums and Art Gallery befinden.   C.S.N.

SIR EDWARD BURNE-JONES

72   The Baleful Head, 1887
Das Schreckenshaupt

Öl auf Leinwand, 155 x 130 cm
Erste Ausstellung:
Grosvenor Gallery 1887
Staatsgalerie Stuttgart
Lit.: Bell 1898, S. 64; Löcher 1973;
Metken 1974, S. 117 f.; Rom 1986 (69)

Dies ist die wohl bekannteste Szene und das Schlußbild aus dem Perseus-Zyklus, den Burne-Jones im Auftrag von Arthur James Balfour, dem späteren britischen Premierminister, für dessen Empfangszimmer in Nr. 4 Carlton Gardens seit 1875 auszuführen begann. Zugleich ist die Serie im Zusammenhang zu sehen mit Burne-Jones' Illustrationen zu ›The Doom of King Arcisius‹, einer Verserzählung des ›Earthly Paradise‹ von William Morris.

Unter Zuhilfenahme einer Vielzahl vorbereitender Studien, meist in Bleistift aber auch in Deckfarben und anderen Techniken, schuf der Künstler in längeren Zeitabständen für acht Wandfelder acht Szenen zu dem seit der Romantik auch in England beliebten Sagenstoff. Sie sind vollzählig in großformatigen Tempera-Fassungen erhalten (Art Gallery, Southampton). Beabsichtigt war auch eine durchlaufende Akanthusdekor-Rahmung, die sich aus einem in Deckfarbentechnik gemalten Anordnungsschema ersehen läßt (Tate Gallery, London). Lediglich fünf der acht

Szenen setzte Burne-Jones – und auch nur teilweise – in die endgültige Fassung um, wobei er den trockenen Eindruck einer Fresko- oder Eitempera-Malerei unter Verwendung von gummi arabicum erzielte.

Die schon bei Ovid (›Metamorphosen‹, IV-V) geschilderte Perseus-Sage gilt für Burne-Jones wie die St. Georgs-Legende oder Ariosts Ruggiero als Erlösungsmythe. Mit Hilfe der Götter erfüllt der Held Perseus die ihm gestellte Aufgabe, der Gorgo Medusa das Haupt abzuschlagen, bei dessen unmittelbarem Anblick jedermann versteinert wird. Auf dem Rückweg erlöst er die einem Seeungeheuer geweihte Andromeda, zu der er in Liebe entbrennt und der er das Schreckenshaupt der Medusa als Zeichen seiner göttlichen Abstammung im Wasserspiegel des Brunnens vorweist. Geheimnisvolle Gedankentiefe kommt besonders im Gesichtsausdruck und in der händeumschließenden Geste zum Ausdruck. Mittelalterlichen Darstellungen sind Accessoires wie Apfelbaum und Taufbrunnen entnommen.   C.H.

72 Sir Edward Burne-Jones, Das Schreckenshaupt, 1887

ROBERT BATEMAN (1842-1922)

73 The Dead Knight, um 1870
Der tote Ritter

Aquarell, 28 x 39 cm
Robin de Beaumont
Lit.: Newall 1987, S. 103-106;
London 1989b, S. 84

Der Leichnam eines Ritters in einer Waldlichtung liegt an einem Teich, der von einer Quelle gespeist wird. Bäume verstellen den Ausblick; ihr dichtes Laubwerk schließt das Sonnenlicht nahezu aus. An der Seite des Toten, der in Gras und Schierlingskraut schwebend dahinzutreiben scheint, wacht sein treuer Hund. Nichts deutet auf die Ereignisse hin, die zu dieser Szenerie geführt haben, doch die einzelnen Elemente und die ganze Stimmung der Komposition wirken zusammen, den Betrachter zu beunruhigen und erschüttern.

Das Thema verweist auf die Verbundenheit Batemans mit der zweiten präraffaelitischen Phase, die in den sechziger Jahren von D.G. Rossetti und Burne-Jones initiiert wurde. Beide verschrieben sich mittelalterlichen Stoffen aus der englischen Literatur und Ge-

schichte und schufen Illustrationen zu Werken von Chaucer, Malory, Tennyson u.a. Zuweilen beschworen sie auch nur eine vage mittelalterliche Stimmung.

Der tote Ritter – weder datiert noch identisch mit einem von Batemans Ausstellungswerken – gehört sicherlich zu jenem Typus der Aquarellmalerei, dem der Künstler in den späten sechziger und den siebziger Jahren huldigte und mit dem er zwischen 1865 und 1874 in der Dudley Gallery vertreten war. In seinem Bericht über die Dudley-Ausstellung von 1889 kritisierte das ›Art Journal‹ die Landschaften Batemans und anderer aus seiner Gruppe: »Ebenso wie der Stil der Figurenbilder ist der Stil der Dudley-Landschaften ein wenig absonderlich ... meist zeigt sich in ihnen Verträumtheit statt Bestimmtheit und Süßlichkeit statt Gefühl.« (AJ, 1869, S. 81)

C.S.N.

73   Robert Bateman, Der tote Ritter, um 1870

GEORGE JOHN PINWELL
(1842-1875)

74 Gilbert à Becket's Troth
(The Saracen Maid), 1872
*Gilbert à Beckets Verlöbnis
(Das Sarazenenmädchen)*

Bleistift, Aquarell und Gouache
auf Papier, 57,9 x 109,4 cm
Bez. u. l.: GJ Pinwell 1872
Erste Ausstellung: OWCS 1872 (127)
Trustees of the National Museums
and Galleries on Merseyside
(Lady Lever Art Gallery, Port Sunlight)
Lit.: Newall 1987, S. 88-90

Pinwell schöpfte das Motiv dieses Aquarells
aus der historisch überlieferten Legende von
Gilbert à Becket, einem englischen Kreuzfah-
rer, der im Heiligen Land in muslimische Ge-
fangenschaft geriet. Die Tochter seines sara-
zenischen Überwinders erbarmte sich seiner,
brachte ihm Essen, verlor ihr Herz an ihn und
verhalf ihm zur Flucht. Alleingelassen,
konnte sie die Trennung von dem Geliebten
nicht ertragen und beschloß, ihm nach England zu folgen. Nach einer langen und gefahr-
vollen Reise, weder der englischen Sprache
mächtig, noch ahnend, wo Becket wohne,
fand sie ihn auf wunderbare Weise, indem sie
durch die Straßen von London streifte und
seinen Namen rief.

Pinwell zeigt die unbeirrt dahinschreitende
Gestalt, umgeben von einem Schwarm von
Volkstypen. Einige Figuren wenden sich ihr
mit Neugierde und Sympathie zu, andere machen sich über sie lustig. Die verschiedenen
Reaktionen, die sich auf die einsame Gestalt
richten, sind subtil und psychologisch durch-
dacht orchestriert. Die Szene ist in ein trübes
Licht getaucht, Grün-, Braun- und Grautöne
klingen zusammen und vermitteln ein Gefühl
der Eintönigkeit und Trostlosigkeit.

Die zeitgenössischen Kritiker schrieben
Pinwells wie Walkers Detailarbeit und Farbgebung dem Einfluß der Präraffeliten zu. Einer bemerkte: »Pinwell ist so präraffelitisch
in der Ausführung wie Walker selbst und eigentlich sogar noch mehr, und er ist auch, was
Walker nie war, präraffelitisch im Gefühl
und hat das kraftlose, halb krankhafte Streben
nach Schönheit, das die Schule kennzeichnet.« (Birmingham 1895)   C.S.N.

74 George John Pinwell, Gilbert à Beckets Verlöbnis (Das Sarazenenmädchen), 1872

JOHN MELHUISH STRUDWICK
(1849-1937)

75 Isabella, 1879

Tempera mit Goldfarbe auf Leinwand,
99 x 58,5 cm
Erste Ausstellung: GG 1879 (40)
Trustees of the De Morgan Foundation
Lit.: Kolsteren 1988, S. 5, Nr. 7;
London 1989 c (44)

Das Thema ist von John Keats' Gedicht ›Isabella and the pot of Basil‹ angeregt, das eine Novelle aus Boccaccios ›Decamerone‹ nacherzählt. Isabella verliebt sich in Lorenzo, der bei ihren Brüdern, wohlhabenden florentinischen Kaufleuten, als armer Ladengehilfe arbeitet. Die Brüder widersetzen sich der Liebesbeziehung, die sie als weit unter dem Rang ihrer Schwester empfinden, ermorden Lorenzo und begraben ihn heimlich. Isabella findet den Leichnam, gräbt ihn aus, schneidet den Kopf vom Körper und setzt ihn in einen Topf mit Basilikum, den sie mit ihren Tränen tränkt. Die Brüder nehmen ihr den Topf, und Isabella stirbt an gebrochenem Herzen.

Strudwick zeigt die gramerfüllte Isabella mit der Hand am Herzen; durch das geöffnete Fenster sieht man die Brüder mit dem Topf davoneilen; der kunstvolle Metallständer, der den Basilikumtopf trug, ist leer. Der luxuriöse Raum beschwört die Atmosphäre italienischer Renaissance, leitet sich jedoch von Rossettis Aquarellen der späten fünfziger Jahre her. Die Figur veranschaulicht den Botticelli-Kult unter den späteren Präraffaeliten. Die sinnliche und romantische Bildersprache von Keats, die in der Mitte des 19. Jahrhunderts allgemein großen Anklang fand, übte auf die frühen Präraffaeliten einen besonderen Zauber aus. Eines der ersten Gemälde von Millais (*Isabella*, RA 1849, Walker Art Gallery, Liverpool) schilderte eine Episode aus demselben Gedicht. Holman Hunt hatte schon früher ein Bild nach einem Keats-Gedicht gemalt (Kat. 40).   J. B. T.

75   John Melhuish Strudwick, Isabella, 1879

JOHN WILLIAM WATERHOUSE
(1849-1917)

76 La Belle Dame sans Merci, 1893
    Öl auf Leinwand, 110,5 x 81 cm
    Bez. u. l.: J. W. Waterhouse 1893
    Erste Ausstellung: RA 1893 (149)
    Hessisches Landesmuseum, Darmstadt
    Lit.: Hobson 1980, S. 74-77 (97);
    Darmstadt 1979 (115); Raimund Borg-
    meier (Hrsg.): Die englische Literatur
    in Text und Darstellung, Stuttgart 1983,
    Bd. 1, S. 160 (Keats-Gedicht, dt.)

Das Bild thematisiert das gleichnamige Gedicht von John Keats, in dem das Schicksal
eines Ritters besungen wird, der, von einer
feenhaften Kind-Frau verführt und getäuscht,
von nun an totenbleich und einsam ziellos
durch die Welt irrt. In dem für Keats eigene
sensualistische Befindlichkeit so bezeichnen-
den Gedichte heißt es:

»Ich traf eine Dame in den Auen / Sehr schön –
ein Feenkind / Ihr Haar war lang, ihr Fuß war
leicht / Und ihre Augen waren wild. / ... Sie nahm
mich zu ihrer Elfengrotte / Und dort weinte sie
und seufzt gar schmerzlich / Und dort schloß ich
ihre wilden, wilden Augen / Mit vier Küssen. / ...
Ich sah bleiche Könige und auch Fürsten / Blinde
Krieger, totenbleich waren sie alle / Sie riefen: ›La
belle dame sans merci‹ / Hat dich in ihrem Bann.«

Die von romantisch gefühlsbetonter Phantasie
getragene Thematik der Keatsschen Dicht-
kunst hatte schon die erste Generation der
Präraffaeliten zu Bilddarstellungen inspiriert,
etwa Holman Hunt in seinem Frühwerk *The
Eve of St. Agnes* (Kat. 40) oder Millais in *Isabella* (1849) oder Rossetti, der 1848 und 1855
Zeichnungen zu ›La Belle Dame sans Merci‹
angefertigt hat (freundlicher Hinweis J. Treuherz). Einen ähnlichen Einfluß hatte Keats
auch auf die spätere Generation der Präraffaeliten; so malte u. a. Walter Crane dasselbe
Thema wie Waterhouse 1884, Strudwick dasselbe wie Millais 1879 (Kat. 75).

Das Thema der femme fatale spielte, ausgehend von Rossetti und Burne-Jones, bei
dieser und der nachfolgenden Generation eine
besondere Rolle und hatte zugleich auch auf
die Vertreter des europäischen Symbolismus
sowohl in der bildenden Kunst wie in der Literatur große Wirkung. Deutlich an Burne-Jones anknüpfend, steigert Waterhouse hier jedoch den von ihm immer wieder verwendeten
Frauentypus durch genau psychologisierende
Beobachtung, wobei realistische Gegenständ-
lichkeit und dichterische Phantasie die Darstellung in spannungsvollem Schwebezustand
halten.   C. H.

ALBERT JOSEPH MOORE
(1841-1893)

77 Pomegranates, 1866
    Granatäpfel
    Öl auf Leinwand, 25,4 x 35,6 cm
    Bez. o. r.: AM (Initialen als Mono-
    gramm)
    Erste Ausstellung: RA 1866 (194)
    Guildhall Art Gallery,
    Corporation of London
    Lit.: Newcastle 1972 (12)

Das Bild *Pomegranates* hielt, was Moores
The Marble Seat (verschollen) bei der Akade-
mie-Ausstellung von 1865 versprochen hatte,
nämlich ein stetiges Fortschreiten seiner
künstlerischen Möglichkeiten. Die drei auf
eine Marmorbank hingegossenen Mädchen
entspringen unmittelbar der Anregung durch
das eifrige Studium der Elgin Marbles im British Museum. Das klassische Vorbild äußert
sich in der friesähnlichen Anordnung der drei
Gestalten und der sorgfältigen Durcharbei-
tung der Gewandfalten.

Was Moore in diesem kleinen Bild und in
anderen aus derselben Schaffensperiode erreichte, war recht bemerkenswert und beeinflußte eine Reihe anderer Maler, vor allem
Whistler. Indem er sich auf die wahre Quelle
der akademischen Kunst, die klassische
Skulptur, besann, gelang es ihm, durch das
Medium des Ölbildes etwas von der Zeitlosigkeit der antiken Statuen zurückzugewinnen.

Hier waltet ein vergleichbarer Geist wie in
John Keats' ›Ode on a Grecian Urn‹ (1819).
Einiges von dieser Wirkung rührt ganz offensichtlich aus der marmornen Weiße des Bildes, ist aber auch der Tatsache zu verdanken,
daß Moore den Betrachter mit der Suche nach
dem Anekdotischen konfrontiert, das aber
gleichsam verlorengegangen ist. In Ermange-
lung dieses erzählerischen Moments wird das
Thema durch die Granatäpfel auf der Kom-
mode bestimmt: Es ist ihre Farbe, die den
Blick auf sich zieht. Moores dem Erzählerischen entwachsenes Werk, das in einem
klassischen Ideal wurzelt, stellt einen konse-
quenten Fortschritt gegenüber J. E. Millais'
Autumn Leaves (Manchester City Art Galleries) von 1856 dar, das als »ein Bild voller
Schönheit und ohne Thema« konzipiert worden war; ebenso gegenüber Leightons *Lie-
dern ohne Worte* von 1861 (London, Tate
Gallery).   R. H.

ALBERT JOSEPH MOORE

78 Red Berries, um 1884
    Hagebutten
    Öl auf Leinwand, 47,6 x 116,8 cm
    Bez. u. l. mit Anthemion-Signatur
    Erste Ausstellung: Grosvenor Gallery
    1884 (158)
    Privatsammlung
    Lit.: Manchester 1978 (81)

Wie bei fast allen Kompositionen Moores
geht der Titel auch hier auf ein Detail zurück,
die Hagebutten in den Vasen, nicht auf den
ins Auge fallenden Bildgegenstand, das le-
sende Mädchen. Dies unterstreicht, daß Moores Bilder kein erzählerisches Moment enthal-
ten, und erweist sein Bemühen, das Auge des
Betrachters durch Farbklänge und -rhythmen,
Dekorativität und Pinselführung zu fesseln
statt durch Narratives.

Bei allem Streben Moores nach einem abstrakten, ›ästhetischen‹ Ideal, stand er nach
Meinung seines ersten Biographen A. L. Baldry jedoch fest auf dem Boden der Naturbeobachtung. So ist das Gesicht des Mädchens
in *Hagebutten* zweifellos aus dem Leben genommen und dennoch subtil einer klassischen

Büste angenähert: Das beweisen die Frisur,
die stark gezeichneten geschwungenen Au-
genbrauen, der gerade Nasenrücken, die Form
der Lippen und die Kinnlinie. Baldry berichtet, daß der Effekt weißer Spitzen gegen einen
dunklen Hintergrund von Moores Beobachtung des flimmernden Tageslichts inspiriert
war, das durch das Netzwerk der Blätter und
Zweige der Bäume drang.

Moore verknüpfte seine Kunst so mit der
klassischen, daß er als seine Signatur das An-
themion übernahm, ein Blütenornament, das
auf der Form des Geißblattes beruht und als
gebräuchliches Dekorationselement in der
griechischen Architektur zu finden ist. In diesem Bild erscheint es in der linken unteren
Ecke.   R. H.

76   John William Waterhouse, La Belle Dame sans Merci, 1893

77 Albert Joseph Moore, Granatäpfel, 1866

78   Albert Joseph Moore, Hagebutten, um 1884

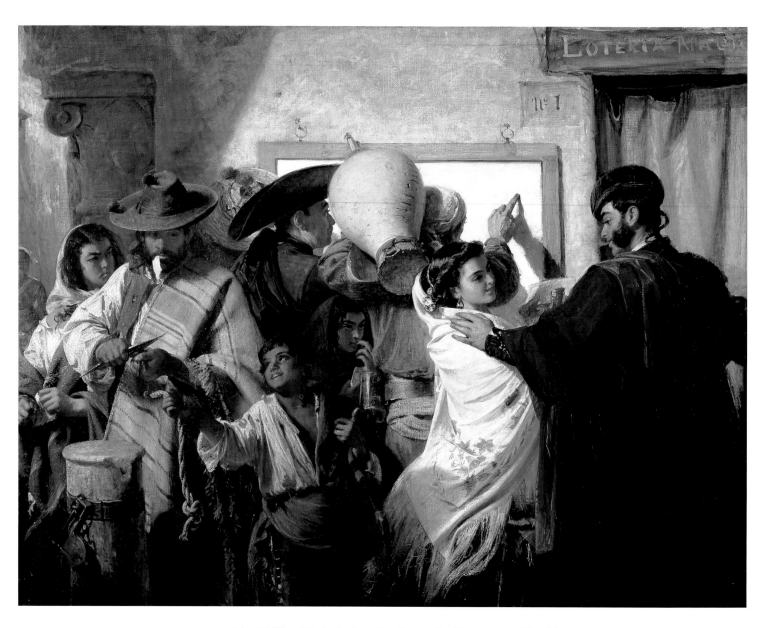

79   John Phillip, Die Lotterie – Das Lesen der Nummern, 1861-66

80   John Frederick Lewis, Häusliches Geplauder in Kairo (Haremsszene), 1873

JOHN PHILLIP (1817-1867)

79 La Lotería Nacional –
Reading the Numbers, 1861-66
*Die Lotterie –
Das Lesen der Nummern*

Öl auf Leinwand, 131,3 x 170,3 cm
Erste Ausstellung: Agnews, London,
1867
City of Aberdeen Art Gallery
and Museum Collections
Lit.: Dafforne 1877

Die alljährlichen Ausstellungen der Royal
Academy, im vorigen Jahrhundert die bedeutendsten in Großbritannien, vermochten den
Ruf eines Malers zu begründen oder zu zer-
stören. Der damit verbundene Wettstreit der
Künstler um die Aufmerksamkeit des Publikums und die Ausschaltung der Rivalen
brachte es mit sich, daß sie stets auf der Suche nach Neuem waren. Für viele hieß das,
im Ausland nach pittoresken Motiven Ausschau halten. Es ist ein Kennzeichen der britischen Malerei im vorigen Jahrhundert, daß
eine große Zahl der Künstler nach Europa
oder den Nahen Osten reisten, so Turner, Wilkie, Solomon oder Muller, um nur einige her-
auszugreifen.

Phillip unternahm die erste Auslandsreise
im Winter 1851/52 nach Sevilla, hauptsächlich wegen seiner angegriffenen Gesundheit,
aber möglicherweise auch, weil sein großer

Landsmann Wilkie 1827/28 ebenfalls in Spanien gewesen war. Die Gemälde von Velázquez und Murillo, die Farbigkeit und Vitalität
der spanischen Lebensart lieferten Phillip die
Anregung, die er brauchte, um seinem Ruf
gerecht zu werden. Bald wurde er als Maler
spanischer Themen betrachtet. Zwei weitere
ausgedehnte Reisen in das Land folgten in
den Jahren 1856/57 sowie 1860/61, als er
sechs Monate in Sevilla blieb. Kleine Ölskizzen für das vorliegende Bild und ein Pendant
Buying the Tickets entstanden zu dieser Zeit,
zu der er auch zu größeren Leinwänden griff.

La Lotería Nacional mit ihrer reichen
Komposition und herrlichen Farbgebung ist
charakteristisch für Phillips reifen Stil. Auch
sein feiner Blick für das Erzählerische ist hier
belegt: die geschickte Verwobenheit von Bildern des Triumphes und der Enttäuschung,
die die ›Geschichte‹ bilden.   R.H.

JOHN FREDERICK LEWIS
(1805-1876)

80 Indoor Gossip Cairo
(A Scene in a Hareem), 1873
*Häusliches Geplauder in Kairo
(Haremsszene)*

Öl auf Holz, 30,4 x 20,2 cm
Bez. u. l.: J. F. Lewis R. A. / 1873
Erste Ausstellung: RA 1874 (352)
Whitworth Art Gallery,
University of Manchester
Lit.: Lewis 1978, S. 98;
Sweetman 1988, S. 131-135

Lewis lebte zehn Jahre in Kairo (1841-51)
und malte nach seiner Rückkehr orientalische
Sujets, darunter auch einige Haremsszenen.
Der Harem mit seinem Beigeschmack von
Dekadenz und sexuellem Genuß regte die
Phantasie der Menschen im Westen zu lüster-
nen Vorstellungen über den Luxus und die
Barberei des Orients an. Der Darstellung dieses Bildes – eine auf einem Sofa gekauerte
Frau bietet einer anderen jungen Frau, die vor
dem Spiegel einen Ohrring anlegt, eine Per-
lenkette dar – mangelt jenes erzählerische Interesse, das frühere Werk von Lewis prägt. Es
steht eher den graziös posierenden Frauen
von Albert Moore nahe (Kat. 77, 78), die der
ästhetischen Harmonie von Form und Farbe
willen komponiert sind. Verschiedene Motive
dieses Gemäldes, etwa das Spiegelbild, reichen bis zu Lewis' Jahren in Spanien zurück,
verweisen auf sein Interesse an spanischer

und niederländischer Kunst und seine Kopie
von Velázquez' *Las Meninas*. Die arabischen
Dekorationen auf den Stoffen und die ›mash-
rabiya‹ (ornamentiertes hölzernes Fenstergit-
ter) rufen Lewis' Begeisterung für maurische
Schmuckformen ins Gedächtnis, die in seinen
Lithographien von der Alhambra (1835) zum
Ausdruck kommt.

Das komplexe Gewebe aus Licht und
Schatten, das von dem durch das Gitter fallenden Licht geschaffen wird, trägt zum ornamentalen Effekt des Bildes bei. In seiner Maltechnik griff Lewis bei Aquarell- wie Ölmalerei zu einer zarten Tupf- und Strichmanier
und juwelenartigen Farben. Er erreichte damit
eine den Präraffaeliten ähnliche Brillanz, die
er aber unabhängig von ihnen entwickelt zu
haben scheint, da er während seines Kairo-
Aufenthalts kaum Kontakt zu England hatte.
J.B.T.

JAMES ABBOTT MCNEILL
WHISTLER (1834-1903)

81 Nocturne: Black and Gold –
The Fire Wheel, um 1872/77
*Nocturne: Schwarz und Gold –
Das Feuerrad*

Öl auf Leinwand, 54,3 x 76,2 cm
Erste Ausstellung: Grosvenor Gallery
1883 (115)
Tate Gallery, London
Lit.: Young 1980 (169)

Wie Henry Wallis hatte Whistler seine Ausbildung im Pariser Atelier des liberal gesinnten Akademie-Malers Charles Gleyre (1806-
1874) erhalten. Wenn diese beiden Künstler
auf den ersten Blick auch nur lose miteinander verbunden scheinen, läßt ein Vergleich
zwischen dem vorliegenden Bild und dem
Steinklopfer (Kat. 49) etwas von den Wertvor-
stellungen erkennen, die Gleyre seinen Schülern vermittelte. Vor allem legte er Gewicht
auf Aufrichtigkeit und Originalität, betonte
jedoch auch immer wieder die Bedeutung des
Malakts bei der Entwicklung eines Bildes.
Whistler hatte sich zudem besonders von
Gleyres dunkler Palette mit viel Schwarz- und
Grautönen beeinflussen lassen. In der Folge
wurden die Tonwerte, die dieses Prinzip ihm
auferlegte, zu einem entscheidenden Krite-
rium seiner ›Nocturnes‹-Landschaften.

Das erste dieser von der Themse inspirierten ›Nocturnes‹ – zu denen auch das vorliegende gehört – datiert von 1871. Der Begriff

stammt aus der Musik, wie er ja auch zuvor
einige seiner Porträts ›Symphony‹ genannt
hatte. Diese Hervorhebung der lyrischen und
abstrakten Qualitäten seiner Malerei, die Abkehr von erzählerischen Inhalten zugunsten
rein ›ästhetischer‹ Charakteristika, hatte Parallelen im Werk Frederic, Lord Leightons
(Kat. 68, 85) und Albert Moores (Kat. 77, 78)
und kennzeichnet Whistler als einen der Im-
pulsgeber der ›Ästhetizistischen Bewegung‹.

Ein verwandtes Ölbild desselben Datums
(*Nocturne in Black and Gold: The Falling
Rocket*, Detroit), von noch überwältigenderer
Meisterschaft, wurde 1875 in der Grosvenor
Gallery in London gezeigt und von Ruskin
scharf angegriffen. Er beschuldigte Whistler,
er sei »ein Stutzer, der der Öffentlichkeit einen Farbtopf ins Gesicht geworfen hat«. Der
sich daraus entwickelnde Beleidigungsprozeß
führte zu Whistlers Bankrott und schadete
dem Ruf des großen Kritikers ganz erheblich.
R.H.

81　James Abbott McNeill Whistler, Nocturne: Schwarz und Gold – Das Feuerrad, um 1872/77

SIR LAWRENCE ALMA-TADEMA (1836-1912)

82 Phidias and the frieze
of the Parthenon, 1868
Phidias und der Parthenon-Fries

Öl auf Holz, 72,4 x 109,2 cm
Bez. o.r.: Alma Tadema 69/
Alma Tadema
Erste Ausstellung: Brüssel 1869
Birmingham Museums and Art Gallery
Lit.: Swanson 1990 (104)

Der griechische Bildhauer Phidias steht hier vor seinem soeben vollendeten Parathenon-Fries Perikles und seiner Geliebten Asphasia gegenüber. Alma-Tademas Quelle waren Plutarchs Lebensbeschreibungen bedeutender Feldherren oder Staatsmänner. Von Perikles wird darin berichtet, er habe Phidias mit der Aufsicht über die öffentlichen und sakralen Bauten sowie der Verantwortung für die Parthenon-Skulpturen betraut. Tadema stellte den Marmor farbig bemalt dar und bezog damit Stellung in der Kontroverse, die im 19. Jahrhundert über die Frage entbrannt war, ob in der griechischen Bildhauerkunst und Architektur Farbe verwendet worden sei. 1854 leitete Owen Jones eine farbige Rekonstruktion des Parthenon-Frieses im Greek Court des Kristallpalastes in Sydenham. Tadema kannte

möglicherweise den Greek Court von einem Besuch in London, als er 1862 im British Museum die Elgin Marbles besichtigte. Wahrscheinlich besuchte er auch die Weltausstellung in London, bei der *The Tinted Venus* von John Gibson (Walker Art Gallery, Liverpool) gezeigt wurde, ein Versuch, griechische Farbgebung an einer modernen Statue zu rekonstruieren.

Künstler, Sammler und das künstlerische Leben der klassischen Welt bildeten ein häufiges Motiv im Schaffen Alma-Tademas, aber trotz seiner Fähigkeit, die Alltagswelt der Antike zu beschwören, kleidete er viktorianische Sitten auf anachronistische Weise in ein klassisches Gewand. Ein Kritiker verglich *Phidias und der Parthenon-Fries* mit einer modernen Privatvorführung (Portfolio, 1980, S. 89).

J. B. T.

WALTER CRANE (1845-1915)

83 Diana, 1881

Aquarell und Deckfarbe, 34,2 x 24,8 cm
Bez. u.l.: WC (Initialen als Monogramm)
Erste Ausstellung: Dudley Gallery, 1881 (379)
Privatsammlung, USA
Lit.: Newall 1987, S. 105-107

Sein erstes Aquarell der Göttin Diana malte Crane 1872 in Rom während seiner Flitterwochen, ein heute verschollenes Waldbild mit nackter Gestalt an einem Weiher, das wohl von Uccello inspiriert war. Das hier abgebildete Aquarell zeigt Diana als Jägerin, die einem kleinen Gefolge in den Wald vorausgeht. Derartige Baummotive faszinierten Crane und wirkten auf seine Phantasie. Seine künstlerische Laufbahn hatte mit einer Folge von Illustrationen für ›The New Forest: Its History and its Scenery‹ von Capel Wise begonnen; später hatten die Aquarelle von Burne-Jones einen starken Einfluß auf ihn und seine Kollegen von der Dudley Gallery. So schrieb er, sie böten »einen Einblick in ein magi-

sches Reich voller Romantik und bildlicher Poesie …, in eine geheimnisvoll-zwielichtige Welt der dunklen Wälder, der von geisterhaften Wesen bewohnten Flüsse, der dunkelgrünen, mit glühenden Blumen übersäten Wiesen, verschleiert von einem diffusen mystischen Licht« (Crane 1907, S. 84). Das Aquarell wurde höchstwahrscheinlich im Sommer 1881 unter dem Titel *Dian hunted on a day* in der Dudley Gallery ausgestellt.

Wie viele seiner Zeitgenossen entwarf Crane ein Monogramm als Signatur für seine Gemälde und Zeichnungen: Es besteht aus seinen mit dem Emblem eines Kranichs verbundenen Initialen und enthält auch das Datum.

C. S. N.

SIR EDWARD JOHN POYNTER (1836-1919)

84 Andromeda, 1869

Öl auf Leinwand, 51 x 35,8 cm
Bez. u.r.: 18 EJP 69
(Initialen als Monogramm)
Erste Ausstellung: RA 1870 (137)
Privatsammlung

Poynter wurde im Januar 1869 aufgrund des Erfolges seiner beiden historisierenden Bilder *Israel in Egypt* (RA 1867, Guildhall Collection) und *The Catapult* (RA 1868, Laing Art Gallery, Newcastle upon Tyne) zum Mitglied der Royal Academy gewählt. Alsbald wandte er sich mythologischen Szenen zu, die damals bei den fortschrittlichen Malern, beliebt waren insbesondere bei jenen, die auf dem Kontinent studiert hatten. *Proserpine*, Poynters Gemälde der Göttin der Unterwelt, wurde 1869 in der Royal Academy präsentiert, ein Jahr danach die nackte, an einen Felsen gefesselte *Andromeda*, die ihr Schicksal als Opfer eines schrecklichen Meeresungeheuers erwartet.

Die Haltung der Figur offenbart Poynters langes Studium der Alten Meister. »Der vom

Wind erfaßte Überwurf ruft die Drapierung von Tizians Ariadne ins Gedächtnis. Tatsächlich kann sich das Bild auf eine nahe Verwandtschaft mit der venezianischen Schule berufen: es bezieht seine Inspiration von Tintoretto, dem größten Venezianer«, bemerkte das ›Art Journal‹ (1870, S. 165). Ein unmittelbareres Vorbild für den Kontrapost der Andromeda-Figur dürfte Leonardos *Leda mit dem Schwan* bilden, die dieser seinen reichen Aktstudien entnommen hatte. Poynter griff später wieder auf die Komposition als Bestandteil eines größeren Gemäldes *Perseus und Andromeda* zurück (RA 1872, zerstört). Dieses Bild sollte Teil eines Zyklus mythologischer Themen bilden, die der Earl of Wharncliffe in Auftrag gegeben hatte.

C. S. N.

82   Sir Lawrence Alma-Tadema, Phidias und der Parthenon-Fries, 1868

83　Walter Crane, Diana, 1881

84   Sir Edward John Poynter, Andromeda, 1869

FREDERIC, LORD LEIGHTON
(1830-1896)

85 Greek Girls Playing at Ball, um 1889
Ballspielende griechische Mädchen

Öl auf Leinwand, 114 x 197 cm
Erste Ausstellung: RA 1889 (300)
The Dick Institute, Kilmarnock
Lit.: Newall 1990, S. 118-121

In diesem Gemälde versucht Leighton, den figurativen Elementen eines rein dekorativen Sujets psychologische Eindringlichkeit zu verleihen. Rechts ist eine statuenhafte weibliche Gestalt im Begriff, einen Ball zu werfen, während sich ihre Partnerin links im Bild streckt, um ihn zu fangen. Leighton hat die Bewegungen der Figuren in der Behandlung ihrer Kleiderstoffe dargestellt: Um die Ballwerferin, die aus der Bewegung des Werfens heraus ihr Gleichgewicht wiedergewinnt, läßt er ein Stück Stoff wirbeln, das sich schlangenförmig in die Luft windet. Die Fängerin wiederum scheint sich innerhalb eines kometengleich geformten Schmetterlingskokons aus Stoff emporzurecken.

Das Bild war eigentlich als eine weit dramatischere und dynamischere Komposition konzipiert worden, die einen heftigen Wettkampf darstellen sollte. Leightons frühe Studie dafür hat barocke Kraft (siehe Newall 1990, S. 120). Doch im Verlauf des Malvorgangs ließ der Künstler die Figuren – wenn auch ausgewogen – in getrennte Bildpartien auseinanderdriften und fügte dem Mittelteil der Komposition eine kristalline, mediterran inspirierte Meereslandschaft mit bergiger Küste ein. Die Wirkung der statuenhaften Figuren vor einem Panorama-Hintergrund ist beeindruckend, aber nicht fesselnd; das Bild stellt eher ein theatralisches Tableau als einen blutvollen Wettkampf dar.   C.S.N.

GEORGE HEMING MASON
(1818-1872)

86 The Wind on the Wold,
1862 oder 1863
Der Wind über dem Moor

Öl auf Leinwand, 21 x 41 cm
Erste Ausstellung: BFAC 1873 (29)
Privatsammlung, London
Lit.: Stoke-on-Trent 1989, S. 15

Dieses Bild eines jungen Mädchens, das zwei Kälber durch eine offene und sturmgepeitschte Hochebene treibt, ist Masons erste Reaktion auf die heimatliche Landschaft nach seiner Rückkehr von Italien 1858. In Italien hatte ihn der Landschaftsmaler Giovanni Costa von der hohen Bedeutung des Heimatgefühls für den Künstler überzeugt, hatte sogar die Darstellung dieses Gefühls zum Gradmesser des Kunstwerks erklärt (Agresti 1904, S. 213). Er hatte Mason dazu überredet, künftig englische Themen zu wählen, denn bisher habe er weder »die idyllischen Schönheiten des Landes, in dem er lebte, noch dessen Zauber gespürt, der so sehr an der künstlerischen Schöpfung Anteil hat. Als er es zusammen mit mir wieder erblickte, sah er es mit neuen Augen.« (Costa 1927, S. 98)

Von *The Wind on the Wold* gibt es zwei Versionen. Die hier abgebildete scheint die erste der beiden zu sein und datiert entweder aus dem Jahr 1862 (wie aus einer Inschrift auf dem originalen Rahmen des Gemäldes hervorgeht) oder von 1863 (das Datum, das ihm in der posthumen Werkausstellung Masons im Burlington Fine Arts Club zugeschrieben wurde, wo man es zum ersten Mal zeigte). Frederic Leighton gab ihm ein zweites, beträchtlich größeres Gemälde desselben Themas in Auftrag (derselbe Titel; London, Tate Gallery), das sich von der ersten Fassung lediglich in der Anordnung der landschaftlichen Elemente unterscheidet und eine weniger unbefangene Stimmung atmet, da die Protagonistin aus dem Bild heraus auf den Betrachter blickt.   C.S.N.

JOHN WILLIAM NORTH
(1842-1924)

87 Halsway Court, Somerset
(The Old Bowling Green), 1865
*Halsway Court, Somerset
(Der alte Rasenplatz für das
Bowlingspiel)*

Aquarell und Deckfarbe,
33 x 44,75 cm
Bez. u. l.: N/65
Erste Ausstellung: Dudley Gallery 1867
Robin de Beaumont
Lit.: Newall 1987, S. 84-88

Das Aquarell zeigt die Südfassade von Halsway Manor (auch ›Halsway Court‹), jenes Haus in West Somerset, in dem sich North und etliche seiner Freunde zwischen 1860 und 1868 regelmäßig aufhielten. Es war im 15. Jahrhundert als Jagdhaus für Kardinal Beaufort erbaut worden, den Halbbruder Heinrichs IV. Als North während einer Wanderung in den Quantock Hills in Begleitung von Edward Whymper zum ersten Mal auf das Landhaus stieß, war er von dessen Architektur bezaubert, die durch ihre teilweise burgartige Anlage mit Zinnen und Türmen, ihre grotesken Wasserspeier, nicht zuletzt die friedliche Schönheit der Umgebung besonders romantisch wirkte.
Die charakteristischen Merkmale Halsways und die Umrisse der Quantock-Berge tauchten in vielen von Norths Schwarz-Weiß-

Zeichnungen der sechziger Jahre auf – so etwa in den Bildtafeln, die er für die Brüder Dalziel zur Illustration einer Gedichtsammlung von Jean Ingelow schuf (1867 erschienen). Die in Wasserfarben ausgeführten Landschaftsmotive, die er in jener Zeit immer häufiger malte, behielten meist die geradlinige Struktur, die dichtgemusterte Oberfläche und die peinlich genau ausgearbeiteten Details seiner Illustrationsentwürfe bei. Ihre Wirkung verdankten sie einer reichen und warmen Farbgebung, die durch die Verwendung opaker Deckfarbe hervorgerufen wurde. Bei der Ausstellung dieses Bildes in der Dudley Gallery 1867 pries das ›Art Journal‹ seine »hohen Qualitäten«, vor allem die »ausgezeichnete Farbgebung«, beanstandete aber, daß der »opake Auftrag ohne Abmilderung verwendet« sei (AJ, 1867, S. 88).   C.S.N.

85   Frederic, Lord Leighton, Ballspielende griechische Mädchen, um 1889

86   George Heming Mason, Der Wind über dem Moor, 1862 oder 1863

87   John William North, Halsway Court, Somerset (Der alte Rasenplatz für das Bowlingspiel), 1865

RICHARD REDGRAVE (1804-1888)

88 Sweet Summer Time –
Sheep in Wotton Meadows, 1869
Schöne Sommerzeit –
Schafe in Wotton Meadows

Öl auf Holz, 21,5 x 34,5 cm
Bez. u. l.: Richard Redgrave 1869
The Board of Trustees of the
Victoria & Albert Museum, London

Lit.: London 1988 (116)

Es gab nur wenige erfolgreiche Maler von Ereignisbildern, die nicht auch Landschaften schufen, sei es in Form von Studien, zur Entspannung oder gelegentlich für eine Ausstellung. Die Betonung des Primats der Ölmalerei über die Zeichnung und das Gebot des Naturstudiums, die der Lehre an der Akademie zugrundelagen, förderten die Entstehung von Landschaftsbildern ebenso wie der weitverbreitete Wunsch, Leitfiguren des Fortschritts, wie Turner, zu folgen.

Redgrave wurde wegen seines Erfolgs als Genremaler häuslicher und literarischer Szenen zum Mitglied der Royal Academy gewählt. In seiner Frühzeit jedoch hatte er Interesse an der Landschaft gezeigt und, im Gegensatz zu gleichgesinnten Kollegen, sollte die Landschaft auch in seinem Spätwerk wieder dominieren. Wie Webster, Linnell und Palmer suchte er neue Wege in seiner Kunst,

indem er aus London floh: Von 1856 verbrachte er den Sommer stets in einem Cottage in Surrey, wo auch dieses Bild entstand.

In mancher Hinsicht nahm Redgraves Annäherung an die Landschaftsmalerei die Auffassung der Präraffeliten und ihres Sympathisanten Ruskin vorweg. Dessen Befürwortung des »sorgfältigen und genauen Zeichnens nach der Natur« war ein Leitgedanke seines Unterrichts ab 1842 an der Royal Academy. Alle Landschaften Redgraves entstanden im Freien vor dem Motiv. Dennoch beruhte ihre offensichtliche Naturtreue in vielem auf einer recht mechanischen Handhabung des Farbauftrags: Ebenso wie Linnell, Palmer oder vorher John Constable fühlte sich Redgrave nach seinen eigenen Worten letztlich von »den Gemütsbewegungen des Künstlers in Verbindung mit einer Wirkung der Natur« geleitet. R. H.

FREDERICK WALKER (1840-1875)

89 An Amateur
(Coachman and Cabbages), 1870
Ein Amateur
(Kutscher und Kohlköpfe)

Aquarell und Deckfarbe, 17,7 x 25,3 cm
Bez. u. M. r.: F. W
Erste Ausstellung: OWCS 1870-71 (379)
Trustees of the British Museum

Lit.: London 1985 c, S. 80;
Newall 1987, S. 84-86

Im Spätsommer 1870, als er dieses Aquarell malte, hielt sich Walker in dem an der Themse gelegenen Dorf Bisham in Berkshire auf. Ein oder zwei Monate später sandte er das Bild zur Winterausstellung der Old Water-Colour Society, wo sein origineller Naturalismus vom Kritiker des ›Art Journal‹ bemerkt wurde:

»*Ein Amateur* verblüfft den Betrachter: Das Sujet hat nichts mit den Schönen Künsten zu tun, sondern bezieht sich lediglich auf ein Krautfeld. Ein alter Knabe stapft hinaus aufs Feld und begutachtet seine reiche Ernte mit dem innigen Behagen eines Amateurs. Es ist ja sattsam bekannt, daß die besten Bilder aus Nichtigkeiten entstehen können.« (AJ, 1871, S. 25)

J. W. North beschrieb die Arbeitsweise seines Freundes und betonte, Walker male direkt nach der Natur, nicht nach Vorzeichnungen:

»Suggestivität war das Ideal, das er anzustreben schien, doch nicht durch Auslassungen, sondern durch eine detaillierte Malweise, die dann teilweise wieder gelöscht wurde. Das zeigte sich besonders deutlich in seinen Landschafts-Aquarellen, die häufig ein Stadium extremer zeichnerischer Ausarbeitung durchliefen, die später sorgfältig getilgt wurde, so daß sich ein suggestiver und weicher Eindruck ergab.« (Marks 1896, S. 169) Nach Walker war Komposition die »Kunst, die zufällige Sicht zu bewahren.« (Phillips 1894, S. 721) Durch derartige bewußt eingesetzte Kunstmittel bot er ›Eindrücke im Vorübergehen‹, flüchtige Momentaufnahmen atmosphärisch dichter und stimmungsvoller ländlicher Szenen, in denen die selbstvergessen agierenden Figuren – die sich der Gegenwart des Malers gar nicht bewußt sind – den Betrachter in den Bann ihres Tuns ziehen. C. S. N.

GEORGE SAMUEL ELGOOD
(1851-1943)

90 Roses and Pinks.
Levens Hall, Westmorland, 1892
Rosen und Nelken.
Levens Hall, Westmorland

Aquarell, 32 x 50 cm
Bez. u. r.: Geo: S: Elgood 1892
Privatsammlung

Die Gärten von Levens Hall am Südrand des englischen Lake District wurden von einem französischen Gartengestalter (wenngleich im holländischen Stil) Anfang des 18. Jahrhunderts angelegt. An einander kreuzenden Gartenwegen liegen heckengesäumte Beete voll Rosen, Nelken und anderen Blütenpflanzen. In ihrer Mitte erheben sich zu ornamentalen und phantastischen Formen verschnittene Bäume und Sträucher. Wegen ihrer zu riesigen Tieren und Schachfiguren zurechtgestutzten Taxus- und Buchsbaumhecken waren diese Gärten lange Zeit berühmt.

Die Gattung des Aquarells stellte in der Spätzeit der Viktorianischen Malerei ein Medium dar, das für eine Vielzahl von künstlerischen Zwecken geeignet schien. Künstler wie E. J. Poynter und J. S. Sargent betrieben das Malen mit Wasserfarben als Möglichkeit zur Entspannung und zum Experimentieren.

Viele beruflich etablierte Künstler – und zu ihnen gehörte Elgood – betrachteten das lange Zeit zu einer untergeordneten Rolle abgesunkene Aquarell nun wieder als ideales Mittel, die Lichthaltigkeit und Leuchtkraft der Farbe in Landschafts-Sujets auszudrücken. Werke wie dieses können in ihrer Quintessenz als zutiefst englisch gelten: Sie sind unbelastet von irgendeiner Kenntnis, geschweige denn Abhängigkeit von europäischen Schulen, sondern bilden vielmehr die Frucht einer jahrhundertelangen einheimischen topographischen Tradition, in der die wahrheitsgetreue und informative Darstellung eines Ortes wichtiger war als die Demonstration künstlerischer Virtuosität. Das Aquarell erschien als Tafel in dem Buch ›Some English Gardens‹ (1904) bei deren Gestaltung Elgood mit der berühmten Gartenhistorikerin Gertrude Jekyll zusammenarbeitete. C. S. N.

88 Richard Redgrave, Schöne Sommerzeit – Schafe in Wotton Meadows, 1869

89   Frederick Walker, Ein Amateur (Kutscher und Kohlköpfe), 1870

90   George Samuel Elgood, Rosen und Nelken. Levens Hall, Westmorland, 1892

SIR WILLIAM BLAKE RICHMOND
(1842-1921)

91 The Pisan Plain, from Volterra, 1892
*Blick von Volterra
auf die Ebene von Pisa*

Öl auf Leinwand, 39,4 × 59,7 cm
Bez. u. l.: WBR 1892
Erste Ausstellung: NG 1895 (136)
Privatsammlung, London
Lit.: York 1989 (74)

Seitdem er 1859 zum ersten Mal nach Italien gereist war, bildete dieses Land für Richmond eine Quelle des Entzückens. Die italienischen Landschaften, die er nunmehr malte, wann immer die Gelegenheit sich bot, reichten in Format und künstlerischem Anspruch von der Monumentalität seines *Near Via Reggio, where Shelley's Body was found* (1875, Manchester City Art Galleries) bis zu der Spontaneität und dem lyrischen Zauber der vielen kleinen Ölskizzen auf Holztafeln. Er liebte es, die Formen der Natur zu vereinfachen und zu verallgemeinern, und zog Panorama-Landschaften mit entfernten Horizonten der detaillierten Vordergrundsgestaltung vor. Seine Landschaften sind von der visionären Erinnerung an mythische Ereignisse geprägt und nicht von Bauern aus Fleisch und Blut bevölkert, eine Haltung, die seinem tiefen Pan-

theismus und seiner klassischen Lektüre entsprach.

Olivia Rossetti Agresti gegenüber betonte Richmond, daß jegliches Verdienst, das seine Landschaftsmalerei haben mochte, »im großen Maße dem frühen Einfluß von Giovanni Costa zu verdanken« sei (Agresti 1904, S. 132). Er gehörte zu jenem Kreis, der sich im Winter 1883/84 in Rom um Costa als dem Anführer des sog. ›Etruskischen Schule‹ versammelte, einem losen Zusammenschluß englischer, amerikanischer und italienischer Landschafter. Richmond besuchte Costa später auch regelmäßig in Bocca d'Arno an der toskanischen Küste und blieb ihm lebenslang verbunden. Vielleicht malte er während eines solchen Besuches diesen Blick nach Westen von den Hügeln über Volterra nach Livorno und zur Küste.   C.S.N.

JOHN BRETT (1831-1902)

92 Pearly Summer, 1892
Perlmuttfarbener Sommer

Öl auf Leinwand, 104,1 × 213,4 cm
Bez. u. l.: John Brett 1892
Erste Ausstellung: RA 1893 (153)
The Forbes Magazine Collection,
New York
Lit.: New York 1975, S. 24

Das Gemälde zeigt fern am Horizont einen Schleppdampfer, der ein Segelboot im Schlepptau hat und von einem zweiten Schiff begleitet wird. Im Katalog der Akademieausstellung, bei der das Bild erstmalig zu sehen war, nahm folgender Dialog auf seine ›Handlung‹ Bezug: Kapitän des Seglers: »Dreht bei. Klar zum Ablegen!« Kapitän des Schleppers: »Maschine drosseln – halbe Kraft voraus!« Steuermann des Küstenschiffs: »Alles klar. Freie Fahrt voraus. Sie macht Fahrt und holt auf!«

Brett, der Turner hoch über alle anderen Maler stellte, hatte sich hinsichtlich der Thematik und in geringerem Maße auch der Symbolik seines Gemäldes von dessen *The Fighting Téméraire* (London, National Gallery) inspirieren lassen. Links sind kleine Ruderboote, am Horizont weitere Schiffe, und zur Rechten ist eine gebirgige Küstenlandschaft

zu sehen. Der Kritiker des ›Magazine of Art‹ lobte Bretts Darstellung der Luftperspektive und Farbe: »In seinem *Pearly Summer* kehrt Mr. Brett zu den Triumphen seines Gemäldes *Britannia's Realm* [London, Tate Gallery] zurück, wobei sein Hauptverdienst nicht in der Darstellung des weiten aufgepeitschten Meeres liegt, sondern in der außerordentlichen Lichtfülle, mit der er das Bild getränkt hat.« (M of A, 1893, S. 256). Beide Bilder sind großformatig und dennoch detailliert ausgearbeitet, beide vermögen die Qualität des Lichts und die gleißende Skala der Farben von Meer und Himmel zu vermitteln.

Dieses Werk blieb bis zu Bretts Tod in seinem Besitz und gehörte möglicherweise zu den Bildern, die ihm selbst am meisten bedeuteten. Es errang bei der Pariser Weltausstellung von 1900 eine Silbermedaille.
                              C.S.N.

HENRY MOORE (1831-1895)

93 Arran, 1894

Öl auf Leinwand, 30,5 × 54,7 cm
Bez. u. r.: H. Moore. 1894
Manchester City Art Galleries

Moores Gemälde zeigt den Blick auf die gebirgige Insel Arran an der Westküste Schottlands. Im Vordergrund erstreckt sich eine Wasserfläche, die entweder den Firth of Clyde auf der Ostseite Arrans oder den Kilbrannan Sound darstellt, der Arran von der Halbinsel Kintyre im Westen trennt. Das Bild entstand wenige Monate vor Moores Tod.

In seiner Spätzeit machte sich Moore zur Gewohnheit, das Meer von Bord einer Jacht oder eines Dampfers aus zu zeichnen, Schiffe seiner Freunde oder Gönner, auch Fähren und Passagierschiffe. Dies erlaubte ihm, die Effekte von Licht und Atmosphäre zu studieren, ohne von einem konventionellen Vordergrund abgelenkt zu werden. Deshalb erstreckt sich

auch in diesem Bild die bewegte Wasseroberfläche bis an den unteren Bildrand, deshalb gibt es auch keine Hinweise auf den Blickpunkt des Betrachters.

Moore und John Brett standen in dem Ruf, die führenden britischen Marinemaler zu sein. Beide schufen lebensvolle Ölskizzen von Meer und Himmel, die sie später im Atelier meist zu größerformatigen Kompositionen ausarbeiteten. Moore war vielleicht der experimentierfreudigere von den beiden; die Effekte stürmischen Wetters auf See faszinierten ihn über alle Maßen, und er entwickelte einen starken und pastosen Farbauftrag, um die physischen Qualitäten des Geschehens umzusetzen.   C.S.N.

91   Sir William Blake Richmond, Blick von Volterra auf die Ebene von Pisa, 1892

92   John Brett, Perlmuttfarbener Sommer, 1892

93 Henry Moore, Arran, 1894

STANHOPE FORBES (1857-1947)

94 A Street in Brittany, 1881
Eine Straße in der Bretagne

Öl auf Leinwand, 104,2 × 76 cm
Bez. u. l.: STANHOPE A FORBES/
à Cancale 1881
Erste Ausstellung: RA 1882 (464)
Trustees of the National Museums
and Galleries on Merseyside
(Walker Art Gallery, Liverpool)
Lit.: Newlyn 1979 (1)

Dieses Gemälde wurde zwischen Juli und Oktober 1881 in Cancale in der Bretagne gemalt, wo Forbes nach seiner Arbeit in Bonnats Pariser Atelier den Sommer verbrachte. Es ist eines der ersten Bilder eines britischen Malers, das den Einfluß des französischen Künstlers Jules Bastien-Lepage spiegelt, dessen Stil sich beherrschend auf die jüngere Generation britischer Landschaftsmaler in den achtziger Jahren auswirkte. Der breite Pinselstrich, die stehende weibliche Figur im Vordergrund, das grobe bäuerliche Gewand und die Konzentration auf Tonwerte sind charakteristische Elemente im Schaffen des Franzosen, die von den Briten aufgegriffen wurden. Forbes beschrieb das Werk in einem Brief an seine Mutter (17. Juli 1881): »Am Nachmittag male ich noch ein kleines Mädchen, glückli-

cherweise im Schatten, mit einer alten Straße und Menschen bei der Arbeit im Hintergrund. Ein sehr gutes Motiv ...« Das Modell war wahrscheinlich ein einheimisches Mädchen namens Désirée. Nach Vollendung des Gemäldes schrieb der Künstler aus Paris: »Ich fürchte, es wird wegen gewisser Eigenheiten dem britischen Publikum ganz und gar nicht munden.« Dabei mag er an das Ungleichgewicht des Maßstabs zwischen den Figuren im Hintergrund und dem Vordergrund oder den dominanten blauen Farbton gedacht haben. Das Bild fand bei der Akademieausstellung in London keinen Käufer, wurde jedoch dann in der Liverpooler Ausstellung von der Walker Art Gallery erworben, was Forbes einen Wendepunkt in seiner Karriere nannte.

J. B. T.

ELIZABETH FORBES
(GEB. ARMSTRONG) (1859-1912)

95 A Zandvoort Fisher Girl, 1884
Ein Zandvoorter Fischermädchen

Öl auf Leinwand, 66 × 52 cm
Bez. o. l.: EAF (Initialen als Monogramm)
The Council of Management of Newlyn
Orion Galleries Ltd., Penzance
Lit.: London 1985 c (49)

Elizabeth Armstrong, wie sie als Ledige hieß, hatte in New York studiert. Ihre Lehrer waren in Europa ausgebildet worden und hatten sich gründlich mit dem Realismus und der Maltechnik von Jean François Millet (1814-1875) und Jules Bastien-Lepage (1848-1884) auseinandergesetzt. Bei einem Besuch im holländischen Zandvoort schloß sie sich dort 1884 ihrem ursprünglichen Lehrer, William Merrit Chase (1849-1916), an.

Zandvoort war eine kleine Stadt an der Nordseeküste mit einer blühenden Künstlerkolonie, in der Nähe von Haarlem gelegen. Die Künstler hatten sich dort zusammengefunden, weil sie von der neuartigen Szenerie und den pittoresken Trachten der Einwohner angezogen waren. Nach Elizabeth Armstrongs eigenen Worten »arbeitete [sie] hart, meist in den alten Armenhäusern, wo Chase ... bereits höchst faszinierende Motive gefunden hatte«. Eine Reihe von Zeichnungen häuslicher Interieurs mit Figuren bildete das

Ergebnis dieses Aufenthalts. Sie waren später der Grundstock einer schönen Folge von Kaltnadelradierungen im Geist Whistlers, von denen einige in London ausgestellt wurden. Zur gleichen Zeit malte die Künstlerin das hier gezeigte, ebenfalls in einem Armenhaus entstandene Ölbild.

Elizabeth Armstrongs zwei Besuche in den ›primitiven‹ ländlichen Künstlerkolonien von Pont-Aven und Zandvoort, ihre Darstellungen einfacher Menschen, die sie, wie hier, spontan an Ort und Stelle festhielt, ihre Pinselführung, die sich mehr auf das Malerische als das Lineare konzentrierte, verraten den entscheidenden Einfluß von Bastien-Lepage. Eine Reihe englischer Künstler hatte vor ihr den gleichen Weg eingeschlagen, vor allem Stanhope Forbes (Kat. 94), den Elizabeth später heiratete. Sie wurden beide zu Leitfiguren jener Malerschule, die sich in dem ›englischen Pont-Aven‹, nämlich dem Dorf Newlyn an der Küste von Cornwall, etablierte.

R. H.

SIR JAMES GUTHRIE (1859-1930)

96 Schoolmates, 1884
Schulkameraden

Öl auf Leinwand, 118 × 91,3 cm
Bez. u. l.: JAMES GUTHRIE 1884
Erste Ausstellung: Glasgow Institute
1886 (349)
Museum voor Schone Kunsten, Gent
Lit.: Billcliffe 1985, S. 120-122

Dieses Bild wurde im Dorf Cockburnspatch in Berwickshire gemalt, das von den frühen achtziger Jahren an eine Sommerkolonie Glasgower Künstler war und in dem Guthrie ganzjährig von 1883 bis 1885 lebte. Viele Elemente des Gemäldes offenbaren den Einfluß von Bastien-Lepage: der hoch angesetzte Horizont, die kühne Plazierung der Figuren, die derben bäuerlichen Typen der Kinder, die so häufig imitierten breiten Pinselstriche und die Signatur in Druckbuchstaben. Ein schottischer Kritiker nannte die Arbeit »das vollkommenste Werk, das Guthrie bisher geschaffen hat« (›The Bailie‹, 14. Januar 1885).

Guthrie legte *Schoolmates* 1885 der Royal Academy in London vor, die das Bild jedoch zurückwies. 1886 wurde es vom Glasgow In-

stitute angenommen. Das Schaffen der Glasgower Künstler war in London zum erstenmal bei der Ausstellung des English Art Club von 1887 zu sehen, einer Ausstellungsgesellschaft, die sich als Opposition zur Akademie formiert hatte. Doch die Glasgow Boys machten in London wenig Eindruck. Ein Stimmungswandel begann sich erst 1890 durchzusetzen, als die Grosvenor Gallery ihrem Schaffen eine ganze Abteilung widmete. Durch deutsche Besucher angeregt, wurden die Glasgower eingeladen, ihre Werke in München und anderen deutschen und europäischen Städten zu zeigen, was ihnen internationale Anerkennung einbrachte. *Schoolmates* wurde im Salon von Gent 1892 ausgestellt und vom Genter Museum erworben.

J. B. T.

94 Stanhope Forbes, Eine Straße in der Bretagne, 1881

95   Elizabeth Forbes, geb. Armstrong, Ein Zandvoorter Fischermädchen, 1884

96   Sir James Guthrie, Schulkameraden, 1884

FRANK BRAMLEY (1857-1915)

97 Domino!, 1886

Öl auf Leinwand, 91,5 x 114 cm
Bez. u. l.: Frank Bramley
Erste Ausstellung: RA 1886 (491)
City of Cork Vocational Education
Committee (Crawford Art Gallery,
Cork)
Lit.: London 1985 c (39)

Domino! stellt zwei an einem Tisch sitzende junge Mädchen beim Dominospiel dar. Das Bild wurde in Newlyn gemalt, die Szene findet im Inneren eines jener traditionellen weißgekalkten steinernen Cottages statt, wie sie typisch für das Dorf sind. Aber hier wird nicht ein Thema aus dem Leben der Fischer oder eine sentimentale Erzählung nach Art der Newlyn-Schule vorgestellt – wie etwa Bramleys bekanntestes Bild *A Hopeless Dawn* (RA 1889, Tate Gallery) sie belegt. Die Kleider der Mädchen in *Domino!* weisen sie als Angehörige der Mittelklasse aus, die Palette ist bewußt auf cremefarbiges Weiß, Elfenbeintöne und Gelbnuancen begrenzt, und die klaren, entschiedenen Linien von Tischtuch, weißem Kleid und aus dem Korb quellenden weißen Stoffen sind alle sorgfältig stilisiert, um zur dekorativen Harmonie des

Ganzen beizutragen. Das Gemälde ist eine Übung in jenem themenunabhängigen Ästhetizismus, jenem Arrangement von Form, Farbe und Valeur, dessen künstlerischer Vorreiter Whistler war (Kat. 110, 111), aber in der Technik von Bastien-Lepage gemalt. Der betont breite Pinselstrich wurde von einem Kritiker als »beherzte Handhabung« mit »außerordentlich starker Wirkung« apostrophiert (Magazine of Art 1886, S. 443-444). *Domino!* ist eine der vielen Derivate von Whistlers *Symphonie in Weiß Nr. 3* (1865-67, The Barber Institute of Fine Arts, The University of Birmingham), die lässig in einem Interieur posierende Mädchen in weißen Kleidern zum Gegenstand haben. Es bildet außerdem ein naturalistisches Äquivalent zu den klassischen Mädchengestalten von Albert Moore (Kat. 77, 78).   J. B. T.

97   Frank Bramley, Domino!, 1886

98   Walter Osborne, Ein Oktobermorgen, 1885

99   Philip Wilson Steer, Das Knöchelspiel, Walberswick, um 1888/89

WALTER OSBORNE (1859-1903)

98 An October Morning, 1885

Ein Oktobermorgen

Öl auf Leinwand, 71,1 x 91,4 cm
Bez. u.r.: Walter Osborne 1885
Erste Ausstellung: wahrscheinlich NEAC
1887 (79)
Guildhall Art Gallery,
Corporation of London
Lit.: Dublin 1983 (18)

Das Bild wurde in Walberswick an der Küste von Suffolk gemalt, wo Osborne kurz nach seiner Rückkehr aus der Bretagne arbeitete. Mitte der achtziger Jahre durchstreifte er die ländlichen Bezirke Englands und verbrachte Sommer wie Winter beim Malen im Freien. Er wohnte in billigen Unterkünften in den kleinen Dörfern von Oxfordshire, Berkshire, Hampshire und an der Küste von Suffolk und arbeitete manchmal mit Künstlerfreunden wie Blandford Fletcher und Edward Stott. Das Gemälde besticht durch seine Lichthaltigkeit, seine juwelenartige Farbgebung und die präzise Klarheit, mit der Osborne die Atmo-

sphäre und jedes Detail formuliert. Das stehende Mädchen ähnelt den Figuren von Bastien-Lepage, wie auch die ›tonale‹ Palette in Grau- und Beige-Nuancen und der Pinselduktus an Figuren und Mole den Einfluß des Franzosen verraten. Doch Osbornes stilistische Unabhängigkeit zeigt sich in der Behandlung der Strandkiesel, die er als kleine farbige Tupfer in einer dem Divisionismus verwandten Technik gestaltet. Wilson Steer traf Osborne in den achtziger Jahren in Walberswick: Steers etwas spätere pointillistische Darstellung des dortigen Strandes (Kat. 99) sollte man mit Osbornes Fassung vergleichen.
J.B.T.

PHILIP WILSON STEER
(1860-1942)

99 Knucklebones, Walberswick,
    um 1888/89

Das Knöchelspiel, Walberswick

Öl auf Leinwand, 61 x 76,2 cm
Bez. u.l.: PW Steer
Erste Ausstellung: Goupil Gallery,
London, Dezember 1889,
›London Impressionists‹
Ipswich Borough Council Museums
and Galleries
Lit.: Laughton 1971, Kat.46, S.17-20,
27-28; Cambridge 1986 (8)

Das in Walberswick an der Küste von Suffolk gemalte Bild zeigt, daß Steer hier mit Ideen der französischen Kunst experimentiert hat. Die kleinen Farbtupfer lassen an Seurats Pointillismus denken, die in breiterer Malweise behandelten Figuren und die schwungvollen Pinselstriche, mit denen das Meer gestaltet ist, stehen hingegen Monets Handschrift näher. Der hoch angesetzte Blickwinkel der Komposition und die Pose des auf dem Rücken liegenden Mädchens sind von Degas' *Bains de mer: Petite fille peignée par sa bonne* (um 1876/77, London, National Gallery) abgeleitet, von dem 1889 eine Lithographie veröffentlicht wurde. Steer könnte Gemälde von Seurat, Monet und Degas sowohl in Paris als auch in London gesehen haben und mag anschließend mit Seurat in direkten Kontakt gelangt sein, als er von der belgischen Avantgarde-Künstlergruppe ›Les Vingt‹ (Les XX) zur Ausstellung 1889 und

1891 eingeladen wurde. Doch Steer war kein strenger Anhänger des Pointillismus; seiner Überzeugung nach sollte sich der Stil ganz natürlich aus dem Bildgegenstand ergeben. So mag er die farbigen Tupfer einfach als bestes Mittel zur Wiedergabe der Kiesel am Strand benutzt haben; zeigen doch seine zahlreichen Skizzen und Ölbilder von Walberswick aus der Zeit von 1888/89 auch abrupte Wandlungen in Stil und Stimmung auf. *Das Knöchelspiel* wurde bei der Ausstellung der ›London Impressionists‹ 1889 gezeigt. Diese von Walter Sickert angeführte Künstlergruppe setzte sich in Großbritannien für die fortschrittliche französische Malerei ein. Sickert bewunderte *Das Knöchelspiel* und lobte Steers »Einsicht in das Wesen des Kindes« (›The Whirlwind‹, 12.Juli 1890). Zahlreiche Werke von Steer aus dieser Zeit fangen den feinen Hauch von Kindheit und Jugend ein.
J.B.T.

JOHN SINGER SARGENT
(1856-1925)

100 In a Garden (In the Orchard),
     um 1886

In einem Garten (Im Obstgarten)

Öl auf Leinwand, 61 x 73,7 cm
Privatsammlung
Lit.: Leeds 1979, S.38;
Olson, Adelson und Ormond 1986,
S.100

Als junger Mann in Paris stand Sargent mit den Impressionisten Malern Claude Monet, Camille Pissarro und Auguste Renoir in freundschaftlicher Verbindung. Auch als er nach England zurückgekehrt war, riß der Kontakt zu Monet nicht ab; 1887 besuchte er ihn in Giverny. Das spontan gefundene Sujet, die vielfach gebrochene Textur und die Brillanz der prismatischen Farben dieses Gemäldes, das wohl eine Landschaft in den Cotswolds bei Broadway darstellt, wo Sargent sich bis etwa 1887 häufig aufhielt, offenbaren den starken Einfluß besonders des französischen Impressionismus auf ihn.
Edmund Gosse, der Sargent in Broadway traf, schilderte seine Methode der Landschaftsmalerei: »Er pflegte mit einer großen Staffelei beladen herauszukommen, ein paar Schritte ins Freie zu tun und sich dann plötzlich irgendwohin zu stellen, hinter einen Schuppen, gegenüber einer Wand, in die Mitte eines Feldes ... Die anderen Maler staunten darüber, daß Sargent niemals einen

Blickpunkt ›auswählte‹, aber er erklärte ..., sein Ziel sei es, genau das wiederzugeben, auf was immer sein Blick falle, ohne das geringste vorherige ›Arrangement‹ von Details.« (Charteris 1927, S.77)
In England wurde Sargent allmählich als der führende Verfechter und Meister des impressionistischen Stils angesehen. 1886 gehörte er zu den Gründungsmitgliedern des New English Art Clubs, und im Jahr darauf wurde sein Gemälde mit dem Volkslied-Titel *Carnation, Lily, Lily, Rose* (RA 1887, London, Tate Gallery) begeistert aufgenommen. Doch Schritt für Schritt glich sich Sargent den ästhetischen Konventionen in England an. Der Beiname »Erzapostel der Flecken- und Tupferschule« (AJ, 1887, S.248) mag ihn zwar gefreut haben, aber in gewisser Hinsicht war dieser vielgelobte Stil gleichbedeutend mit einem Rückzug zu Stimmung, Tonalität und ›Arrangement‹ und der Einbuße an Unmittelbarkeit und Spontaneität der Landschaftsmalerei.
C.S.N.

100   John Singer Sargent, In einem Garten (Im Obstgarten), um 1886

WALTER RICHARD SICKERT
(1860-1942)

101 The Old Bedford, 1894/95
Das Old Bedford-Theater

Öl auf Leinwand, 76,3 x 60,5 cm
Bez u. r.: Sickert
Erste Ausstellung: New English
Art Club, Winter 1895 (73)
Trustees of the National Museums
and Galleries on Merseyside
(Walker Art Gallery, Liverpool)

In Anlehnung an die Theater- und Café-Concert-Themen von Edgar Degas begann Sickert 1887, Music-Hall-Interieurs zu malen. Dieses Motiv war für die britische Kunst ganz neu. Whistler, Sickerts erster Lehrer, hatte zwar Schauspieler im Kostüm gemalt, aber niemals den Zuschauerraum. Sickerts Music-Hall-Bilder der späten achtziger Jahre wurden als vulgär kritisiert, denn die Music Hall war eine Vergnügungsstätte für die arbeitenden Klassen und wurde von Handwerkern und kleinen Ladenbesitzern besucht. Zudem riefen die Music Halls den Widerstand von Reformatoren aus der Mittelschicht auf den Plan, weil im Zuschauerraum Alkohol ausgeschenkt wurde: Das alte Bedford-Theater, 1861 erbaut, war mit einem Wirtshaus in Camden Town verbunden. In den neunziger Jahren galt es bereits als veraltet, längst ausgestochen von den neuen Halls im West End, aber Sickert bevorzugte das heruntergekommene Ambiente und die Bauweise der alten Halls und zog Nutzen aus dem malerischen Kontrast zwischen der üppigen Architektur und dem Cockney-Publikum.

Der erste Titel dieses Gemäldes lautete *The Boy I love is up in the Gallery* nach einem beliebten Music-Hall-Lied, das von Stars wie Marie Lloyd und Dot Hetherington gesungen wurde. Die Letztgenannte hatte Sickert bereits 1888/89 in dem Gemälde *Little Dot Hetherington at the Bedford Music Hall* (Privatsammlung) dargestellt. Es stellt die Sängerin auf der Bühne, zur Galerie zeigend, dar. *Das Old Bedford-Theater* bildet vielleicht das Pendant dazu. Es war das erste von Sickerts Bildern, das sich allein mit dem Publikum befaßte, ohne die Schauspieler zu zeigen. In unregelmäßigen Flecken fein abgestimmter Farbtöne erkundete er den Effekt des Rampenlichts auf den Gesichtern und den vergoldeten Stuckverzierungen. Der hoch angesetzte Blickwinkel und die Verwendung eines Spiegels erlaubten ihm, eine in ihrer Raumwirkung fesselnde und originelle Komposition zu schaffen. J. B. T.

101   Walter Richard Sickert, Das Old Bedford-Theater, 1894/95

102   Sir George Clausen, Vogelverscheuchen: März, 1896

103   Sir Alfred Munnings, Gestrandet, 1898

SIR GEORGE CLAUSEN
(1852-1944)

102 Bird Scaring: March, 1896
Vogelverscheuchen: März

Öl auf Leinwand, 100,5 x 125,5 cm
Bez. u. r.: G. Clausen 1896
Signatur rechts unten: G. Clausen 1896
Erste Ausstellung: RA 1896 (21)
Harris Museum and Art Gallery,
Preston
Lit.: Bradford 1980 (81)

Das Gemälde zeigt einen Jungen mit einer hölzernen Klapper, der die Vögel von den frisch ausgestreuten Saaten auf den Feldern verscheucht, ein Thema, das Frederic Shields (Kat. 48) schon einige Jahre zuvor behandelt hat. Licht, Farbe und Bewegung in diesem Bild stellen eine Neuerung gegenüber dem Stil der achtziger Jahre dar, als der Einfluß von Bastien-Lepage seinen Höhepunkt erreicht hatte. Anstelle kräftiger Modellierung und breitpinseliger Strichführung geht Clausen dazu über, lockere, schwungvolle Pinselhiebe aufzutragen und Licht und Farbe stärker zu variieren, um die Atmosphäre zu verschiedenen Tages- und Jahreszeiten einzufangen. Als Bewunderer der Pastelle von Degas macht auch er Experimente mit der Pastell-

malerei, die wiederum auf seine Ölfarbentechnik zurückwirken: Er erzielt irisierende Effekte durch das Nebeneinandersetzen von Strichen in verschiedenen Farben. Der Junge in diesem Bild wurde von Kritikern als »häßlich« und »ungeschlacht« kritisiert (›Times‹, 25. Mai 1896, S. 4; ›Athenaeum‹, 23. Mai 1896, S. 88). Der Typus der in unförmige bäuerliche Kleidungsstücke gehüllten Figur ist Bastien-Lepage entlehnt, aber Clausen hat sie in voller Bewegung eingefangen: Sie strahlt ungestümes Entzücken über das Leben im Freien aus und weist damit auf die Freude an der Arbeit ebenso wie auf die Würde des bäuerlichen Tuns im Jahreskreis hin, wie es Millet darzustellen pflegte, den Clausen sehr bewunderte.   J.B.T.

SIR ALFRED MUNNINGS
(1878-1959)

103 Stranded, 1898
Gestrandet

Öl auf Leinwand, 45,7 x 35,6 cm
Bez. u. l.: A. J. Munnings 1898
Erste Ausstellung: RA 1899 (817)
Bristol Museums and Art Gallery
Lit.: Manchester 1986 (2)

Dieses Bild war eines der beiden Werke, mit denen Munnings sein Debut bei der Ausstellung der Royal Academy 1899 bestritt, wenngleich er es 1898 noch als Kunststudent gemalt hatte. Er verdankte die erste Inspiration dazu dem Bild eines (nicht identifizierten) Künstlers, das er im März 1898 in Amsterdam sah und beschrieb: »ein kleines Mädchen in einer blaßblauen Kittelschürze, das eine Zipfelmütze trägt und auf einer Sanddüne sitzt«. Als er wenig später seine Kusine ähnlich gekleidet erblickte, beschloß er, sich an einem Bild von ihr und ihrem Bruder zu versuchen, wobei ihm ein Ruderboot als geeignetes Szenario erschien. Daß eine ›Geschichte‹ daraus wurde, weil das Boot in den Binsen des Ufers steckenblieb, war Zufall. Das Bild entstand spontan an Ort und Stelle an drei Vormittagen.

Stranded entspringt ganz deutlich demselben Geist liebevoller Beobachtung, der sich auch in anderen viktorianischen Kinderszenen zeigt, wie etwa bei Thomas Webster (Kat. 36). In maltechnischer Hinsicht spiegelt das Werk etwas von der akademischen Lehre der Kunstschulen der neunziger Jahre: Die Bravour der Pinselführung ist dem tonangebenden John Singer Sargent (Kat. 100, 111) verpflichtet, das Malen im Freien war Usus bei den zeitgenössischen britischen Landschaftern, insbesondere den Mitgliedern des New English Art Club. Munnings war weitgehend an die britische Tradition figurativer Malkunst gebunden, die im künstlerischen Establishment bis weit ins 20. Jahrhundert hinein herrschte. Als Präsident der Akademie im Jahr 1949 griff er Werke der Moderne als »affektierten Betrug« an.   R.H.

JAMES TISSOT (1836-1902)

104 On the Thames, 1876
Auf der Themse

Öl auf Leinwand, 72,5 x 118 cm
Bez u. r.: J.J. Tissot
Erste Ausstellung: RA 1876 (113)
Wakefield Museums, Galleries and Castles
Lit.: Wentworth 1984, S. 88, 94, 107-109; London 1984b (81)

Tissot entwickelte schon als Junge in Nantes einen große Liebe zu Schiffen und malte später, von Whistlers frühesten Londoner Gemälden inspiriert, häufig Genreszenen, die an Bord eines Schiffes spielen oder von stimmungsvollen Uferlandschaften geprägt sind. *On the Thames* bietet ein gutes Beispiel dafür, welch wichtige Rolle für die Viktorianer moralische Überlegungen bei der Beurteilung von Malerei spielten. Zwei junge Mädchen ohne Anstandsdame mit einem Schiffsoffizier unterwegs, dazu Picknickkorb und Champagner – das galt nicht als respektables Thema für ein Gemälde und wurde scharf getadelt. Die Zeitschrift ›Athenaeum‹ hielt das Bild für »durch und durch und vorsätzlich vulgär« und beschrieb die Damen als »häßlich und aus schlechter Familie« (13. Mai 1876, S. 670). Die Zeitschrift ›Spectator‹ nannte sie »unleugbar Pariser Damen« (27. Mai 1876, S. 682), und ›Graphic‹ meinte, daß »die ent-

haltenen Anspielungen dem Bild kaum zur Ehre gereichen. Sie sind wohl eher französisch als englisch zu nennen, nicht wahr?« (13. Mai 1876, S. 471) Tissots Bilder von eleganten gesellschaftlichen Anlässen wurden häufig dafür gerügt, daß es ihnen an moralischem Gehalt mangele. Ruskin bezog sich einmal auf Tissots Gemälde als »reine Farbphotographien der vulgären Gesellschaft« (Ruskin, 1903-12, Bd. 7, S. 161). Ein folgendes und ähnliches Bild Tissots mit dem Titel *Portsmouth Dockyard* (London, Tate Gallery) fand mehr Anklang. Später unter dem Titel *Entre les deux mon cœur balance* als Radierung gestaltet, zeigt es einen Soldaten eines schottischen Hochländer-Regiments, der mit einer von zwei Damen auf einem Schiff flirtet, während die andere gute Miene zum bösen Spiel macht. Im Hintergrund erkennt man Lord Nelsons Schiff, ›The Victory‹.   J.B.T.

104   James Tissot, Auf der Themse, 1876

EDITH HAYLLAR (1860-1948)

105 A Summer Shower, 1883
Ein sommerlicher Regenschauer

Öl auf Holz, 53,3 × 43,2 cm
Bez. u. l.: EDITH HAYLLAR 1883
Erste Ausstellung: RA 1883 (420)
The Forbes Magazine Collection,
New York

Lit.: New York 1975 (22)

Die hier dargestellte Szene – eine Tennispartie ist vom Regen unterbrochen worden, die Spieler haben Zuflucht im Haus gefunden, plaudern und nehmen Erfrischungen zu sich – spielt auf dem Landsitz der Familie Hayllar, Castle Priory, in Wallingford in Berkshire mit Ausblick auf die Themse gelegen. In den Bildern von Edith und ihrer Schwester Jessica Hayllar erscheinen häufig Interieurs ihres Hauses. Sportliche Vergnügungen wie Jagdausflüge oder Ruderpartien gehörten zu den Lieblingsmotiven der Malerin, doch sie gab dabei lieber die Augenblicke des Ausruhens als der Aktivität wieder. Ihr Werk zeichnet sich durch sorgfältig gemalte Details aus, wie sie hier etwa die Gläser und Krüge auf den Tischen oder die Führung des Lichts vom Fenster über die Figuren durch den Türbogen bezeugen. Bilder wie dieses, naturalistische ›Protokolle‹ des Lebens und des Zeitvertreibs der gehobenen englischen Schichten, wurden im viktorianischen Zeitalter von talentierten Amateuren in Fülle geschaffen. J.B.T.

105   Edith Hayllar, Ein sommerlicher Regenschauer, 1883

106   Sir Hubert von Herkomer, Harte Zeiten 1885, 1885

107   Frank Holl, Abschied von der Heimat, 1877

Sir Hubert von Herkomer
(1849-1914)

106 Hard Times 1885, 1885
Harte Zeiten 1885

Öl auf Leinwand, 86,5 x 112 cm
Bez. u. l.: H H 85
Erste Ausstellung: RA 1885 (1142)
Manchester City Art Galleries
Lit.: Edwards 1984, S. 258-272;
Manchester 1987 (82)

Das Bild wurde während des ausnehmend harten Winters von 1885 gemalt, als Tausende von Landarbeitern Arbeit und Heim verloren. Obwohl Herkomer einen realen Schauplatz – nämlich Coldharbour Lane in Bushey, Hertfordshire – wiedergab, war das Bild gestellt. Die Modelle des Malers, die in Haltungen der Niedergeschlagenheit für ihn posierten, waren ein Arbeiter namens James Quarry und dessen Familie. Der arbeitslose Mann starrt in die Ferne, in Haltung und Blick zugleich Hoffnung und Verzweiflung ausdrückend; seine Frau sitzt mit niedergeschlagenem Blick auf der Erde, ihre Kinder an sie geschmiegt – ein Bild weiblichen Jammers. Der gewundene Weg lenkt die Augen des Betrachters in den Hintergrund des Gemäldes, symbolisch also in die Zukunft. Hier drängen sich gewisse Ähnlichkeiten mit van Goghs verzerrter Bildperspektive auf, etwa in dessen *Erinnerung*

an den Garten in Etten (1888, Eremitage, St. Petersburg). Van Gogh bewunderte Herkomer und sammelte seine Illustrationen.

Harte Zeiten 1885 – der Titel ist ein bewußt aktualisierter Verweis auf Dickens' gleichnamigen Roman von 1845 – geht auf frühere Darstellungen ländlicher Ausgestoßener von G. F. Watts und Frederick Walker zurück, die Herkomer beide schätzte. Die Komposition ist dem Topos der Rast auf der Flucht nach Ägypten verpflichtet, die Frau ähnelt der Allegorie der Barmherzigkeit, einer Frau mit zwei Säuglingen. Indem Herkomer traditionelle Ikonographie mit einem zeitgenössischen Sujet und einen spezifischen historischen Augenblick mit einer zeitlosen, universellen Botschaft verband, schuf er ein Äquivalent zu den klassischen und mythologischen Historienbildern des späten 18. und 19. Jahrhunderts. J.B.T.

Frank Holl (1845-1888)

107 Gone, 1877
Abschied von der Heimat

Öl auf Holz, 54 x 46,5 cm
Bez. u. l.: Frank Holl
Erste Ausstellung: Tooth's Gallery, London, Winter 1877?
The Trustees of the Geffrye Museum, London

Holls Stich dieses Themas erschien zum erstenmal am 19. Februar 1876 in der Zeitschrift ›Graphic‹ und wurde dort als Abreise von Emigranten im Jahre 1875 mit dem Zug um 9.15 Uhr nach Liverpool beschrieben. Die Fahrt der Männer gilt der Arbeitssuche, Frauen und Kinder bleiben zurück. 1877 griff Holl das Thema erneut für ein großes Ölgemälde auf (verschollen). Das hier gezeigte Bild stellt eine kleine Version davon dar.

Das Gemälde wurde wegen seines »Sentiments« (starken Gefühls) bewundert, man bezeichnete es als »gefühlsgeladen« (›Times‹, 1. Dezember 1877) und sagte, es »rühre das Herz der Menschheit« (›Art Journal‹ 1878, S. 16). Vincent van Gogh schätzte es, wiewohl er es nur von jenem Stich her kannte, er erwähnte in einem seiner Briefe, daß die Frau mit dem Baby ihn an Sien erinnere, die Pro-

stituierte, mit der er seit 1882 zusammenlebte. Van Gogh gewann während seiner Londoner Jahre, 1873-76, Geschmack an der zeitgenössischen britischen Kunst. Bei seiner Rückkehr nach Holland trug er eine große Sammlung von britischen Holzschnitten zusammen (heute im van Gogh Museum, Amsterdam), darunter auch eine Kopie von *Gone*.

Seit seiner Gründung im Jahr 1869 ermutigte das Magazin ›Graphic‹ seine Künstler, Szenen von der Armut der arbeitenden Klasse darzustellen. Holl malte u. a. ein von seiner Mutter verlassenes Baby, das Geschäft eines Pfandleihers, das Innere des Gefängnisses von Newgate. Er war nicht der einzige unter den viktorianischen Malern, die das Thema der Emigration behandelten, das eines der wichtigsten sozialen Ereignisse der Epoche war. J.B.T.

George Frederic Watts
(1817-1904)

108 Portrait of Thomas Carlyle, 1868-77
Bildnis Thomas Carlyle

Öl auf Leinwand, 66 x 53,3 cm
Erste Ausstellung: GG, Winterausstellung, 1882, ›Collection of the Works of G. F. Watts‹ (125)
National Portrait Gallery, London

George Frederic Watts begann seine Porträtserie der hervorragendsten Männer und Frauen des Jahrhunderts – die unter dem Namen ›Hall of Fame‹ (›Ruhmeshalle‹) bekannt werden sollte – zur Zeit des Krimkrieges (1854-56). Jedes dieser Bildnisse entsprang seiner eigenen Wahl; einige der Modelle kannte er persönlich, andere überredete er, ihr Bild in seine Galerie nationaler Helden aufnehmen zu dürfen. Mitte und Ende der sechziger Jahre wuchs die Sammlung rasch an, in den achtziger Jahren unternahm Watts einen neuen ›Feldzug‹, und 1895 präsentierte er die meisten dieser Werke in der National Portrait Gallery.

Thomas Carlyle, Essayist und Historiker, Autor einer Reihe von Büchern von ›Die Französische Revolution‹ über ›Friedrich II. von Preußen‹ bis zu ›Sartor Resartus‹, galt

weithin als der führende britische Intellektuelle der Zeit, der englischen Lesern die Gedankengänge der europäischen Philosophie nahebrachte und dadurch den Geist der Epoche tiefgreifend beeinflußte. Watts arbeitete neun Jahre lang an seinem Porträt. Carlyle ließ sich nur ungern malen und haßte den Zeitaufwand, den die Sitzungen erforderten. Als schließlich die verschiedenen Fassungen des Porträts vollendet waren, beklagte er sich seinem Bruder gegenüber, daß Watts ihn als »wahnsinnigen Arbeiter« dargestellt habe: »Es ist entschieden ein ganz unerträgliches Bild von mir gemalt worden, ein Scharlatan mit irrem Blick, gewalttätig, dummdreist, linkisch, ohne erkennbare Ähnlichkeit mit irgend etwas, das ich je in einem meiner Gesichtszüge gesehen habe.« (Ormond 1973, S. 89) C.S.N.

108   George Frederic Watts, Bildnis Thomas Carlyle, 1868-77

JAMES ABBOTT MCNEILL
WHISTLER (1834-1903)

109 Arrangement in Yellow and Grey:
Effie Deans, um 1876
*Arrangement in Gelb und Grau:
Effie Deans*

Öl auf Leinwand, 194 × 93 cm
Bez. u. l.: she sunk her head upon her
hand / and remained seemingly / un-
conscious as a statue / The Heart of
Midlothian / Walter Scott
Erste Ausstellung: Edinburgh,
International Exhibition, 1886
Rijksmuseum, Amsterdam
Lit.: Young 1980 (183)

Das Modell für dieses Bild war Maud Franklin, die in den frühen siebziger Jahren zum
erstenmal für Whistler posierte und bis zu
dessen Heirat 1888 seine Geliebte war. Sie
hatte zwei Töchter von ihm und erscheint in
einigen seiner schönsten Porträts.

Zum Zeitpunkt der berüchtigten Whistler-
Ruskin-Beleidigungsklage im November
1878 (siehe Kommentar Kat. 81) soll Whistler
zwei Porträts von Maud Franklin, die einander recht ähnelten (eines davon *Arrangement
in Black and Brown: The Fur Jacket*, Worcester Art Museum, Massachusetts), beschrieben haben als »meine eigenen Impressionen.
Ich widme mich ihrem Studium. Sie sollen
nur denjenigen gefallen, die etwas von der
Sache verstehen ...« Die Malweise und die
Thematik von *Effie Deans*, offensichtlich von
der Heldin aus Walter Scotts Roman ›The
Heart of Midlothian‹ (1818) inspiriert, unter-

streicht den experimentellen Charakter solcher Arbeiten. Tatsächlich scheinen der Titel
und das Zitat aus Scotts Werk, das dem Werk
beigefügt wurde, eine nachträgliche Idee gewesen zu sein. Im Gegensatz zu dem erwähnten Bild *The Fur Jacket*, in dem Maud in mo-
discher und eleganter Kleidung erscheint, gibt
Whistler sein Modell hier mit einem Schal
und langem, weiten Rock wieder; er versucht
Möglichkeiten einer historischen Kostümie-
rung statt eines quasi historischen Ereignis-
ses, um nicht-realistische abstrahierende Effekte zu schaffen.

Das schmale, vertikale Format dieses Porträts, sein Spiel mit kühlen Farbtönen und
seine schwungvollen Pinselstriche sind für
Whistlers reifen Bildnisstil kennzeichnend.
Sie sind das Ergebnis seiner Bewunderung für
Velázquez, die bis in seine Pariser Studenten-
zeit in den fünfziger Jahren zurückreichte.

R.H

JAMES ABBOTT MCNEILL
WHISTLER

110 Miss Rosalind Birnie Philip
standing, um 1897
*Miss Rosalind Birnie Philip,
stehend*

Öl auf Holz, 23,4 × 13,7 cm
Hunterian Art Gallery, University
of Glasgow, Birnie Philip Bequest
Lit.: Hopkinson 1990

Rosalind Birnie Philip (1873-1958) war die
jüngste Tochter des Bildhauers John Birnie
Philip und der Schwägerin von Whistler.
Nachdem Whistlers Ehefrau 1896 gestorben
war, führte Rosalind ihm den Haushalt; er
nannte sie liebevoll ›den Major‹, ›den General‹ oder – weil sie über alles in der Nachbarschaft Bescheid wußte – ›die Polizistin von
Chelsea‹. Dieses kleine Bild, das in seiner Pariser Wohnung entstand, vermittelt den rüh-
renden Eindruck ihres häuslichen, doch sehr
energischen Wesens. Rosalind und eine ihrer
Schwestern, Ethel, waren Whistlers bevorzugte Porträtmodelle.

In den achtziger und neunziger Jahren entstanden zahlreiche kleine Ölbilder: Seestücke,
Ansichten von Ladenfronten und Porträts. Sie
sind fast stets, wie hier, auf Holz mit einer
grauen Grundierung gemalt, die dem Bild einen hindurchschimmernden silbrigen Farbton

verleiht. In Format und Intimität sind diese
Bilder mit Whistlers Radierungen und Farbli-
thographien verwandt, wenngleich die Inte-
rieurs mit den Gemälden der zeitgenössischen
französischen Intimisten Pierre Bonnard und
Edouard Vuillard in Verbindung stehen. Der
Charakter und die Technik dieser Gruppe von
Whistlers Werken sollte eine Reihe seiner
Anhänger beeinflussen, insbesondere Walter
Sickert, der 1882 sein Gehilfe wurde.

Wie dies auch bei Turners Spätwerk der
Fall ist, weisen diese kleinen Ölbilder die malerische Meisterschaft Whistlers ebenso aus
wie sein Vermögen, die Quintessenz eines
Motivs wiederzugeben – stets ein Kennzeichen der reifen Phase großer Maler. Der hier
abgebildeten kleinen, ganzfigurigen Gestalt
hat er dieselbe kraftvolle und großzügige
Malweise angedeihen lassen wie seinen lebensgroßen ganzfigurigen Porträts (Kat. 109).

R.H.

JOHN SINGER SARGENT
(1856-1925)

111 The Sitwell Family, 1900
Die Familie Sitwell

Öl auf Leinwand, 170 × 193 cm
Bez. u. l.: John S. Sargent
Sir Reresby Sitwell Bt
Lit.: Ormond 1970, S. 251-252

Sargents Gruppenporträt zeigt Sir George und
Lady Sitwell mit ihren drei Kindern Edith,
Osbert und Sacheverell. Ein Brief von Sir
George von Juni 1899 verdeutlicht seine
Schwierigkeiten, Sargent für den Plan dieses
Familienporträts zu gewinnen: »Ich glaube,
ich habe mich mit Sargent für nächstes Jahr
geeinigt, aber ›zwischen Lipp und Kelches-
rand schwebt der dunklen Mächte Hand‹. Sar-
gent ... will nur in seinem eigenen Atelier in
London malen, will nichts hören von einem
Motiv für die Gruppe oder einem Bild im
Freien ... Es ist daher klar, daß ich nicht das
bekommen kann, was ich will, nämlich eine
Porträtgruppe, die informativ ist und ihre eigene Geschichte erzählt und als Pendant und
farbliches Gegengewicht neben dem Copley
[*The Sitwell Children*, 1787 gemalt] hängen
kann. Doch Sargent *ist* nun einmal ein großer
Künstler, und wenn alles gut geht, werde ich
das Beste bekommen, was diese Epoche zu

bieten hat«. (Ormond, 1970, S. 252) Das Gemälde entstand in Sargents Atelier in Chelsea;
Möbel, Tapeten und Kinderspielzeug wurden
von Renishaw, dem Haus der Sitwells in Der-
byshire, gebracht.

Das Format von Sargents Porträt wurden
im Einklang mit Copleys Format festgelegt,
auch der Maßstab der Figuren im Verhältnis
zum Gesamtformat richtete sich nach dem
Pendant. Sargent mochte es wohl anregend
gefunden haben, ein Gegenstück zu dem Porträt eines früheren amerikanischen Künstlers
zu schaffen, der in England tätig gewesen
war. In seiner frühen Schaffensphase hatte er
sich den Ruf eines allzu scharfen und bitteren
künstlerischen Kommentators der Gesellschaft erworben, aber in Werken wie diesem
hat er ein feines Gleichgewicht zwischen psy-
chologischer Durchdringung und Gesell-
schaftsbild eingehalten – zur Zufriedenheit
des Auftraggebers.

C.S.N.

109   James Abbott McNeill Whistler, Arrangement in Gelb und Grau: Effie Deans, um 1876

110   James Abbott McNeill Whistler, Miss Rosalind Birnie Philip, stehend, um 1897

111   John Singer Sargent, Die Familie Sitwell, 1900

Künstlerbiographien

Sir Lawrence Alma-Tadema (1836-1912)

wurde als Sohn eines Notars in Dronrijp bei Leeuwarden, Friesland, geboren. 1852-57 studierte er an der Akademie in Antwerpen, 1859 bei Hendrik Leys. In seinem Frühwerk stellte er Szenen aus der Geschichte der Merowinger und der Franken dar. Nach einem Besuch Londons und seiner Museen, 1862, malte er mit Vorliebe ägyptische Themen; seine Hochzeitsreise nach Italien, 1863, bei der er Pompeji und Herculaneum kennenlernte, erweckte wiederum sein Interesse an der Antike. 1864 begegnete er dem belgischen Kunsthändler Ernest Gambart, der sein Werk in Brüssel und London zeigte; 1865 zog er nach Brüssel und 1870, nach dem Tod seiner Frau, nach London. 1871 heiratete er die Künstlerin Laura Epps. Tadema malte minutiös detaillierte Rekonstruktionen antiker Alltagsszenen, die auf umfassenden archäologischen Kenntnissen beruhten. Bei britischen Sammlern waren seine Werke sehr begehrt. Die beiden Londoner Atelierhäuser, die er nacheinander bewohnte, gestaltete er zu sorgfältig nachgebildeten pompejanischen Palästen aus. Er malte auch Porträts und entwarf aufsehenerregende Bühnenbilder. 1876 wurde er zum außerordentlichen Mitglied der Royal Academy gewählt, 1897 zum Vollmitglied, und 1905 erhielt er den Order of Merit. J. B. T.

Lit.: Sheffield 1976; Swanson 1990

Edward Armitage (1817-1896)

wurde als Sohn einer aus Yorkshire stammenden Familie in London geboren. Gegen den Willen seines Vaters ging er 1836 nach Paris, um bei Paul Delaroche zu studieren. 1838 assistierte er seinem Lehrer bei der Arbeit an dessen Wandgemälde für die Ecole des Beaux-Arts. 1842 beteiligte er sich mit dem Entwurf *Caesar landing in Britain* am Wettbewerb für die Ausgestaltung des Palace of Westminster und erhielt mit 300 £ einen der ersten Preise. Es hieß, Delaroche habe ihm bei diesem Entwurf geholfen. Auch beim zweiten und dritten Westminster-Wettbewerb erhielt er einen Preis – 1845 für den Entwurf *The Spirit of Religion*, 1847 für das Ölgemälde *Battle of Meeanee*, das später von der Königin erworben wurde. Von 1848 an beteiligte er sich oft an den Sommerausstellungen der Royal Academy. Sein Fresko für den Palace of Westminster, *Father Thames and His Tributaries*, vollendete er 1852. 1855 reiste er im Auftrag des Kunsthändlers Ernest Gambart auf die Krim, im Frühjahr darauf stellte er in der French Gallery die Bilder *The Guards at Inkerman* (Kat. 38) und *The Cavalry Charge of Balaklava* aus. Mit *Retribution* (1858, Leeds City Art Gallery) schuf er auch eine allegorische Darstellung des indischen Aufstands. In seinem Spätwerk wandte er sich Motiven aus dem Alten und Neuen Testament zu. 1867 wurde er außerordentliches und 1872 Vollmitglied der Royal Academy; er unterrichtete an den Academy Schools und stiftete einen jährlich vergebenen Preis für Historienbilder. C. S. N.

Lit.: Dafforne 1863, S. 177-180; AJ 1896, S. 220.

Robert Bateman (1842-1922)

wuchs als Sohn eines Gartenbaumeisters in Staffordshire auf. Der auf Seestücke spezialisierte Maler E. W. Cooke, mit dem er als junger Mann nach Spanien und Venedig reiste, ermutigte ihn, Maler zu werden. 1865 nahm er sein Studium an den Royal Academy Schools auf, und noch im selben Jahr fand seine erste Ausstellung in der Dudley Gallery statt. Seither galt er als Wortführer einer Künstlergruppe, die von einem Kritiker spöttisch als ›Dichtung-ohne-Grammatik-Schule‹ tituliert wurde (Crane 1907, S. 87). Die vorherrschenden Grüntöne und die Vorliebe für wehmütige Stimmungen in seinem Werk gehen auf den Einfluß der Aquarelle von Burne-Jones zurück. In den siebziger Jahren ging Bateman zu einem bewußt archaisierenden Malstil über: Seine Figuren beruhten auf einem unbestimmten Quattrocento-Modell, makellos in Detail und der Ausarbeitung, geheimnisvoll in der Atmosphäre. Zu den Werken, die zwischen 1871 und 1889 in der Royal Academy gezeigt wurden, gehörten *The Pool of Bethesda* (Yale Center for British Art) und *The Raising of Samuel* (verschollen). Zwischen 1882 und 1888 stellte er auch in der Grosvenor Gallery aus. Seinen Lebensunterhalt mußte Bateman mit seiner Kunst nicht verdienen – das könnte seine Vorliebe für eklektische Themen erklären. C. S. N.

Lit.: Taylor 1966; Kavanagh 1989

George Price Boyce (1826-1897)

wurde als Sohn eines Pfandleihers in London geboren, ging zunächst bei einem Architekten in die Lehre, doch 1849 ließ er sich von David Cox dazu ermutigen, Landschaftsaquarelle zu malen. In den frühen fünfziger Jahren kam er mit den Präraffaeliten in Verbindung, besonders mit Holman Hunt, Millais und D. G. Rossetti. Bis in die sechziger Jahre folgte er ihren Grundsätzen – er hielt sich eng an die Formen der Natur und malte akribisch detailgetreue, lebendig kolorierte Landschaftsdarstellungen. Auf Ruskins Anregung hin wandte er sich der Architekturzeichnung zu. Später machte er sich einen freieren und atmosphärisch dichteren Stil zu eigen: Seine Stadtansichten bei Nacht nahmen die Nachtstücke Whistlers vorweg. Von einigen Reisen abgesehen, verbrachte er sein Leben in London. Zu Beginn seiner Laufbahn stellte er in der Royal Academy aus; 1864 wurde er zum außerordentlichen Mitglied der Old Water-Colour Society ernannt. Er liebte die Geselligkeit; seine von 1851 bis 1875 geführten Tagebücher sind eine Informationsquelle über das Kunstleben seiner Zeit. C. S. N.

Lit.: Surtees 1980; London 1987

Frank Bramley (1857-1915)

wurde in Lincolnshire geboren. Er studierte an der Lincoln School of Art und an der Antwerpener Akademie. In den frühen achtziger Jahren besuchte er Venedig, 1884 stellte er in der Royal Academy venezianische Szenen aus. Im Winter 1884-85 ließ er sich in der Künstlerkolonie Newlyn in Cornwall nieder. Obwohl dem Naturalismus Bastien-Lepages verpflichtet, stellten seine wichtigsten in den achtziger Jahren in Newlyn entstandenen Gemälde keine Freilichtszenen dar, sondern Interieurs wie *Primrose Day* (1885, Tate Gallery, London) und *Domino!* (Kat. 97). In seinen Schilderungen trauernder Frauen traten sentimentale und narrative Elemente immer deutlicher in den Vordergrund. *A Hopeless Dawn* (RA 1888, Tate Gallery) steht beispielhaft für diese Sichtweise, der er mit Bildern wie *For of Such is the Kingdom of Heaven* (RA 1891, Auckland), der Darstellung eines Kinderleichenzugs, auch in den neunziger Jahren treu blieb. Bramleys Spätwerk ist durch einen freieren Malstil, nostalgische Themen und die Verwendung dekorativer Blumenmotive gekennzeichnet. 1895 verließ er Newlyn und ließ sich in Grasmere im Lake District nieder, wo er ländliche Szenen sowie Porträts malte. Nach längerer Krankheit starb er in London. J. B. T.

Lit.: London 1985c

John Brett (1831-1902)

war der Sohn eines Armeeveterinärs in Bletchingly in Surrey. Von 1851 an nahm er Zeichenunterricht bei J. D. Harding, und 1853 schrieb er sich an den Royal Academy Schools ein. Er wandte sich zunächst der figürlichen Malerei zu – seine ersten Academy-Ausstellungsbeiträge waren Porträts und Genrebilder. Ruskins ›Modern Painters‹ (Untertitel ›Von der Schönheit der Berge‹) regte ihn dazu an, die Alpen zu besuchen. Die minutiöse Detailausarbeitung im Werk J. W. Inchbolds bewegte ihn dazu, die Grundsätze der präraffaelitischen Landschaftsmalerei zu übernehmen. Unter Ruskins Aufsicht malte er *Val d'Aosta* (RA 1859, Privatsammlung). Auch in den fünfziger Jahren entstanden noch figürliche Bilder, insbesondere *The Stonebreaker* (RA 1858, Walker Art Gallery, Liverpool) und *The Hedger* (RA 1860, Privatsammlung). Schon Ruskin hatte *Val d'Aosta* als das »Werk eines Spiegels, nicht eines Menschen« bezeichnet (Ruskin 1903-12, Bd. 14, S. 237), und mit der Zeit nahmen Bretts Landschaften immer stärker ausgeprägte quasi-wissenschaftliche Züge an. Später malte er fast nur noch Küstenlandschaften und Seestücke. 1880 wurde *Britannia's Realm* (Tate Gallery, London) vom Chantrey Bequest angekauft; 1881 wurde er zum außerordentlichen Mitglied der Royal Academy ernannt. Im südwestlichen Londoner Stadtteil Putney baute er sich ein Haus mit Observatorium. C. S. N.

Lit.: Staley 1973, S. 124-137; Bendiner 1985, S. 47-63

Ford Madox Brown (1821-1893)

entstammte einer englischen Familie in Calais. Er studierte Kunst in Brügge, Gent und Antwerpen. 1840-43 lebte er in Paris. Sein eher dunkeltoniges, manieristisches Frühwerk war von seinem Studium der Alten Meister im Louvre und der zeitgenössischen französischen Malerei beeinflußt. 1844 zog er nach London, wo er sich ohne Erfolg an den Wettbewerben zur Ausgestaltung des Palace of Westminster beteiligte. 1845-46 reiste er nach Basel, Mailand, Florenz und Rom. Unter dem Einfluß Holbeins und der Nazarener ging er zu hellen Farben, ruhigen Lichtwirkungen und klaren Kompositionen über. 1848 begegnete er Rossetti, dem er Unterricht gab. Durch ihn stand er in enger Verbindung mit der im Herbst 1848 gegründeten Bruderschaft der Präraffaeliten. Er malte literarische und historische Sujets, doch seine bedeutendsten Werke sind seine eindringlichen Landschaften und die beiden Szenen aus der Gegenwart *The Last of England* (1855, Birmingham Museums and Art Gallery) und *Work* (1852-65, Manchester City Art Gallery). In den späten fünfziger Jahren entwarf er Möbel, zwischen 1861 und 1875 Farbfenster für Morris, Marshall, Faulkner & Co. Seine späten Gemälde, wie etwa die historischen Wandgemälde in der Manchester Town Hall (1878-93), zeichnen sich durch einen klaren, dekorativen Stil aus.

J. B. T.

Lit.: Liverpool 1964; Surtees 1981; Watkinson und Newman 1990

SIR EDWARD BURNE-JONES (1833-1898)

wurde als Sohn eines Bilderrahmers in Birmingham geboren. Er besuchte die King Edward's School in Birmingham und seit 1853 das Exeter College in Oxford. Die Absicht, Geistlicher zu werden, gab er zugunsten einer Künstler-Laufbahn auf. 1856 begegnete er Rossetti, der ihm Privatunterricht gab; 1857 ging er ihm bei den Wandmalereien für die Oxford Union zur Hand. Er schuf Entwürfe für farbige Glasfenster, Möbel und Kunstgewerbe. 1859 erste Italienreise; 1862 zweite Italienreise zusammen mit Ruskin. Seine mythologischen Bilder bei Ausstellungen in der Old Water-Colour Society stießen auf Ablehnung; 1870 trat er aus dieser Gesellschaft aus. Auf einige Jahre der Isolation folgte 1877 ein sensationeller Erfolg bei der ersten Ausstellung seiner Werke in der Grosvenor Gallery. 1871 und 1873 reiste er erneut nach Italien und studierte Michelangelo und Mantegna – zwei wichtige Einflüsse auf sein Spätwerk. 1887 wechselte er zur New Gallery. Die literarischen, mythologischen und biblischen Themen seiner Bilder zeugen von seiner umfassenden Bildung. Zu seinem Spätwerk zählen viele Großformate, die ihn lange beschäftigten: z. B. die Serie *Briar Rose* (ausgestellt 1890, Buscot Park, Oxfordshire) oder sein Gemälde *Arthur in Avalon* (1881-98, Museo de Arte, Ponce, Puerto Rico). Burne-Jones war ein liebenswürdiger und schüchterner Mann, dem sein Ruhm gleichgültig war; zusammen mit seiner Frau Georgiana führte er ein bescheidenes Leben in seinem Haus ›The Grange‹ im Londoner Stadtteil Fulham und in seinem Landhaus in Rottingdean in Sussex.   C. S. N.

Lit.: Burne-Jones 1904; Harrison and Waters 1973; Fitzgerald 1975; London 1975; Lago 1981; London 1984; Rom 1986

WILLIAM SHAKESPEARE BURTON (1824-1916)

war der Sohn eines Schauspielers und Dramatikers in London. Er studierte an den Government School of Design und seit 1846 an den Royal Academy Schools, zu deren Ausstellungen er sogleich zugelassen wurde. 1851 erhielt er die Goldmedaille der Royal Academy Schools für Histo-

rienmalerei; seine Historiengemälde wurden in der Academy ausgestellt. Doch lehnte die Akademie sein Bild *The London Magdalen* (verschollen) strikt ab: Es zeigte eine Prostituierte, die vor einer Kirche betet, die sie nicht zu betreten wagt – ein Sujet, das von den präraffaelitischen Schilderungen gefallener Mädchen angeregt war. Burton erlitt daraufhin einen Zusammenbruch. Nach dem Tod seiner ersten Frau heiratete er 1865 zum zweitenmal. Von 1868 bis 1876 lebte er in Italien und versank in London in Vergessenheit. Nach seiner Rückkehr wurden seine Werke erneut von der Academy abgewiesen, was 1882 einen zweiten Zusammenbruch zur Folge hatte. 1889 begann er jedoch wieder Genrebilder und religiöse Themen zu malen. Abgesehen von dem Spätwerk *The World's Ingratitude*, einem Christuskopf im symbolistischen Stil, ist heute nur noch sein Bild *A Wounded Cavalier* (Kat. 47) einem breiteren Publikum bekannt.   J. B. T.

Lit.: Dibdin 1897; London 1984b, S. 29

SIR GEORGE CLAUSEN (1852-1944)

wurde in London als Sohn eines Künstlers dänischer Herkunft geboren. Er wurde zunächst in einer Dekorationsfirma ausgebildet und studierte dann an der Kunstschule am South Kensington Museum. 1875 besuchte er Holland und Belgien und stellte von der Haager Schule beeinflußte holländische Szenen aus. In den späten siebziger Jahren malte er von Tissot und Whistler angeregte Interieurs und Szenen des modernen Lebens. Er besuchte Paris und 1882 die Bretagne. In den achtziger Jahren malte er Bauernmädchen und Landarbeiter in einem Bastien-Lepage verpflichteten Stil. 1876 war er Gründungsmitglied des New English Art Club. Für sein Bild *The Stonepickers* (NEAC 1877, Laing Art Gallery, Newcastle upon Tyne) erhielt er bei der Pariser Ausstellung von 1889 eine Medaille der zweiten Klasse. Seit 1891 stellte er in der Royal Academy aus; 1895 wurde er ihr außerordentliches, 1908 ihr Vollmitglied. Sein Werk der neunziger Jahre zeigt ein neues Interesse an Licht und Bewegung; bemerkenswert ist hier besonders seine Serie von Heuhaufenbildern und schattigen Scheuneninterieurs. Von 1903 an war er als Professor für Malerei erfolgreich an der Royal Academy tätig; im Ersten Weltkrieg diente er als offizieller Kriegskünstler. Ein historisches Wandbild im House of Commons trug ihm 1927 die Erhebung zum Ritterstand ein. Bis in seine letzten Jahre hinein war er ein passionierter Landschaftsmaler.   J. B. T.

Lit.: Bradford 1980

CHARLES WEST COPE (1811-1890)

wurde als Sohn eines Landschaftsaquarellisten in Leeds geboren. Er besuchte zunächst die Sass's School in London, dann die Royal Academy Schools. 1833-35 lebte und studierte er in Italien. Seit 1833 stellte er in der Royal Academy aus, zumeist historische und Shakespearesche Themen. 1843 erhielt er im Wettbewerb für die Ausgestaltung des Palace of Westminster für seinen Entwurf *An Early Trial by Jury* einen Preis von 300 Pfund. In Italien studierte er die Freskotechnik, bevor er die Arbeit an acht Fresken mit historischen Themen für die Houses of Parliament aufnahm. Prinzgemahl Albert ab ihm 1848 (in diesem Jahr wurde Cope Vollmitglied der Royal Academy) für die königliche Residenz Osborne House auf der Isle of Wight das Ölgemälde *The Death of Cardinal Wol-*

sey in Auftrag. Seine intimeren Frauen- und Kinderporträts stellten der Zeitschrift ›Art Journal‹ zufolge seine »nächsten Angehörigen« dar (Dafforne 1869, S. 179). Cope war Katholik, was seine Themenwahl beeinflußt haben könnte. Im viktorianischen Kunstestablishment nahm er eine wichtige Stellung ein: 1867 wurde er Professor für Malerei an der Royal Academy.   C. S. N.

Lit.: Dafforne 1869; Cope 1891

EDWARD HENRY CORBOULD (1815-1905)

entstammte einer Künstlerfamilie in London. Er studierte an der Sass's School und später an den Royal Academy Schools. An den Ausstellungen der Royal Academy nahm er von 1835 bis 1845 regelmäßig und danach bis 1874 unregelmäßig teil. Gelegentlich beteiligte er sich auch an Ausstellungen der British Institution und der Society of British Artists. Bekannt wurde er jedoch vor allem durch die Hunderte seiner Aquarelle zu biblischen, historischen und literarischen Themen, die er seit 1837 in der New Water-Colour Society ausstellte. Corbould war einer der Hauptvertreter einer technisch wie thematisch anspruchsvollen Aquarellmalerei, die mit den Maßstäben der Ölmalerei gemessen werden wollte. 1842 erwarb der Prinzgemahl Corboulds Aquarell *The Woman taken in Adultery*, und in den folgenden Jahren gingen noch zahlreiche weitere seiner Aquarelle in die königliche Sammlung ein. Im April 1852 nahm er das Angebot an, die Kinder des Königshauses im Zeichnen und Aquarellieren zu unterrichten; bis mindestens 1866 hielt er an dieser Tätigkeit fest. Die Prinzessinnen Victoria, Alice und Louise lehnten sich in ihrem Zeichenstil eng an den Corboulds an.   C. S. N.

Lit.: AJ, 1864, S. 98; Roberts 1987

DAVID COX (1783-1859)

wurde in Birmingham als Sohn eines Schmieds geboren. Er ging bei einem Miniaturmaler in die Lehre und arbeitete dann als Bühnenbildner. Er zog nach London, wo er 1804-08 von John Varley unterrichtet wurde. Von 1805 an stellte er in der Royal Academy aus, und etwa von dieser Zeit an unternahm er Malexpeditionen in die walisischen Berge. 1812 wurde er außerordentliches und im Jahr darauf Vollmitglied der Society of Painters in Water-Colours, bei der er fast jährlich ausstellte. 1813 veröffentlichte er ›Treatise on Landscape Painting‹, die erste aus einer Reihe von theoretischen und praktischen Abhandlungen zur Zeichen- und Malkunst. In den dreißiger Jahren widmete er sich vor allem dem Landschaftsaquarell, bei dem er lebendige atmosphärische Wirkungen erzielte, indem er statt mit Deckfarben mit reinen Wasserfarben auf grobkörnigem Papier malte. 1839 ließ er sich von W. J. Muller in Ölmalerei unterweisen, und in den vierziger Jahren entstanden neben Aquarellen auch viele Ölgemälde, die ebenfalls in der Royal Academy ausgestellt wurden. 1841 kehrte er nach Birmingham zurück. In seinen späteren Jahren verbrachte er den Sommer meistens in Bettws-y-Coed in Nordwales, wo er die Berglandschaft skizzierte und malte. Viele jüngere Landschaftsmaler, etwa A. W. Hunt oder G. P. Boyce, versammelten sich um ihn. Bis zum Siegeszug des präraffaelitischen Landschaftsstils war Cox der herausragendste und einflußreichste Landschaftsaquarellist seiner Zeit.   C. S. N.

Lit.: Birmingham 1983

WALTER CRANE (1845-1915)

war der Sohn eines erfolglosen Porträtmalers in Liverpool. Die Familie zog nach London, wo Crane 1859 bei dem Graveur W. J. Linton in die Lehre ging. Damit begann seine lange Karriere als Illustrator und Designer. Seine Laufbahn als Maler setzte 1862 mit dem Bild *The Lady of Shalott* (Yale Center for British Art) ein. Als Mitglied einer von Robert Bateman angeführten und von Burne-Jones beeinflußten Künstlergruppe stellte er seit 1866 in der Dudley Gallery Aquarelle aus. In dieser Zeit schuf er auch die *Amor und Psyche*-Dekorationen (Birmingham Museums and Art Gallery), die George Howard bei Burne-Jones für sein Haus in London in Auftrag gegeben hatte. Bei seinem Aufenthalt 1871-73 in Italien ermutigte ihn der Maler Giovanni Costa, Landschaftssujets mit größerer Einfachheit und Tonalität zu behandeln. Crane war ein Sozialist, der glaubte, daß »der Niedergang der Kunst mit ihrer Umwandlung in transportables Privateigentum oder kommerzielles Spekulationsmaterial einhergeht« (Crane 1892, S. 16). Er malte eine Reihe von Ölgemälden mit unheilschwangerer Symbolik wie *The Bridge of Life* (GG 1884, Privatsammlung) und *The Mower* (Staatliche Kunsthalle Karlsruhe).

C.S.N.

Lit.: Crane 1907; Spencer 1975; Manchester 1989

RICHARD DADD (1817-1886)

wurde in Chatham in Kent geboren und besuchte die King's School in Rochester. 1834 zog die Familie nach London, wo er sich 1837 an den Royal Academy Schools einschrieb. In den späten dreißiger Jahren schloß er sich der als ›The Clique‹ bekannten Künstlergruppe an, der auch John Phillip und W. P. Frith angehörten. Seit 1837 stellte er historische und shakespearesche Themen in der Society of British Artists aus, und seit 1839 auch in der British Institution und der Royal Academy. 1842 reiste er zusammen mit Sir Thomas Phillips als Zeichner und Topograph nach Konstantinopel und ins Heilige Land. 1843 reichte Dadd beim Westminster-Wettbewerb den Karton-Entwurf zu *St George and the Dragon* (verschollen) ein. Im August 1843 tötete er in geistiger Umnachtung seinen Vater und wurde kurz darauf festgenommen und in die geschlossene Abteilung des Bethlem Hospital eingewiesen. Dort zeichnete er zunächst Landschaften nach dem Gedächtnis und ging später zu sorgfältig ausgearbeiteten und mikroskopisch detaillierten Ölgemälden über, von denen *The Fairy Feller's Master-Stroke* (um 1855-64, Tate Gallery, London) das bekannteste ist. 1863 wurde er in die neue staatliche Anstalt für gewalttätige Geisteskranke in Broadmoor verlegt, wo er die restlichen 23 Jahre seines Lebens in fast völliger Vergessenheit verbrachte.

C.S.N.

Lit.: Greysmith 1973; Allderidge 1974; London 1974

FRANCIS DANBY (1793-1861)

wurde als Gutsbesitzersohn in Common, Killinick, Irland geboren. Er studierte an der Zeichenschule der Dublin Society und stellte 1811 in Dublin zum erstenmal ein Bild aus. Dessen Verkauf ermöglichte ihm, noch im selben Jahr nach London zu reisen. 1813 ließ er sich in Bristol nieder, nachdem er Erfolge als Porträtmaler verbucht und geheiratet hatte. In Bristol gab es eine florierende Schule von Berufs- und Amateurmalern, von denen einige

Einfluß auf ihn hatten. 1820 stellte er in der British Institution in London aus, 1824 übersiedelte er, in Bristol Schulden zurücklassend, nach London. Mit dem Ölgemälde *Sunset at Sea after a Storm* (City of Bristol Museum and Art Gallery), einer ganz in das Licht einer blutroten Sonne getauchten, aufwühlenden Beschwörung eines Schiffbruchs, das unter dem Einfluß von Géricaults *Floß der Medusa* entstand, und mit *The Delivery of Israel out of Egypt* (Harris Museum, Preston), einem ›erhabenen‹ Sujet mit Parallelen zu John Martin, erzielte er dort große Erfolge. 1925 wurde er zum außerordentlichen Mitglied der Royal Academy gewählt, 1829 wurde sein Antrag auf Vollmitgliedschaft abgelehnt. Als eine Finanz- und eine Ehekrise hinzukamen, setzte er sich auf den Kontinent ab. Nach Aufenthalten in Brügge, Paris und Koblenz zog er 1831 in die Schweiz, ließ sich 1832 mittellos in Genf nieder, hielt sich 1836-38 in Paris auf. 1837 stellte er endlich wieder in der Royal Academy aus und entschloß sich 1839, nach London zurückzukehren. Von 1846 bis zu seinem Tod 1861 lebte er in Exmouth, Devonshire, beteiligte sich aber weiterhin an den Ausstellungen der Royal Academy, insbesondere mit einer Reihe exquisiter kleiner Pleinair-Landschaftsstudien in Öl, die seinen neu gefundenen Seelenfrieden spiegeln.

R.H.

Lit.: Bristol 1988

WILLIAM DYCE (1806-1864)

wurde in Aberdeen als Sohn eines Medizindozenten am dortigen Marishal College geboren, wo er selbst später Medizin und Theologie studierte. 1825 schrieb er sich an den Royal Academy Schools in London ein; bald darauf unternahm er die erste seiner vier Romreisen, bei denen er sich gründliche Kenntnisse über die italienische Renaissancekunst erwarb. Bei seinem zweiten Aufenthalt in Rom, 1827, begegnete er Johann Friedrich Overbeck, der einen entscheidenden Einfluß auf seine weitere Entwicklung ausüben sollte. Seine frühesten Werke im archaisierenden Stil entstanden Mitte der dreißiger Jahre, erste Beispiele dieses Stils in der britischen Malerei. Darüber hinaus malte er Porträts. Als Lehrer und Kunsterzieher tätig, war er 1838-44 Direktor der Government Schools of Design und von 1848 an Professor für die Schönen Künste am King's College in London. 1844 wurde er außerordentliches Mitglied der Royal Academy, 1848 Vollmitglied. Von 1847 bis zu seinem Tod war er hauptsächlich mit Fresken im Palace of Westminster beschäftigt. Er war ein frommer Anhänger der anglikanischen High-Church-Bewegung und eine Autorität auf den Gebieten der Liturgie, der Theologie und der frühen Kirchenmusik. Schon früh unterstützte er die Präraffaeliten. Seine späteren Werke sind mikroskopisch detailgetreu gemalte Landschaftsszenen.

J.B.T.

Lit.: Pointon 1979

WILLIAM MAW EGLEY (1826-1916)

war der Sohn des Miniaturporträtmalers William Egley. Schon früh interessierte er sich für historische Sujets; 1844 beteiligte er sich mit dem Entwurf *Wulstan, Bishop of Worcester, Preaching against the practice of the early Anglo-Saxons of selling their children as slaves to the Irish* am Wettbewerb der Art Union. Auch in den folgenden Jahren malte er historische und literarische Sujets, u. a. Szenen aus den Stücken Shakespeares und

Molières. Seit etwa 1855 griff er jedoch das Genre in modernem Gewand auf, eine Zeitmode, deren bekanntester Vertreter sein Freund und Mitarbeiter W.P. Frith war. Aus Egleys umfangreichem und qualitativ unausgeglichenem Schaffen ragen zwei Werke hervor: *Omnibus Life in London* (Kat. 34) und *Hullo Largess* (1862, Privatsammlung), das eine Gruppe von Landarbeitern bei der Erntefeier zeigt. Nach seinen eigenen Angaben hat er 92 Tage lang an diesem Gemälde gearbeitet und 200 Pfund dafür verdient: ein Zeichen für seine kalkulierte, akribische Art der Darstellung. Dennoch wirken diese Bilder unmittelbar beobachtet und authentisch. Andere Szenen zeitgenössischen Lebens, für die er auf Gedichte von Tennyson oder Elizabeth Browning zurückgriff, lassen diese Unmittelbarkeit dagegen vermissen. Zwischen 1843 und 1898 stellte er häufig in der Royal Academy und gelegentlich auch in der British Institution aus. Enthusiastische Zustimmung der Kritik sowie akademische Anerkennung aber blieben ihm versagt.

C.S.N.

Lit.: Reynolds 1966, S. 96, 109, 111; Parkinson 1990, S. 78-81

GEORGE SAMUEL ELGOOD (1851-1943)

wurde in Leicester geboren. Er studierte zunächst an der Leicester School of Art und schrieb sich dann an der South Kensington School in London ein, um Architekturzeichnung zu studieren. Da er den Lebensunterhalt für sich und seine Familie verdienen mußte, sah er sich erst in den achtziger Jahren in der Lage, eine Laufbahn als professioneller Maler einzuschlagen. Er pflegte stets lange nach alten, abgelegenen Gebäuden auf dem Land zu suchen, um sie dann in ihrer landschaftlichen Umgebung zu aquarellieren. Viele Auslandsreisen führten ihn vor allem nach Italien, aber auch nach Spanien und Frankreich. Er war ein ausgezeichneter Gärtner mit profunden gartenbauhistorischen Kenntnissen, und mit der Zeit befaßte er sich auch in seiner Malerei fast nur noch mit dieser Thematik. 1881 wurde er in das Royal Institute of Painters in Water-Colour gewählt, wo er dann regelmäßig ausstellte; 1893 wurde die erste von zwölf Einzelausstellungen von ihm in der Fine Art Society veranstaltet. Seine späteren Jahre verbrachte er hauptsächlich in seinem Haus in Kent, doch unternahm er bis ins hohe Alter Malerreisen auf Motivsuche.

C.S.N.

Lit.: Newall 1987; Hobhouse und Wood 1991

ELIZABETH FORBES, geb. ARMSTRONG (1859-1912)

wurde in Ottawa, Kanada, als einzige Tochter eines kanadischen Regierungsbeamten geboren. Sie kam nach London und studierte kurz an den South Kensington Schools, bevor sie nach Kanada zurückkehrte. Um 1877 ging sie nach New York, wo sie sich der Art Students League anschloß und von in Europa ausgebildeten Künstlern unterrichtet wurde, die unter dem Einfluß des Realismus von Millet und Bastien-Lepage standen. Sie studierte in München und in London, wo sie von 1883-1885 lebte. Bei einem Aufenthalt 1884 in Zandvoort, Holland, schuf sie Gemälde (z. B. Kat. 95) und Zeichnungen, die erkennen lassen, daß sie mit dem Werk Whistlers und Sickerts vertraut war, mit denen sie auch freundschaftliche Verbindungen pflegte. 1885 ließ sie sich mit ihrer Mutter in dem Fischerdorf Newlyn an der Küste von Cornwall nieder, wo sie Stanhope Forbes kennenlernte, ein Mitglied der sich dort etablierenden Künstlerkolonie, den sie 1889 heiratete. Ihre Pleinair-Landschaften aus der Bretagne und aus Holland sind im Stil Bastien-Lepages aufgefaßt. Besonders geschickt wußte sie Kinder darzustellen (vor allem in Interieurs wie etwa in *School is Out*, 1889, Penzance Town Council, Cornwall). Ihre Gemälde wie auch Radierungen waren von beachtlicher und stets gleichbleibender Qualität.   R. H.

Lit.: Birch 1906

STANHOPE FORBES (1857-1947)

wurde in Dublin geboren. Sowohl sein Vater als auch sein Onkel, James Staats Forbes, ein Sammler moderner Gemälde, waren Direktoren einer Eisenbahngesellschaft. Er studierte an der Lambeth School of Art und an den Royal Academy Schools in London. 1878 stellte er in der Academy ein Porträt aus. 1880 ging er zum Studium nach Paris; er verbrachte mehrere Sommer in der Bretagne, um im Freien zu malen. 1882 und 1883 stellte er bretonische Sujets in der Royal Academy aus. 1884 besuchte er zum ersten Mal das Fischerdorf Newlyn in Cornwall, wo er sich niederließ und Szenen des Dorflebens in einem stark an Bastien-Lepage angelehnten Stil malte. Mit *A Fish Sale on a Cornish Beach* (RA 1885, Plymouth Art Gallery) begründete er seinen Ruf als Haupt der Newlyn School. 1886 war er Gründungsmitglied des New English Art Club, obwohl er mit dessen progressiveren Tendenzen nicht einverstanden war. Aufgrund seiner Vorliebe für narrative und sentimentale Sujets stand er der Royal Academy nahe; 1892 wurde er zum außerordentlichen und 1910 zum Vollmitglied gewählt. 1899 eröffnete er zusammen mit seiner Frau, der Malerin Elizabeth Armstrong, die Newlyn School of Painting.   J. B. T.

Lit.: Newlyn 1979; London 1985 c

MYLES BIRKET FOSTER (1825-1899)

wurde in North Shields in Northumberland geboren und zog als Kind mit der Familie nach London. 1841-46 ging er als Graveur bei Ebenezer Landells in die Lehre. Da er sich auch als Illustrator bewährte, wurde er mit zahlreichen Buchillustrationen beauftragt, z. B. 1859 von den Brüdern Dalziel für ihr Buch ›Pictures of English Landscape‹ (1863). Seit den späten fünfziger Jahren widmete er sich der Landschaftsmalerei und stellte Ölgemälde und Aquarelle in der Royal Academy aus; 1860 wurde er außerordentliches Mitglied der Old Water-Colour Society und 1862 Vollmitglied. Gelegentlich griff er für seine Ölgemälde und Aquarelle auf Sujets zurück, die er bereits für Illustrationen verwendet hatte. Er besuchte oft den europäischen Kontinent; 1852 reiste er unter anderem an den Rhein und 1868 nach Venedig. Fosters idyllische Landschaftsbilder, fern vom Schmutz der Großstadt und der Industrie, waren bei den Kunstsammlern seiner Zeit ungemein beliebt. Er war einer der wenigen Aquarellmaler dieser Zeit, die durch ihre Kunst reich wurden. In seinem prächtigen Haus in Witley in Surrey sammelte er einen großen Schatz zeitgenössischer Kunst an.   C. S. N.

Lit.: Dafforne 1871; Glasson 1933-34; Engen 1979

WILLIAM POWELL FRITH (1819-1909)

wurde in Ripon in Yorkshire geboren, wuchs in dem Badeort Harrogate auf, wo sein Vater Besitzer einer noblen Gaststätte war, und studierte in London an der Sass's School und seit 1837 an den Royal Academy Schools. Er wurde Mitglied der ›Clique‹, einer Gemeinschaft junger Maler. 1838 stellte er zum ersten Mal in der British Institution aus, von 1840 an in der Royal Academy. 1845 wurde er zum außerordentlichen, 1852 zum Vollmitglied der Academy gewählt. Friths frühe Werke waren literarische und historische Schilderungen, doch bekannt wurde er durch seine Bilder des Gegenwartsalltags. Seine Massenszenen *Ramsgate Sands* (RA 1854, Royal Collection), *The Derby Day* (RA 1858, Tate Gallery, London) und *The Railway Station* (1862, Kat. 37) wurden durch Kupferstiche populär, die ihm einträgliche Urheberrechtshonorare einbrachten. Er malte auch kleinformatige moderne Sujets, Gruppenporträts und Moralitäten im Hogarthschen Stil. Sein Spätstil wurde immer hölzerner; im Alter war er als erzkonservativ bekannt. Etablierter Künstler, Ehemann und Vater, erreichte er eine angesehene Stellung in der Gesellschaft. Nach dem Tod seiner Frau heiratete er seine langjährige Geliebte, die ihm weitere sieben Kinder geboren hatte.   J. B. T.

Lit.: Frith 1887

SIR FRANCIS GRANT (1803-1878)

wurde als Sohn eines Gutsherrn in der schottischen Grafschaft Perthshire geboren und in Harrow erzogen. Seine frühesten Arbeiten sind Jagdszenen im Kabinettformat. Sein erster größerer Erfolg war *Queen Victoria riding out with her gentlemen* (1840, Royal Collection). Seine großformatigen und eindrucksvollen Porträts – oft wurden die Porträtierten reitend dargestellt – erfreuten sich beim Landadel großer Beliebtheit. Eine bedeutende Persönlichkeit im Kunstleben seiner Zeit, wurde Grant 1842 außerordentliches Mitglied der Academy, 1851 Vollmitglied und 1865 Akademiepräsident. In dieser Funktion war er ein einflußreicher Verfechter der englischen Porträttradition und wurde als würdiger Nachfolger von Sir Joshua Reynolds und Sir Thomas Lawrence betrachtet. Königin Victoria hatte Bedenken gegen seine Ernennung zum Präsidenten der Royal Academy: »Er brüstet sich damit, *nie* in Italien gewesen zu sein oder die alten Meister studiert zu haben. Fraglos hat er viel Talent, doch im Grunde ist er ein talentierter Amateur geblieben.« (Brief an Earl Russell vom 15. Februar 1866; Royal Archives) Tatsächlich lassen Grants Gemälde erkennen, daß er sich intuitiv einen erhabenen Stil angeeignet hatte, der auf die Porträtmalerei van Dycks und Velazquez' zurückgeht.   C. S. N.

Lit.: Wills 1988

SIR JAMES GUTHRIE (1859-1930)

war der Sohn eines Geistlichen in Greenock in Schottland. Sein Jurastudium an der Glasgow University gab er auf, um Künstler zu werden. Da der Historienmaler John Pettie ihm von einem Studium in Paris abriet, blieb er in Schottland und übte sich in historischen Sujets in Kostümen. Zusammen mit seinen Freunden E. A. Walton und Joseph Crawhall malte er Landschaften vor dem Motiv, 1879 in Rosneath bei Glasgow, 1881 in Brig O'Turk in den Trossachs im schotti-

Hochland, 1882 in Crowland, Lincolnshire, und 1883-85 in Coburnspath, Berwickshire, wo er sich auch niederließ. Seine ländlichen Sujets, wie *To Pastures New* (1882-83, Aberdeen Art Gallery), waren stark von Bastien-Lepage beeinflußt. 1885 kehrte er nach Glasgow zurück, wo er ein erfolgreicher Porträtmaler wurde. 1888-89 wandte er sich kurz der Pastellmalerei zu, es entstanden ländliche Szenen oder Interieurs der feineren Mittelschicht, später experimentierte er mit dem Impressionismus. Doch um die Jahrhundertwende kehrte er zur Porträtmalerei zurück. 1889 wurde er außerordentliches Mitglied der Royal Scottish Academy, 1902 Akademiepräsident.   J. B. T.

Lit.: Billcliffe 1985

CARL HAAG (1820-1915)

wurde am 20. April in Erlangen in Franken geboren und studierte in Nürnberg am Polytechnikum und an der Kunstschule sowie später in München, wo er sich von Cornelius, Kaulbach und Rottmann inspirieren ließ. Hier erwarb er sich bereits einen Ruf als Porträtmaler der Aristokratie. Nach einem Brüsselaufenthalt ging er nach London und schrieb sich an den Royal Academy Schools ein. 1850 wurde er zum außerordentlichen Mitglied der Society of Painters in Water-Colour gewählt, und seitdem betätigte er sich fast nur noch als Aquarellmaler. 1852 studierte er in Rom, 1853 wurde er Mitglied der Water-Colour Society – noch im selben Jahr lud ihn Königin Victoria nach Balmoral Castle in Schottland ein, wo er mehrere Bilder der königlichen Familie malte. Nach Aufenthalten in Dalmatien, Montenegro, Venedig und München trat er 1858 mit dem Maler Frederick Goodall eine lange Reise nach Ägypten, Palästina und Syrien an, während deren er auch bei Wüstenstämmen lebte. 1863 war er abermals in Balmoral und malte ein postumes Porträt des Prinzen Albert. 1864 brachte er sich mit dem Anerbieten, weitere »dear memories« für die Königin Victoria zu schaffen, von Deutschland aus erneut bei ihr in Erinnerung, fiel jedoch 1868 in Ungnade, als sie ihm in Zusammenhang mit einem Disput über das Copyright an seinen Aquarellen Habgier vorwarf. Bis zu seinem Tode lebte der Künstler im Roten Turm in Oberwesel, den er 1864 erworben hatte. In ihrer satten Farbigkeit und ihrem sorgfältigen, dichten Aufbau stehen Haags Aquarelle eher außerhalb der englischen Aquarelltradition. Der hohe Wahrheitsgehalt seiner Kunst jedoch brachte ihm die Gunst der Königin ein. Victoria, selbst eine begabte Aquarellistin, kopierte viele seiner Arbeiten.   R. H.

Lit.: Miller 1985

EDITH HAYLLAR (1860-1948)

Alle vier Töchter des Malers James Hayllar – Edith, Jessica, Kate und Mary – waren begabte Malerinnen, die der an der Royal Academy ausgebildete Vater selbst unterrichtete. Er malte historische und literarische Sujets und später Szenen des dörflichen Lebens. Seine beiden talentiertesten Töchter Edith und Jessica schilderten mit akribischer Detailtreue den Alltag in ihrem weitläufigen Landhaus Castle Priory in Wallingford, Berkshire. Obwohl Amateure, erreichten sie eine erstaunliche Meisterschaft. Edith Hayllar zeigte ihre Bilder in den Londoner Ausstellungen der achtziger und neunziger Jahre, doch um 1900 heiratete sie und gab die Malerei auf. In späteren Jahren sprach sie nie von ihrer künstlerischen Karriere, ihre Enkelin erfuhr davon erst nach ihrem Tod.   J. B. T.

Lit.: Wood 1974

CHARLES NAPIER HEMY (1841-1917)

wurde als Sohn eines Musiklehrers in Newcastle upon Tyne geboren. Die Familie wanderte 1850 nach Australien aus, kehrte jedoch 1852 wieder zurück; Hemy führte seine Liebe zum Meer auf diese langen Seefahrten zurück. Seit 1852 studierte er in Newcastle upon Tyne an der Government School of Design, wo der präraffaelitische Maler William Bell Scott (1811-1891) unterrichtete. 1855-56 verbrachte er ein Jahr in einem katholischen College, 1856 ging er gegen den Willen seines Vaters zu See, 1861 trat er in ein Dominikanerkloster bei Lyon ein, 1862 kehrte er zurück und stellte Küstenlandschaften aus. 1865 arbeitete er für kurze Zeit für Morris, Marshall, Faulkner & Co. in London als Entwerfer in der Farbfenster-Werkstatt und freundete sich mit Burne-Jones an. 1867-69 studierte er bei Baron Hendrik Leys in Antwerpen und malte religiöse Sujets und flämische Szenen des 16. Jahrhunderts. 1869 ließ er sich wieder in London nieder, wo er von Whistler und Tissot beeinflußte Themseansichten malte. 1880 besuchte er Oporto und 1881 Venedig. 1881 zog er nach Falmouth, wo er lebhafte Seestücke in einem frischen, jedoch konventionell realistischen Stil malte. 1898 wurde er außerordentliches und 1911 Vollmitglied der Royal Academy.   J. B. T.

Lit.: Newcastle 1984

SIR HUBERT VON HERKOMER (1849-1914)

wurde als Sohn eines deutschen Holzschnitzers in Waal bei Landsberg geboren. Sein Vater wanderte 1851 nach Amerika aus, kehrte jedoch nach sechs Jahren nach Europa zurück und ließ sich in Southampton nieder. Hubert von Herkomer besuchte die Southampton School of Art, studierte kurz an der Münchner Akademie und dann an der Kunstschule am South Kensington Museum in London. Seit 1870 zeichnete er für die Zeitschrift ›Graphic‹ Illustrationen über das Leben der Arbeiterklasse, die die Grundlage für seine ersten sozialrealistischen Gemälde *The Last Muster* (RA 1875, Lady Lever Art Gallery, Port Sunlight) und *Eventide* (RA 1878, Walker Art Gallery, Liverpool) waren. Er stellte auch bayerische Bauernszenen und englische Landszenen aus. Er hielt sich regelmäßig in Deutschland auf und ließ in Landsberg am Lech, dem Alterssitz seiner Eltern, zum Andenken an seine Mutter 1888 den sog. ›Mutterturm‹ bauen, heute eine Gedächtnisstätte für ihn. Später hatte er großen Erfolg als Porträtmaler. 1883 baute er in Bushey, Hertfordshire, ein von dem amerikanischen Architekten H. H. Richardson entworfenes Haus, das er nach seiner zweiten Frau ›Lululaund‹ nannte. Er gründete die Bushey School of Art, die er von 1883 bis 1904 leitete, hielt Vorträge, experimentierte mit farbigen Emaillen, komponierte, spielte Theater, drehte avantgardistische Filme. 1879 wurde er außerordentliches und 1890 Vollmitglied der Royal Academy. Auszeichnungen wurden ihm in Deutschland wie in Großbritannien zuteil.   J. B. T.

Lit.: Edwards 1984; Manchester 1987; Landsberg am Lech 1988

FRANK HOLL (1845-1888)

entstammte einer Londoner Künstlerfamilie, studierte früh an den Royal Academy Schools und stellte schon 1864 in der Academy aus. Sein erster Erfolg war *The Lord Gave and the Lord Hath Taken Away* (RA 1869, Guildhall, London), die Darstellung einer des Vaters beraubten Familie. Königin Victoria, die kurz zuvor Witwe geworden war, bewunderte das Bild und gab ihm ein Werk in Auftrag. Er malte eine um das Leben ihres Mannes bangende Fischersfrau: *No Tidings from the Sea* (RA 1871, Royal Collection). Von 1871 an belieferte er die Zeitschrift ›Graphic‹ mit Illustrationen über das Leben der Arbeiterklasse in London. Er stellte Ölgemälde zu ähnlichen Themen, Dorfbegräbnisse und von Jozef Israels beeinflußte Szenen mütterlichen Kummers aus. Zu seinen weiteren Sujets gehörten Soldaten und sentimentale Kinderdarstellungen, die von seiner Tochter Nina inspiriert waren. 1878 wandte er sich mit großem Erfolg der Porträtmalerei zu: Zu seinen Modellen gehörten John Bright, W. E. Gladstone, Earl Spencer und Millais. Sein Ruf als Porträtmaler stellte bald sein sozialrealistisches Werk in den Schatten und übte einen Arbeitszwang auf ihn aus, der zu seinem frühen Tod beitrug.   J. B. T.

Lit.: Reynolds 1912; Manchester 1987, S. 73-82

ARTHUR HUGHES (1832-1915)

wurde in London geboren, studierte früh an der School of Design im Somerset House und an den Royal Academy Schools. Sein erstes in der Royal Academy ausgestelltes Bild (1849) war ein konventionell gemalter Akt, doch 1850 ließ er sich durch die Lektüre von ›The Germ‹ (›Der Keim‹: Sprachrohr der Präraffaeliten) zum Präraffaelitismus bekehren, und 1852 stellte er sein erstes Gemälde in diesem Stil, *Ophelia* (Manchester Art Gallery), in der Academy aus. Er schloß Freundschaft mit Millais, der starken Einfluß auf ihn hatte. In den fünfziger und frühen sechziger Jahren malte er eine Serie exquisit ausgeführter Gegenwartsszenen in glühenden Farben und voller zärtlicher Stimmung. Szenen unglücklichen Liebeswerbens, wie *April Love* (RA 1856, Tate Gallery) wechselten mit Darstellungen von Kindern ab. Er illustrierte mit Vorliebe auch Kinderbücher. 1857 war er an Rossettis Projekt beteiligt, den Debattiersaal der Oxford Union mit Wandgemälden nach Motiven aus der Artuslegende auszugestalten, was ihn zur Darstellung mittelalterlicher Themen bewegte (Kat. 64). 1852 besuchte er Italien. Seit Mitte der sechziger Jahre verlor sein Stil allmählich die Intensität und Intimität seiner früheren Jahre.   J. B. T.

Lit.: Gibson 1970; Cardiff 1971; London 1984 b

ALFRED WILLIAM HUNT (1830-1896)

war der Sohn eines Landschaftsmalers in Liverpool. Er besuchte die Liverpool Collegiate School, studierte in Oxford die alten Sprachen und wurde Fellow des Corpus Christi College. Zunächst stand er unter dem Einfluß von David Cox, doch Mitte der fünfziger Jahre übernahm er die Anschauungen der Präraffaeliten. Laut Ruskin vereinte Hunt in seinem Werk »die subtilste Ausarbeitung und die aufmerksamste Beobachtung der Natur mit einer echten und seltenen Kompositionskraft« (Ruskin 1903-12, Bd. 15, S. 50 f.). Hunts Arbeiten der späten fünfziger und frühen sechziger Jahre –

hauptsächlich walisische und nordenglische, gelegentlich aber auch kontinental-europäische Landschaftsansichten – sind minutiös detailliert und reich koloriert. Mehr und mehr ging es ihm darum, atmosphärische Eindrücke zu vermitteln; er reduzierte die Farbpalette in seinen Kompositionen und entwickelte neue Techniken, um das diesige Licht in einer Sommerlandschaft oder das Halbdunkel eines Morgens oder Abends anzudeuten. Seit 1854 stellte er in unregelmäßigen Abständen in der Royal Academy aus, doch oft stießen seine Werke auf Ablehnung. 1862 wurde er außerordentliches Mitglied der Old Water-Colour Society. Seit 1865 wohnte Hunt am Campden Hill im Londoner Stadtteil Kensington, doch er verbrachte jeden Sommer und Herbst auf dem Land, um dort zu arbeiten.   C. S. N.

Lit.: Marillier 1904; Hunt 1924-25; Staley 1973, S. 144-147

WILLIAM HENRY HUNT (1790-1864)

wurde im Londoner Stadtteil Covent Garden geboren. Gegen den Widerstand seiner Familie ging er bei dem Aquarellmaler John Varley in die Lehre. 1808 schrieb er sich an den Royal Academy Schools ein; er besuchte auch den Unterricht Dr. Monros. Zu seinen frühen Arbeiten gehören Ölgemälde und kolorierte Zeichnungen mit Landschafts- oder Architektursujets. Seit 1807 stellte er regelmäßig in der Academy aus. 1824 wurde er zum außerordentlichen Mitglied der Old Water-Colour Society gewählt, zwei Jahre später zum Vollmitglied. Inzwischen hatte er sich ganz der Aquarellmalerei zugewandt. Er malte hauptsächlich Stilleben, daneben Genrebilder und Interieurs mit Figuren, die sein Interesse an künstlichen Beleuchtungseffekten zeigen. Er eignete sich eine Maltechnik an, die auf einer als ›Körperfarbe‹ bekannten Deckfarbe – Zinkoxidweiß mit Pigmenteinmischungen – beruhte. Er erreichte minutiöse Detaildarstellungen und leuchtende Farben, die seine Bewunderer entzückten. In den vierziger Jahren begann Hunt mit seinen akribisch beobachteten Zeichnungen von Blumen, Blättern, Beeren, Früchten, Vogelnestern und Eiern. Seine besondere Vorliebe für die beiden zuletzt genannten Motive trug ihm den Spitznamen ›Bird's Nest Hunt‹ ein. Ruskin bewunderte sein Werk und erkannte darin eine Lauterkeit, die die Grundsätze der Präraffaeliten vorwegnahm.   C. S. N.

Lit.: Stephens 1934-35; Witt 1982

WILLIAM HOLMAN HUNT (1827-1910)

war der Sohn eines Lagerhausverwalters in London, arbeitete zunächst als Büroangestellter in der City of London, ging aber schon mit 17 Jahren an die Royal Academy Schools. Dort begegnete er Millais und Rossetti, mit denen er 1848 die Bruderschaft der Präraffaeliten gründete. Er schuf literarische und religiöse Sujets mit moralischer Botschaft, die sowohl symbolische Elemente wie minutiöse Naturtreue wirkungsvoll einsetzten. 1854 unternahm er die erste von mehreren Reisen nach Palästina, um biblische Szenen an authentischen Schauplätzen zu malen. Bilder wie *The Scapegoat* (RA 1856, Lady Lever Art Gallery Liverpool), *The Finding of the Saviour in the Temple* (ausgestellt 1860, Birmingham Art Gallery), *The Shadow of Death* (ausgestellt 1973, Manchester City Art Gallery) und *The Triumph of the Innocents* (ausgestellt 1887, Walker Art Gallery, Liverpool) begründeten seinen Ruf als wichtigster religiöser Maler seiner Zeit. Er malte auch Landschaften, Porträts sowie Themen aus den Gedichten von Keats und Tennyson. Sein Ruhm verbreitete sich durch *The Light of the World* (Original RA 1854, Keble College, Oxford; Replik begonnen 1899, St. Paul's Cathedral, London), die er seines nachlassenden Sehvermögens wegen mit Unterstützung von Assistenten malte. Die Replik wurde auf eine Rundreise durch die englischen Kolonien geschickt. 1903 wurde er mit dem Order of Merit ausgezeichnet.   J. B. T.

Lit.: Liverpool 1969; London 1984b

John William Inchbold (1830-1888)

war der Sohn eines Zeitungsredakteurs in London. Er kam nach London, um die Lithographie zu erlernen, studierte Aquarellmalerei bei Louis Haghe und schrieb sich an den Royal Academy Schools ein. 1849 und 1850 stellte er Skizzen in der Society of British Artists aus, 1851 in der Academy. *The Chapel, Bolton* (Kat. 56) ist sein frühestes erhalten gebliebenes Gemälde im präraffelitischen Stil. W. M. Rossetti bezeichnete Inchbold als »den vielleicht größten der im strengen Sinne präraffaelitischen Landschaftsmaler« (Staley 1973, S. 117, Anm. 19). *The Lake of Lucerne* (1857, Victoria & Albert Museum, London) stellt die Vollendung seines präraffelitischen Landschaftsstils dar. Später interessierte er sich für atmosphärische Wirkungen – er war einer der ersten, der sich mit den poetischen Eigenschaften von Stadtansichten bei Einbruch der Dunkelheit beschäftigten, und sein *Venice from the Public Gardens* (Privatsammlung) nimmt die Stimmung der Notturnos Whistlers vorweg. Inchbold fand sehr wenig öffentliche Anerkennung; er war auf einen kleinen Kreis von Mäzenen und Freunden angewiesen. Wurzellos und finanziell ungesichert, verbrachte die letzten zehn Jahre seines Lebens größtenteils in der Schweiz.   C. S. N.

Lit.: Staley 1973, S. 111-123

Sir Edwin Landseer (1803-1873)

wurde als Sohn des Kupferstechers und Kunstschriftstellers John Landseer geboren. Zwei seiner Brüder, Charles und Thomas, wurden ebenfalls Künstler. Schon mit fünf Jahren begann Edwin zu zeichnen: 1815 erhielt er von der Society of Arts eine Silbermedaille für die Zeichnung eines Hundes. Im selben Jahr stellte er in der Royal Academy aus und begann in der Privatakademie des Historienmalers Benjamin Robert Haydon die ›hohe‹ Kunst zu studieren. 1816 schrieb er sich an den Royal Academy Schools ein, wo er bald als eines der größten Talente seit Turner galt. Er orientierte sich unter anderem an Frans Snyders und festigte seinen Ruf als bedeutendster Tiermaler seiner Generation. 1824 fand er in Schottland seine Lieblingslandschaft und sein Lieblingsmotiv, den Hirsch. Hier schuf er in den dreißiger Jahren eine Folge von kleinformatigen Pleinair-Landschaften, die zu den Meisterwerken der romantischen Kunst zählen. 1836 erhielt er seinen ersten Auftrag von Prinzessin Victoria, die im Jahr darauf den Thron besteigen sollte. Die königliche Familie ließ sich häufig zusammen mit lebenden oder von Prinz Albert erlegten Tieren von ihm porträtieren. 1850 wurde Landseer zum Ritter geschlagen. In einigen seiner späteren großen Bilder wie *The Monarch of the Glen* (Kat. 9) oder *Man Proposes, God Disposes* von 1863-64 (Royal Hol-

loway College, Egham) klingen seine früheren Ambitionen an: Seinem Wunsch, als Historienmaler hervorzutreten, waren sowohl sein Arbeitsstil als auch die Verlockungen des gesellschaftlichen Lebens im Weg gestanden. Seine populärsten Werke sind vielleicht die Bronzelöwen, die er um 1865 für den Sockel der Nelsonsäule auf dem Trafalgar Square modellierte. Seine letzten Lebensjahre waren von Alkoholismus und manischen Depressionen überschattet.   R. H.

Lit.: Philadelphia 1981

Robert Scott Lauder (1803-1869)

wurde als Sohn eines Gerbers in Edinburgh geboren. Obwohl seine Eltern sein Interesse an der Kunst mißbilligten, besuchte er die Gemäldeausstellungen schottischer Künstler, die Sir Henry Raeburn zwischen 1809 und 1816 in seinem Atelier veranstaltete. Er freundete sich mit dem Maler David Roberts an. 1822 schrieb er sich an der Trustees' Academy ein. 1824 zog er nach London, wo er im British Museum die Elgin Marbles zeichnete. 1829 wurde er Mitglied der Scottish Academy. 1833-38 Italienaufenthalt: Mit Porträtmalerei sorgte er für seinen Unterhalt, um die italienische Kunst zu studieren, besonders beeindruckt von Michelangelo, Tizian und Giorgione. Bei Besuchen in München und Köln faszinierte ihn auch Rubens. In London malte er dann biblische, literarische und historische Sujets, ebenso Porträts. 1847 beteiligte er sich mit zwei biblischen Themen am Wettbewerb für die Ausgestaltung des Palace of Westminster. Bekannt wurde er jedoch vor allem durch Gemälde mit Motiven nach den Romanen Sir Walter Scotts. 1852 zum Master of the Trustees' Academy berufen, ging er nach Edinburgh zurück. Zu seinen Schülern gehörten W. Q. Orchardson und William McTaggart.   C. S. N.

Lit.: Edinburgh 1983

Frederic, Lord Leighton (1830-1896)

wurde als Sohn eines Arztes in Scarborough geboren, der sich regelmäßig für längere Zeit auf dem europäischen Kontinent aufhielt. So besuchte er 1842-43 die Berliner Kunstakademie und 1845-46 die Accademia di Belle Arti in Florenz. 1846 wurde er Schüler Edward von Steinles in Frankfurt. Dort entstand sein erstes Meisterwerk *Cimabue's Madonna, carried in Procession through the Streets of Florence* (RA 1855, Royal Collection). 1855-58 in Paris, wurde er ein Verfechter des ›L'art pour l'art‹-Grundsatzes. 1859 ließ er sich in London nieder. Beim Kunstestablishment auf Ablehnung stoßend, konnte er seinerseits mit den Präraffaeliten nichts anfangen. Aufgrund des Erfolgs von *Dante in Exile* (RA 1864, Privatsammlung) und *Golden Hours* (Kat. 68) wählte ihn die Royal Academy 1864 zum außerordentlichen Mitglied, 1868 zum Vollmitglied, 1878 zum Präsidenten. Später wandte er sich verstärkt klassischen und quasihistorischen Themen zu. Er malte auch mythologische Themen, wie etwa *The Return of Persephone* (Leeds City Art Gallery). Seine bemerkenswertesten späten Gemälde sind indessen abstrakte Stimmungsbeschwörungen, wie *Flaming June* (Museo de Arte, Ponce, Puerto Rico).   C. S. N.

Lit.: Barrington 1906; Ormond 1975; Manchester 1978; Newall 1990

Charles Robert Leslie (1794-1859)

wurde im Londoner Stadtteil Clerkenwell geboren. Sein Vater, ein Uhrmacher, war ein Amerikaner schottischer Abstammung, der 1793-99 in London arbeitete, bevor er nach Philadelphia zurückkehrte, wo sein Sohn seine erste künstlerische Ausbildung erhielt. 1811 übernahm die Pennsylvania Academy of the Fine Arts die Kosten für sein Studium in Europa. Er schloß sich in London einem Kreis amerikanischer Historienmaler an, zu dem auch Benjamin West und Washington Allston gehörten; 1813 schrieb er sich an den Royal Academy Schools ein. Er malte Porträts und – unter Wests Einfluß – Historienbilder. Das große, düstere *The Murder of Rutland* von 1816 (Pennsylvania Academy of the Fine Arts, Philadelphia) ist ein gutes Beispiel für sein Werk dieser Zeit. Wilkies Erfolg mit kleinformatigen Genrebildern regte ihn an: Sein erstes wichtiges Werk dieser Art war *Sancho Panza and the Duchess* (1824, Petworth House, Sussex), eine geschmackvolle, geistreiche und malerische Illustration zu Cervantes. Seine literarischen Sujets zeichneten sich durch einfühlsame psychologische Beobachtung aus und verzichteten auf karikaturistische Züge. 1826 wurde er Mitglied der Royal Academy. Er malte einige Hofporträts – z. B. *Queen Victoria Receiving the Sacrament at her Coronation* (1838-43, Royal Collection) –, die aber nicht zu seinen überzeugendsten Werken gehören. Heute kennt man ihn vor allem als den ersten Biographen des Landschaftsmalers John Constable, mit dem er befreundet war: ›Memoirs of the Life of John Constable‹, 1843. Viele seiner Gemälde befinden sich in der Sammlung des Victoria & Albert Museum.   R. H.

Lit.: Leslie 1860

John Frederick Lewis (1805-1876)

entstammte einer Künstlerfamilie in London. Von seinem Vater ausgebildet, arbeitete er als Atelierassistent bei Sir Thomas Lawrence. Er begann als Tiermaler, wollte jedoch nicht mit seinem Jugendfreund Landseer in Wettstreit treten und schlug deshalb eine andere Richtung ein. In Schottland, in der Schweiz, in Italien und insbesondere in Spanien, das er von 1832 bis 1834 besuchte, malte er Landschaftsaquarelle mit Figuren in heimischen Trachten. 1835 veröffentlichte er *Lithographic Sketches and Drawings of the Alhambra*. 1837 reiste er nach Paris, Rom, Griechenland, Konstantinopel und Ägypten. Von 1841 bis 1851 lebte er in Kairo; er paßte sich bis in die Gewandung hinein den Einheimischen an. In zahlreichen Aquarellen und Zeichnungen schilderte er das Leben im Nahen Osten. 1850 schickte er das Aquarell *The Hhareem* (Privatsammlung) nach London, das seiner brillanten Technik und kühnen Thematik wegen Aufsehen erregte. 1851 kehrte er nach London zurück und stellte nahöstliche Szenen in einem farbenfrohen und von komplizierter Detailarbeit geprägten Stil aus. Er wurde 1857 zum Präsidenten der Old Water-Colour Society gewählt, trat jedoch 1858 zurück und ging zur profitableren Ölmalerei über. 1859 wurde er außerordentliches und 1865 Vollmitglied der Royal Academy.   J. B. T.

Lit.: Lewis 1978; Sweetman 1988, S. 131-135

John Linnell (1792-1882)

wurde als Sohn des Rahmenmachers James Linnell in London geboren. Er war ein Neffe des Möbeltischlers John Linnell. Auf Rat William Mulreadys ging er 1804-05 bei dem Aquarellmaler John Varley in die Lehre. 1805 wurde er auf Probe in die Royal Academy Schools aufgenommen. Unter Anleitung Mulreadys und in Gesellschaft William Henry Hunts malte er 1806 im Freien an den Ufern der Themse im ländlichen Twickenham (Beispiele in der Tate Gallery, London). 1809 wurde er von der British Institution für seine Landschaftsgemälde, 1810 von der Royal Academy für seine Reliefarbeiten ausgezeichnet. 1811 wurde er Zeichenlehrer. Seine Konversion vom Anglikanismus zum Baptismus wirkte sich auf seine Landschaftsauffassung aus: Da ihm die Landschaft ein Beweis der Existenz Gottes war, gewann die ›Naturtreue‹ eine tiefe Bedeutung für ihn. 1813 unternahm er seine erste größere Zeichenexkursion nach Wales. 1818 begegnete er William Blake, mit dem ihn bald eine intensive Freundschaft verband. Wiewohl er in der Royal Academy ausstellte, wurde sein Ansuchen um außerordentliche Mitgliedschaft mehrmals abgelehnt. 1822 lernte er Samuel Palmer kennen und besuchte ihn und die Gruppe ›Ancients‹ 1828 in Shoreham, um dort nach der Natur zu zeichnen. Zeitlebens kopierte er im Auftrag von Kupferstechern Gemälde alter Meister. 1839 stellte er *The Disciples on the Road to Emmaus* (1834-38; Ashmolean Museum, Oxford) aus, ein poetisches Landschaftsgemälde mit biblischem Sujet. *Noah: The Eve of the Deluge* (Cleveland Museum of Art, Ohio) stieß dann 1848 in der Royal Academy auf großes Echo und begründete seinen Ruf als eine neue Stimme in der englischen Landschaftsmalerei. Seine genau beobachteten Bilder wurden, neben Turners ›nebulösen‹, als wohltuend empfunden. Dadurch ermutigt, entwickelte er eine Landschaftsmalerei, in der allein die Natur zum Träger religiöser Gefühle wird. 1849 baute er sich und seiner Familie in Redhill, Surrey, ein Haus. Im selben Jahr machte er sich zum Fürsprecher der Präraffaeliten. Auf der Pariser Weltausstellung von 1855 erhielt er für *A Forest Road* (Liverpool, Sudley House) eine Goldmedaille. 1875 wurde in London seine erste Einzelausstellung gezeigt, ein Zeichen für das Ansehen, das er seit Mitte der vierziger Jahre genoß.   R. H.

Lit.: Cambridge 1982

Daniel Maclise (1806-1870)

wurde in Cork, Irland, als Sohn eines Kunsthandwerkers geboren und studierte an der 1822 dort gegründeten Kunstschule. 1825 schuf er Porträtskizzen des berühmten Romanciers Sir Walter Scott (British Museum, London), die so erfolgreich waren, daß er sich ganz der Porträtmalerei zuwandte. 1828 schrieb er sich an den Royal Academy Schools ein. 1829 stellte er zum erstenmal in der Royal Academy aus; 1831 erhielt er die Goldmedaille für Historienmalerei. In dieser kurzen Zeit schuf er viele Porträts und tat sich als Zeichner und Aquarellist hervor. In den dreißiger Jahren kristallisierte sich seine Fähigkeit heraus, komplexe Figurengruppen über große Leinwand zu verteilen (z.B. *Merry Christmas in the Baron's Hall*, 1838, National Gallery of Ireland, Dublin). 1840 wurde er zum Mitglied der Royal Academy ernannt. Inzwischen hatte er zu seinen charakteristischen harten, klaren Farben und zu seinem dramatischen Chiaroscuro gefunden, das auf die zeit-genössische deutsche Kunst zurückzugehen schien, das er aber unabhängig davon entwickelte. Bilder wie *The Play Scene from Hamlet* (RA 1842, Tate Gallery, London) zeigen jedoch, daß er vom Konturzeichenstil des deutschen Malers Moritz Retzsch beeinflußt war. Seit den frühen vierziger Jahren arbeitete er an Fresken für den Neubau des Palace of Westminster, darunter *Meeting of Wellington and Blücher* und *Death of Nelson* (erhalten), die höchstes Lob ernteten, da man etwas Vergleichbares in Großbritannien nie zuvor gesehen hatte. Maclise starb an Lungenentzündung und wurde auf dem bekannten Friedhof im Londoner Stadtteil Kensal Green beigesetzt.   R. H.

Lit.: London 1972

John Martin (1789-1854)

wurde bei Haydon Bridge in Northumberland geboren. 1803 wurde er zu einem Stellmacher in Newcastle-upon-Tyne in die Lehre gegeben, 1806 ging er nach London und arbeitete als Porzellanmaler, dann bis 1812 bei einem bekannten Glasmaler. Ein 1810 bei der Royal Academy eingereichtes Bild wurde zwar zurückgewiesen, doch die Ausstellung seiner Landschaft *Sadak in Search of the Waters of Oblivion* (Southampton Art Gallery; Replik) brachte ihm Erfolg und demonstrierte mit seiner winzigen Figur eines von einer schroffen, vulkanischen Landschaft überwältigten Mannes, daß er das Bedürfnis des Publikums nach ›Erhabenheit‹ zu befriedigen wußte. Sein großes, 1816 ausgestelltes Gemälde *Joshua Commanding the Sun to Stand Still upon Gibeon* (United Grand Lodge of England, London) ging offensichtlich auf Turners *Hannibal Crossing the Alps* von 1812 (Tate Gallery, London) zurück; seinerseits beeinflußte es wiederum Danby. Martins größter Erfolg war *Belshazzar's Feast* von 1821 (Privatsammlung, London), worin seine perspektivische Meisterschaft eindrucksvoll hervortrat. Von da an widmete er sich insbesondere der Druckgraphik und schuf einige Meisterwerke in Mezzotinto. In seinen letzten Lebensjahren entstanden drei große, visionäre Bilder zum Thema des ›Jüngsten Gerichts‹ (Tate Gallery, London). Er starb auf der Isle on Man.   R. H.

Lit.: Feaver 1975; London 1989c; York 1992

Robert Braithwaite Martineau (1826-1869)

wurde in London geboren, wo er die University College School besuchte und sich zunächst auf eine juristische Laufbahn einstellte. Von 1846 an aber studierte an Cary's Zeichenschule und später an den Royal Academy Schools, wo er 1851 eine Medaille für das Zeichnen nach antiken Statuen gewann. Er freundete sich 1851 mit William Holman Hunt an, der ihm Zeichenunterricht gab. Von 1851 bis zu Martineaus Heirat 1865 teilten sich die Freunde verschiedene Londoner Ateliers. Martineau bewegte sich im Kreis der Präraffaeliten, er nahm an ihren gesellschaftlichen Aktivitäten teil, stand ihnen gelegentlich Modell (z.B. für die Figur des reitenden ›Mordskerls‹ in Ford Madox Browns *Work*) und lehnte seinen eigenen Malstil an ihren an. Zwischen 1852 und 1869 stellte er in der Royal Academy elf Werke aus; zu den populärsten gehörten *Kit's Writing Lesson* (Kat. 42) und *The Last Chapter* (RA 1863; Birmingham Museums and Art Gallery). Berühmt wurde er durch das auf der Weltausstellung 1862 ausgestellte Gemälde *The Last Day in the Old Home* (Tate Gallery, London), das den Ruin einer Familie durch die Verschwendungssucht des Vaters zeigt. Sein früher Tod wurde durch Gelenkrheumatismus verursacht.   C. S. N.

Lit.: AJ 1969, S. 117

George Heming Mason (1818-1872)

wurde in Fenton Park bei Stoke-on-Trent geboren, wo seine Familie eine Keramikmanufaktur besaß. 1843 zog er nach Rom, um Malerei zu studieren. Seit 1852 unternahm er zusammen mit dem italienischen Maler Giovanni Costa Zeichenexkursionen in die Campagna di Roma. 1853 begegnete er dem damals in Rom lebenden Frederic Leighton. Werke wie sein *Ploughing in the Campagna* (RA 1857, Walker Art Gallery, Liverpool) fanden das Interesse englischer Kunstförderer. Nachdem er 1858 nach Staffordshire zurückgekehrt war, geriet er in finanzielle Schwierigkeiten, überdies litt er an Depressionen. Auf Zuspruch Costas und Leightons, die ihn besuchten, ging er dazu über, die Panorama-Landschaftsmalerei, die er in Italien entwickelt hatte, auf englische Landschaftssujets zu übertragen. Finanziell war er auf Freunde und Bewunderer angewiesen. Dazu gehörten viele Malerkollegen, die für die subtile Stimmung seiner Arbeiten empfänglich waren. Werke wie *A Pastoral Symphony* (RA 1869, Privatsammlung) und *The Harvest Moon* (RA 1872, Tate Gallery, London) verschafften ihm den Ruf, einer der ästhetisch fortschrittlichsten Maler seiner Zeit zu sein.   C. S. N.

Lit.: Stoke-on-Trent 1982 und 1989

Sir John Everett Millais (1829-1896)

entstammte einer von altersher auf Jersey ansässigen Familie. Er war mit elf Jahren der jüngste Student, der je in die Royal Academy Schools aufgenommen wurde (1840), wo er im Laufe seines Studiums mit zwei Medaillen ausgezeichnet wurde und Holman Hunt kennenlernte. 1848 war er Gründungsmitglied der Bruderschaft der Präraffaeliten. Seine ersten präraffaelitischen Bilder waren geprägt durch einen merkwürdig steifen, farbenprächtigen Stil mit immer ausgeprägteren naturalistischen Details, wie in *Ophelia* (1852, Tate Gallery, London). *The Huguenot* (1852, Privatsammlung), das erste von vielen Gemälden, die einen unglücklich Liebenden zum Thema hat, machte ihn berühmt und führte zu seiner Ernennung zum außerordentlichen Mitglied der Royal Academy. 1853 malte er Ruskins Porträt und verliebte sich in dessen Frau Effie, die sich scheiden ließ und ihn 1855 heiratete. In den späten sechziger Jahren wurde sein Stil klarer und reicher. Zu seinen späteren Werken gehören Bilder attraktiver Mädchen, historische Sujets, kahle schottische Landschaften und Porträts. Er wurde außerordentlich reich und berühmt. 1885 wurde er zum Baronet ernannt, und 1896 wurde er Präsident der Royal Academy. Er starb noch im selben Jahr und wurde in der St. Paul's Cathedral beigesetzt.   J. B. T.

Lit.: Millais 1899, London 1967

ALBERT JOSEPH MOORE (1841-1893)

war der Sohn des Malers William Moore in York. Wie sein älterer Bruder Henry wurde er von seinem Vater im Malen und Zeichnen unterwiesen und studierte an der York School of Design; wie Henry ging er später nach London und beendete an den Royal Academy Schools seine Ausbildung. Er zeichnete Landschaftssujets im Stil der Präraffaeliten. Von 1857 an stellte er in der Royal Academy aus, so etwa eine Folge von Motiven nach dem Alten Testament, u.a. *Elijah's Sacrifice* (1865, Bury Art Gallery). In den frühen sechziger Jahren arbeitete er an verschiedenen Raumausgestaltungs- und Wandgemäldeprojekten; der Entwurf für das Fresko *The Four Seasons* (1864, verschollen) markiert seine Abkehr vom Erzählerischen zugunsten des Dekorativen. Der Klassizismus seines Gemäldes *The Marble Seat* (verschollen) erregte die Aufmerksamkeit von James Whistler; die Freundschaft zwischen beiden wirkte sich eine Zeitlang auch als stilistische Verwandtschaft aus. Von den späten sechziger bis in die achtziger Jahre schuf Moore Werke, die beispielhaft für die ›Ästhetizistische Bewegung‹ in England waren: Vorwiegend luxuriöse und passive weibliche Figuren griechischen Typs in ›skulpturalen‹ Draperien bevölkern diese ganz von der Harmonie von Licht und Farbe dominierten Gemälde. Gegen Ende seiner Laufbahn begann er mit emotional eindringlicheren Themen zu experimentieren. Von 1877 bis 1888 stellte er fast jährlich in der Grosvenor Gallery aus, wohl weil er sich von der Royal Academy vernachlässigt fühlte. Eine prominente Stellung im Kunstleben seiner Zeit blieb ihm versagt.   C.S.N.

Lit.: Baldry 1894; Robertson 1931; Newcastle 1972; Manchester 1978; York 1980

HENRY MOORE (1831-1895)

erhielt als Sohn des Malers William Moore in York zu Hause Mal- und Zeichenunterricht wie später sein jüngerer Bruder Albert Joseph, studierte 1851-53 an der York School of Design, dann an den Royal Academy Schools in London. Seine stilistisch den Präraffaeliten verwandten Landschaftsgemälde zeichnen sich durch minutiöse Detaildarstellungen und leuchtende Farben aus. Auf der Academy-Ausstellung von 1856 stieß sein Bild *A Swiss Meadow in June* (verschollen) bei Ruskin auf überschwengliches Lob. In den späten fünfziger Jahren malte er immer häufiger Küstenlandschaften, danach und bis zum Ende seines Lebens Seestücke, so voll von Licht, Farben und atmosphärischen Wirkungen, wie sie nur unter freiem Himmel auf offenem Meer zu beobachten sind. Moore stellte häufig und in allen wichtigen Londoner Galerien aus und wurde in die Society of British Artists und in die Old Water-Colour Society gewählt. Von 1853 bis 1895 beteiligte er sich an allen Jahresausstellungen der Royal Academy, auch im Pariser Salon war er regelmäßig vertreten. Er lebte in London, brach jedoch immer wieder und zu allen Jahreszeiten zu Malexpeditionen ins In- und Ausland auf.   C.S.N.

Lit.: London 1980

WILLIAM J. MULLER (1812-1845)

wurde als Sohn eines preußischen Emigranten in Bristol geboren. Seine ersten künstlerischen Versuche waren Zeichnungen seiner pittoresken Heimatstadt und ihrer landschaftlichen Umgebung, insbesondere der Schlucht des Avon. 1833 stellte er zum erstenmal in der Royal Academy aus. 1834-35 unternahm er in Begleitung des Aquarellmalers George Fripp (1813-1896) seine erste Auslandsreise – in die Niederlande, nach Deutschland und Italien –, von der er Bilder zu Londoner Ausstellungen schickte. Reisen nach Griechenland und Ägypten folgten. 1838 übersiedelte er nach London und beteiligte sich von da an regelmäßig an den Ausstellungen der Royal Academy und anderer Institutionen. Seine große Virtuosität als Öl- und Aquarellmaler brachte ihm die Anerkennung des Publikums und seiner Künstlerkollegen ein. 1843 nahm er an einer von der Regierung ausgesandten Expedition in die Türkei teil, um archäologische Stätten zu dokumentieren. Einige seiner dort entstandenen Aquarelle gehören in ihrer reichen Kolorierung und Spontaneität der Vision zu den schönsten ihrer Art. Nach seiner Rückkehr wurde Muller krank und starb im Alter von nur 33 Jahren in Bristol.   R.H.

Lit.: Bristol 1991

WILLIAM MULREADY (1786-1863)

wurde in Ennis, County Clare, Irland, als Sohn eines Händlers geboren, der später nach London zog. Trotz seiner bescheidenen Herkunft erhielt er eine gute Ausbildung. Nach Zeichenunterricht bei dem Bildhauer Thomas Banks besuchte er von 1800 an die Royal Academy Schools, wurde Schüler des Aquarellmalers John Varley und verdiente seinen Lebensunterhalt als Zeichenlehrer. Von 1804 an stellte er in der Royal Academy pittoreske Landschaftssujets aus, zunächst Aquarelle, später Ölgemälde. Von Varley und Linell ermutigt, malte er 1806 einige Pleinair-Landschaften in Öl – zu gleicher Zeit wie Turner und Constable. Zu seinen Landschaftszeichnungen und -aquarellen kam 1808 das Genre hinzu: *The Rattle* (Tate Gallery, London) was das erste Genrebild, worin Kinder eine zentrale Rolle spielen, für gewöhnlich vor genau beobachteten und einfühlsam wiedergegebenen Innen- oder Außenansichten. Auf dem Umweg über Wilkie, den er in intellektueller Hinsicht übertrifft, gehen diese Werke auf die holländischen Meister des 17. Jahrhunderts zurück. 1807-08 illustrierte er auch Kinderbücher. 1815 wurde er außerordentliches und 1816 Vollmitglied der Royal Academy. Im selben Jahr stellte er *The Fight Interrupted* (Victoria & Albert Museum, London) aus: die Darstellung eines Streites unter Kindern mit tieferer Bedeutung, ein ›modernes moralisches Sujet‹, wie er sie häufiger malte. Seine Zeichnungen und Gemälde fallen durch große Sorgfalt auf; seinen Gemälden gingen meist umfangreiche Vorstudien voraus. Von den vierziger Jahren an schuf er zahlreiche meisterhafte Aktzeichnungen. Zusammen mit Wilkie war er einer der wenigen großen britischen Zeichner des 19. Jahrhunderts. Das Victoria & Albert Museum besitzt eine vorzügliche Auswahl aus seinem Œuvre.   R.H.

Lit.: Heleniak 1980; Pointon 1986

SIR ALFRED MUNNINGS (1878-1959)

wurde in Suffolk geboren, lernte und arbeitete 1893-98 bei einem Lithographen in Norwich und studierte gleichzeitig Malerei an der Norwich School of Art, später in Paris. Er eignete sich einen flüssigen und impressionistischen Landschaftsmalereistil an, der sich durch eine besondere geschickte Behandlung des Lichts auszeichnete. 1917-18 diente er als offizieller Kriegskünstler bei der Canadian Cavalry Brigade. Sein erstes erfolgreiches Reiterporträt war das von General Seely, Kommandeur der kanadischen Armee in Frankreich, das 1919 in der Royal Academy gezeigt wurde und eine Flut ähnlicher Auftragsarbeiten zur Folge hatte. Diese Reiter- und Jagdmotive machten ihn zum bekanntesten Pferdemaler des 20. Jahrhunderts. Seit 1898 stellte er in der Royal Academy aus; 1919 wurde er außerordentliches und 1925 Vollmitglied der Akademie. Von 1944 bis 1949 Präsident der Academy, mußte er nach einem heftigen Angriff auf die moderne Kunst zurücktreten. Seine Verachtung galt Künstlern wie Apologeten der Avantgarde, besonders Picasso.   C.S.N.

Lit.: Munnings 1950, 1951 und 1952; Manchester 1986

JOHN WILLIAM NORTH (1842-1924)

wurde als Sohn eines Tuchhändlers in Brixton im Londoner Süden geboren. 1860 kam er zu dem Holzschneider J.W. Whymper in die Lehre. 1862-66 arbeitete er als Illustrator für die Brüder Dalziel. Mit seinen sensiblen Landschaftsinterpretationen im Medium des Schwarzweißholzschnitts machte er sich bald einen Namen. 1860 besuchte er zum ersten Mal Somerset, und bis 1868 hielt er sich zusammen mit seinen Freunden Fred Walker und G.J. Pinwell wiederholt in Halsway Court auf, einem großen Herrenhaus am Rande der Quantock Hills. In den späten sechziger und in den siebziger Jahren stellte er in der Dudley Gallery aus. 1871 wurde er außerordentliches Mitglied und regelmäßiger Aussteller der Old Water-Colour Society. Von 1869 an stellte er zuweilen auch in der Royal Academy aus, zu deren ordentlichem Mitglied er 1893 gewählt wurde. Zu jener Zeit anerkannten ihn Herkomer und andere Kenner respektvoll als das Oberhaupt der idyllischen Landschafterschule. Seine späten Werke *The Winter Sun* (1891, Tate Gallery, London) und *The Old Pear Tree* (1892, Southampton Art Gallery) fanden große Bewunderung und übten einen beträchtlichen Einfluß auf die Landschafter der jüngeren Generation aus.   C.S.N.

Lit.: Marks 1896; Alexander 1927-28

WALTER OSBORNE (1859-1903)

war der Sohn eines Tiermalers in Dublin. Von 1876 an studierte er an den Royal Hibernian Academy Schools, wo er mehrere Preise erhielt, unter anderem ein Stipendium, das ihm ein Studium auf dem europäischen Kontinent ermöglichte. 1881-83 besuchte er die Akademie in Antwerpen. 1883 malte er unter freiem Himmel in der Bretagne, in den späten achtziger Jahren in verschiedenen Teilen Englands. Obwohl auch er von Bastien-Lepage beeinflußt war, unterschieden sich seine Arbeiten dieser Zeit durch größere Subtilität der Farbgebung und souveräneren Malstil von denen seiner englischen Plein-air-Kollegen. Seit 1877 stellte Osborne in der Royal Hibernian Academy in Dublin aus, seit 1886 in der Royal Academy und 1887 in New English Art Club. Im künstlerischen Leben Dublins nahm er eine immer aktivere Rolle ein; 1883 wurde er außerordentliches Mitglied der Royal Hibernian Academy, 1886 Vollmitglied. 1892 stellte er seine regelmäßigen Malexkursionen nach England ein. Er legte das Schwergewicht nun auf Porträtmalerei in einem

Sargent und Whistler verpflichteten Stil. Doch malte er auch weiterhin Landschaften in der Umgebung Dublins und stimmungsvolle Ansichten der Straßen und Märkte der Stadt. Die Ritterwürde, die ihm 1900 als führendem Porträtmaler angetragen wurde, wies er zurück. 1903 starb er mit 43 Jahren an Lungenentzündung.   J. B. T.

Lit.: Dublin 1983

SAMUEL PALMER (1805-1881)

war der Sohn eines Buchhändlers und einer Bankierstochter in Newington bei London. Er genoß eine sorgfältige literarische Erziehung und lernte von 1818 an bei dem zweitrangigen Aquarellmaler William Waite zeichnen. Als drei Landschaftsansichten des Vierzehnjährigen für Ausstellungen in der British Institution und der Royal Academy angenommen, eine sogar angekauft wurde, sprach man von dem ›Wunderkind‹ Palmer. Um dieselbe Zeit erkannte er bereits Turners Kühnheit. Zwischen 1822 und 1824 lernte er John Linnell, John Varley, William Mulready und William Blake kennen. Linnell machte ihn mit den Werken Dürers und anderer deutscher und italienischer Meister des Mittelalters bekannt, deren religiöse Intensität tiefen Eindruck auf ihn machte. Einen viel unmittelbareren Einfluß übte Blake auf ihn aus, unter dem Palmers Spezialzeichnungen aus dieser Zeit (Beispiele im British Museum und im Ashmolean Museum, Oxford) belebte Landschaftsvisionen hervorbringen: minuziös beobachtet, dicht und reich gearbeitet auf kleinem Format. Mit Edward Calvert und George Richmond gehörte Palmer zu einer kleinen Gruppe junger Künstler um Blake, genannt ›The Ancients‹, die von 1826-33 in Shoreham, Kent, lebte, wo sie neue Inspirationsquellen fand. Es entstanden einige seiner besten und bekanntesten Werke, wie die beiden Temperagemälde *Coming from Evening Church* (Tate Gallery, London) und *The Shearers* von 1833-34 (Privatsammlung).

1837 heiratete Palmer Linnells Tochter. Die Hochzeitsreise führte sie nach Italien, wo sie dann zwei Jahre lang blieben. Das italienische Licht und die klassische Landschaft milderten Palmers visionäre Intensität und bereiteten seine künftigen eher formal betonten Motive vor. Nach seiner Rückkehr geriet er in finanzielle Schwierigkeiten und gab Zeichenunterricht. 1853 wurde er zum Mitglied der Etching Society und 1854 zum Vollmitglied der Old Water-Colour Society gewählt. 1861 zog er nach Reigate, Surrey, wo er den Rest seines Lebens verbrachte. Zu den eindrucksvollsten Bildern aus dieser Zeit gehören seine Illustrationen zu Miltons ›L'Allegro‹ und ›Il Penseroso‹. Im Jahr nach seinem Tod fand eine Gedächtnisausstellung für ihn in London statt, die die besten seiner poetischen Landschaften, die zu den originellsten Werken der britischen Malerei zählen, zeigte.   R. H.

Lit.: Palmer 1892; Lister 1988

SIR JOSEPH NOEL PATON (1821-1901)

wurde in Dunfermline in Schottland geboren. Schon als Junge zum Zeichnen und Malen ermutigt, begab er sich 1841 nach London, um im British Museum zu skizzieren und an den Royal Academy Schools zu studieren. 1845 beteiligte er sich mit einem als *The Spirit of Religion* betitelten Karton-Entwurf am ersten Wettbewerb für den Palace of Westminster, 1847 mit zwei Gemälden – *Christ bearing the Cross* und Kat. 24 – am zweiten

Westminster-Wettbewerb; beide Male erhielt er einen Preis. Um 1857 ließ er sich in Edinburgh nieder. Er stand mit den Präraffaeliten in Verbindung; Werke wie *The Bluidie Tryste* (1855, Glasgow Museum and Art Gallery) zeigen insbesondere den Einfluß von Millais. Paton war thematisch vielfältig, seine Skala reichte von Märchenszenen, Literatursujets, religiösen und symbolischen Themen bis zu Darstellungen des modernen Lebens (*Home* und *In Memoriam* gingen etwa auf den Krimkrieg bzw. die Indische Rebellion zurück. Von 1844 bis zu seinem Tod stellte er regelmäßig in der Royal Scottish Academy aus; 1847 wurde er zum außerordentlichen und 1850 zum Vollmitglied dieser Akademie gewählt. Von 1856 bis 1883 beteiligte er sich auch an den Ausstellungen der Royal Academy. 1865 wurde er Hofmaler Ihrer Majestät für Schottland, 1866 in den Ritterstand erhoben.   C. S. N.

Lit.: Gray 1881; Story 1895

JOHN PHILLIP (1817-1867)

war der Sohn eines Schuhmachers in Aberdeen in Schottland. Er wurde zu einem Anstreicher in die Lehre gegeben, ging aber schon 1834 nach London. Zunächst versuchte er sich im Stil von David Wilkie. Er war Schüler des Genremalers Thomas Musgrave Joy und seit 1837 Student an der Royal Academy. In dieser Zeit wurde er auch Mitglied der ›Clique‹, einer Künstlergruppe, der u. a. Richard Dadd, Augustus Egg und W. P. Frith angehörten. 1838 stellte er zum erstenmal in der Royal Academy aus; im Jahr darauf kehrte er nach Aberdeen zurück, wo er Porträts und Genrebilder malte. Seit 1846 lebte er wieder in London. 1851 besuchte er Spanien, vor allem Sevilla, und stellte nach seiner Rückkehr nach London mit einigem Erfolg spanische Sujets aus. 1856 kehrte er nach Spanien zurück. 1859 wurde er zum Mitglied der Royal Academy ernannt. 1860 unternahm er seine dritte und letzte Spanienreise; er besuchte Madrid, Toledo und Sevilla und beschäftigte sich intensiv mit Velázquez. Die Vielzahl spanischer Sujets in seinem Œuvre trug ihm den Namen ›Spanish Phillip‹ ein. Diese Sujets besaßen damals die Attraktion des Neuen und durch Phillips Erzählgabe und wirkungsvolle Koloristik hohen malerischen Reiz. Abgesehen von dem Bild *The Letter Writer of Seville* von 1853 (Royal Collection), das die Methoden des Präraffaelitismus aufzugreifen suchte, zeichnet sich sein Werk durch ausgeprägte ›Peinture‹ aus, darüber hinaus, besonders in den spanischen Sujets, durch Warmherzigkeit und Sinn für Humor. 1866 reiste er nach Italien. Ein Jahr später starb er in London. Sein Œuvre ist in Edinburgh und Aberdeen zu sehen.   R. H.

Lit.: Dafforne 1877; Aberdeen 1967

GEORGE JOHN PINWELL (1842-1875)

war der Sohn eines Baumeisters aus Wycombe in Buckinghamshire. Schon im Knabenalter arbeitete er als Entwerfer für eine Stickereifirma. Später studierte er an der St Martin's Lane School of Art und an der Heatherley's School in London. Von etwa 1863 an schuf er für J. W. Whymper Holzschnittillustrationen. Mit J. W. North, der bei Whymper in die Lehre ging, schloß er Freundschaft. Später arbeitete er als Illustrator für die Brüder Dalziel. An verschiedenen Publikationen, z. B. ›Wayside Posies‹ und ›Poems by Jean Inge-

low‹, waren Pinwell, North und Walker gemeinsam als Illustratoren beteiligt. Pinwell malte Aquarell- und gelegentlich auch Ölversionen von Themen, die in Form von Illustrationen erschienen waren. Sein besonderes Interesse galt der Darstellung von Landschaften mit vielen Figuren – für gewöhnlich griff er dafür auf Szenen aus Legenden und Sagen zurück – sowie Studien von Einzelpersonen in ihrer häuslichen Umgebung. Von 1865 bis 1869 stellte er in der Dudley Gallery aus, 1869 wurde er zum außerordentlichen Mitglied der Old Water-Colour Society gewählt. An Schwindsucht leidend, lebte er 1874 hauptsächlich in Nordafrika; im September 1875 starb er.   C. S. N.

Lit.: Williamson 1900

PAUL FALCONER POOLE (1807-1879)

wurde als Sohn eines Lebensmittelhändlers in Bristol geboren. Als Maler war er Autodidakt; seine zeichnerischen Fehler wurden oft kritisiert. 1830 stellte er zum erstenmal in der Royal Academy aus, dann erst wieder 1837. Infolge eines Eheskandals, in den Francis Danbys Frau verwickelt war, die Poole später heiratete, hatte er sich einige Jahre völlig zurückgezogen. Der sensationelle Erfolg von *Solomon Eagle exhorting the people to repentance during the plague of the year 1665* (Sheffield City Art Gallery) bei der Akademieausstellung von 1843 machte ihn über Nacht berühmt. 1845 stellte er in der Westminster Hall Freskenentwürfe aus; im Westminster-Wettbewerb von 1847 wurde er mit einem Preis ausgezeichnet. Seinen Lebensunterhalt verdiente er mit zahllosen geziert lächelnden und bäuerlich gekleideten Frauengestalten, doch seinen Ruf erwarb er sich mit eindrucksvollen Figurenkompositionen nach Motiven aus der Geschichte, der Bibel und der Literatur in poetischen Landschaften mit dramatischen Lichteffekten. Poole trug das ehrgeizige Ideal der hohen Kunst aus dem frühen 19. Jahrhundert in die viktorianische Zeit hinein. Als er starb, war diese Vollblutromantik nicht mehr gefragt, und sein Ruhm war verblaßt.   J. B. T.

Lit.: Bristol 1973, S. 30-39, 235-236; Leeds 1978, S. 78-79

SIR EDWARD JOHN POYNTER (1836-1919)

wurde als Sohn eines englischen Architekten in Paris geboren. 1853-54 besuchte er Rom, wo er Leighton kennenlernte, dessen Werk und Ideen zur Kunst einen bleibenden Einfluß auf ihn ausüben sollten. In London studierte er an Leigh's School und seit 1855 an den Royal Academy Schools. 1855-59 hielt er sich oft in Paris auf, wo er in Gleyres Atelier und danach an der Ecole des Beaux-Arts arbeitete; er schloß sich dort jenem Kreis englischsprachiger Maler an, den George du Maurier in seinem Roman ›Trilby‹ (1894) schilderte. 1860 ließ er sich in London nieder, 1861 stellte er zum ersten Mal in der Royal Academy aus. Poynter wurde einer der wichtigsten Maler historischer, neoklassizistischer und genrehafter Sujets in antikem Rahmen. 1869 wurde er außerordentliches Mitglied der Royal Academy, 1876 Vollmitglied und 1896 Präsident. Er war Slade Professor of Art am University College, London, Direktor der Kunstschulen am South Kensington Museum und von 1894 bis 1906 Direktor der National Gallery.   C. S. N.

Lit.: Dafforne 1877; AJ 1903, S. 187-192

RICHARD REDGRAVE (1804-1888)

wurde als Sohn eines erfolglosen Geschäftsmanns in London geboren und wuchs auch dort auf. Er schrieb sich 1826 an den Academy Schools ein und lebte vom Zeichenunterricht. Seine frühen Genre- und Historienbilder waren von C.R. Leslie und seinem engen Freund Charles West Cope beeinflußt. In den dreißiger Jahren entstanden auch Landschaften und Interieurs. Mit dem Entwurf *Loyalty* nahm er am Westminster-Wettbewerb von 1843 teil. In den frühen vierziger Jahren wandte er sich mit Vorliebe sozialkritischen Szenen aus der Gegenwart zu; beispielhaft dafür sind etwa *The Reduced Gentleman's Daughter* (RA 1840; verschollen) und *The Poor Teacher* (1845, Shipley Art Gallery, Gateshead). 1840 wurde er außerordentliches und 1851 Vollmitglied der Royal Academy. Nachdem er 1847 die Leitung der Government School of Design übernommen hatte, kam er nur noch selten zum Malen. Überdies war er als ›Inspector of The Queen's Pictures‹ verantwortlich für den ersten modernen Katalog der königlichen Sammlung. Zusammen mit seinem Bruder Samuel gab er 1866 ›A Century of Painters of the English School‹, ein biographisches Verzeichnis zur britischen Malerei in zwei Bänden, heraus. Ende der sechziger Jahre erwarb er ein Landhaus bei Abinger in Surrey, wohin er sich in den Sommermonaten zurückzog, um wieder malen zu können – die Wälder und Wiesen der North Downs.   C.S.N.

Lit.: AJ 1850, S.48-49; AJ 1859, S.205-207; London 1988; Parkinson 1990, S.236-249

SIR WILLIAM BLAKE RICHMOND (1842-1921)

war der Sohn des Malers und Zeichners George Richmond in London und wurde nach William Blake benannt, dem Freund und Mentor seines Vaters. Sein Pate war Samuel Palmer; er wuchs unter den Künstlern auf, die als ›The Ancients‹ bekannt waren. 1857 schrieb er sich an den Royal Academy Schools ein. 1859 unternahm er die erste von vielen Italienreisen; besonders beeindruckt war er von den Werken Michelangelos und Tintorettos. Seit 1861 stellte er in der Royal Academy aus. 1865-69 lebte er in Rom, wo er die Freskomalerei studierte und Landschaftssujets in der Campagna di Roma malte. Er gehörte zu den Künstlern, die der Grosvenor Gallery zum Erfolg verhalfen. Dort stellte er eine Folge mythologischer und religiöser Bilder aus, u.a. *Electra at the Tomb of Agamemnon* (GG 1877, verschollen) und *The Wise and Foolish Virgins* (GG 1881, Privatsammlung). Seinen Lebensunterhalt verdiente er als gefragter Porträtmaler. 1879 wurde er Ruskins Nachfolger als Slade Professor of Fine Art in Oxford. Obwohl er die Ausstellungen der Royal Academy zugunsten der Grosvenor Gallery jahrelang vernachlässigt hatte, wurde er 1888 außerordentliches Mitglied der Academy und 1895 Vollmitglied.   C.S.N.

Lit.: Lascelles 1902; Stirling 1926; Stoke-on-Trent 1989

DANTE GABRIEL ROSSETTI (1828-1882)

wurde in London geboren. Sein Vater war ein politischer Flüchtling aus Italien, der später Professor für italienische Sprache und Literatur am King's College wurde. 1841 schrieb Dante Gabriel sich an Sass's Zeichenschule ein; seine Passionen waren in dieser Zeit Literatur und Literatur-Illustra-

tionen. 1844 ging er an die Royal Academy Schools, und 1848 war er eine kurze Weile Schüler von F.M. Browns. Bald darauf teilte er sich mit Holman Hunt ein Atelier, und im Herbst 1848 gehörte er zu den Mitbegründern der Bruderschaft der Präraffaeliten. *The Girlhood of Mary Virgin* (1849; Abb.9, S.37) und *Ecce Ancilla Domini!* (1849-50, beide Tate Gallery, London) stellen seine frühesten Bemühungen dar, die Grundsätze dieser Gruppe malerisch zu verwirklichen. In den fünfziger Jahren widmete er sich der Aquarellmalerei; seine Themen entnahm er der Literatur, hauptsächlich Dante und Malorys ›Le Morte d'Arthur‹. Er schuf kunstvoll ausgearbeitete, dicht gemusterte Kompositionen in prächtigen Farben. Von 1857 an enge Freundschaft mit E. Burne-Jones, der ihm bei der Arbeit an den Wandgemälden für die Oxford Union zur Hand ging. 1862 starb Lizzy Siddal, sein langjähriges Modell, das er 1860 geheiratet hatte, an einer Überdosis Opium. Danach zog er ins Tudor House im Londoner Stadtteil Chelsea, wo er das Leben eines Bohemiens führte. Werke wie *Bocca Baciata* (1859, Boston Museum of Fine Arts) sind beispielhaft für die prunkvollen und erotischen Themen, für die er sich jetzt interessierte. 1869 wurde der Leichnam Lizzy Siddals exhumiert, um dem Sarg das Manuskript seiner Gedichte zu entnehmen, die dann im folgenden Jahr veröffentlicht wurden. Rossetti isolierte sich zunehmend von seinen Freunden und Künstlerkollegen und litt an Neurosen und verschiedenen körperlichen Gebrechen. Er starb in Birchington-on-Sea in Kent.   C.S.N.

Lit.: Doughty 1949; Rossetti 1965-67; London 1973; London 1984b

JOHN RUSKIN (1819-1900)

war der Sohn eines Weinhändlers und wuchs, streng erzogen, in Herne Hill im Süden Londons auf. 1836 ging er ans Christ Church College in Oxford. In den beiden ersten (1843 und 1846 veröffentlichten) Bänden von ›Modern Painters‹ verteidigte und interpretierte er Turners Malerei und Landschaftsvision. Die Forderung nach »Naturtreue«, die dieser monumentalen Publikation zugrundeliegt (dritter und vierter Band 1856, fünfter 1860 veröffentlicht), wurde von den Landschaftsmalern einer Generation begierig aufgegriffen, die sich damals von den Konventionen des Pittoresken abwandten. In Briefen an die ›Times‹ und der Schrift ›Pre-Raphaelitism‹ (1851) verteidigte er Millais und Holman Hunt. Von 1854 an stand er einige Jahre in enger Verbindung zu D.G. Rossetti, mit E. Burne-Jones war er in den sechziger Jahren eng befreundet. Er unterrichtete am Working Men's College in London und gab das Lehrbuch ›The Elements of Drawing‹ heraus (1857). In den späten fünfziger Jahren wurde er von heftigen Selbstzweifeln geplagt und verwarf den rein ästhetischen oder formalen Gehalt der Kunst als unerheblich für die sozialen und ökonomischen Fragen, die ihn immer stärker beschäftigten. In den siebziger Jahren suchte er nach Mitteln und Wegen, um mit Hilfe der Kunst ein breites Publikum zu bilden und zu unterrichten. 1869 wurde er zum ersten Slade Professor of Art in Oxford berufen; er gründete eine Zeichenschule, der er zahlreiche Turner-Zeichnungen aus seiner Sammlung schenkte. 1871 gründete er die Guild of St George, ein frühsozialistisches, genossenschaftlich organisiertes Projekt, dessen größter Erfolg ein Kunstmuseum in Sheffield war. Das Organ

dieser Gilde war ›Fors Clavigera‹ (1871-84), Monatsbriefe an Arbeiter, in denen Ruskin Fragen der Architektur, Naturgeschichte und Malerei erörterte. Schon immer zu Depressionen neigend, litt er in späteren Jahren zeitweise an akuten Wahnsinnsanfällen. Sein letztes Werk war die unvollendete Autobiographie ›Praeterita‹ (1885-89). Die letzten zehn Jahre seines Lebens verbrachte er in der Abgeschiedenheit seines Hauses Brantwood am Coniston Water im Lake District.   C.S.N.

Lit.: Ruskin 1903-12; Walton 1972; Sheffield 1983; Hilton 1985

FREDERICK SANDYS (1829-1904)

wurde in Norwich als Sohn eines Färbers und späteren Zeichners und Malers geboren. Er besuchte die Norwich Grammar School und später die Government School of Design in seiner Heimatstadt. 1851 stellte er zum ersten Mal in der Royal Academy aus. Inzwischen lebte er in London, wo er zunächst hauptsächlich als Illustrator arbeitete. Seine Parodie auf Millais' Gemälde *Sir Isumbras at the Ford*, worin Ruskin als der Esel porträtiert ist, an den Millais, Hunt und Rossetti sich klammern, führte zu einer Freundschaft zwischen Sandys und Rossetti. In den späten fünfziger und in den sechziger Jahren malte er biblische, mythologische und literarische Sujets, oft auf der Grundlage von Frauenporträts oder Figurenstudien des Typs, den Rossetti entwickelt hatte. Sandys entwickelte sich zu einem erfahrenen und erfolgreichen Porträtzeichner, besonders von den Anhängern der ›Ästhetizistischen Bewegung‹ geschätzt. Seine Porträts waren physiognomisch detailgetreu und zugleich sicher in der Erfassung des Charakters. Zeitweilig lebte er zusammen mit Rossetti im Tudor House in Chelsea. Später wohnte er mit seiner Geliebten Mary Jones zusammen, die ihm viele Kinder gebar.   C.S.N.

Lit.: Brighton 1973; London 1984b

JOHN SINGER SARGENT (1856-1925)

wurde als Sohn amerikanischer Eltern in Florenz geboren. Einen großen Teil seiner Kindheit verbrachte er auf Reisen durch Europa. Er besuchte die Accademia di Belle Arti in Florenz und zog danach nach Paris, um bei Emile August Carolus-Duran, auch an der Ecole des Beaux-Arts zu studieren. Sein Porträt von Madame Gautreau mit dem Titel *Madame X* (Metropolitan Museum of Art, New York) verursachte im Salon von 1884 einen Skandal. Sargent zog daraufhin von Paris nach London. Sein Gemälde *Carnation, Lily, Lily, Rose* (Tate Gallery, London) war 1887 in der Royal Academy ein sensationeller Erfolg und wurde vom Chantrey Bequest angekauft. In den neunziger Jahren erwarb er sich den Ruf des bedeutendsten Porträtmalers seiner Zeit; Rodin nannte ihn den »van Dyck unserer Zeit«. Er wurde zu einer führenden Gestalt im englischen Kunstleben; nahm an allen Ausstellungen der Royal Academy teil, stellte auch in der Royal Water-Colour Society Aquarelle aus. Ab 1910 wurde er der Porträtmalerei überdrüssig und wandte sich Landschaftsthemen zu. Von 1890 bis 1910 arbeitete er an Wandgemälden für die Boston Public Library. Im Ersten Weltkrieg diente er als offizieller Kriegsmaler.   C.S.N.

Lit.: Ormond 1970; Leeds 1979; Olson 1986

FREDERIC JAMES SHIELDS
(1833-1911)

wuchs in bitterster Armut in Hartlepool auf. Er besuchte Abendkurse in London und Manchester, wo er sich um 1848 niederließ; seinen Lebensunterhalt verdiente er mit Gebrauchsgraphik. Mit Aquarellen von Kindern hatte er in Manchester lokalen Erfolg. Nachdem er 1857 auf der Manchester Art Treasures Exhibition Arbeiten der Präraffaeliten gesehen hatte, geriet er unter ihren Einfluß. Seine Aquarelltechnik wurde minutiöser; von präraffaelitischen Holzschnitten ließ er sich zu Illustrationen zu Defoes ›Die Pest zu London‹ inspirieren, in denen sein glühender christlicher Glaube zum Ausdruck kam. 1864 schloß er Freundschaft mit Rossetti und Madox Brown. 1875 zog er nach London. Er bemühte sich um einen immer klareren figürlichen Stil und entwarf Farbfenster und Mosaiken. Sein letztes Werk war ein ehrgeiziger, von der frommen Mrs. Russell Gurney in Auftrag gegebener Wandgemäldezyklus in der Himmelfahrtskapelle im Londoner Stadtteil Bayswater (1888-1910; zerstört). Sie zeigen eine manierierte, überzogene Spiritualität, die seinem nervösen und rastlosen Temperament entsprach.   J.B.T.

Lit.: Shields 1891; Mills 1912

WALTER RICHARD SICKERT
(1860-1942)

wurde in München als Sohn eines dänischen Malers und Illustrators geboren, der 1869 nach England auswanderte. Nach einer kurzen Laufbahn als Schauspieler besuchte er 1881 die Slade School of Art in London, die er aber bald wieder verließ, um Whistlers Schüler und Atelierassistent zu werden. Sein früher, an Whistler angelehnter Stil änderte sich unter dem Einfluß von Degas und der französischen Kunst und wurde reicher und strukturierter. 1887 begann er Londoner Motive, Ansichten und Porträts zu malen. 1888 schloß er sich dem New English Art Club an und wurde Wortführer der progressiven Fraktion, die 1889 die Ausstellung ›The London Impressionists‹ veranstaltete. 1895 besuchte er Venedig. Zwischen 1898 und 1905 lebte er in Dieppe und hielt sich häufig in Venedig auf. Dort malte er 1903-04 Genreszenen vor allem mit Figuren von Deklassierten, eine Thematik, mit der er sich nach seiner Rückkehr nach London im Jahre 1905 weiterhin intensiv auseinandersetzte. Seit 1907 war sein Atelier der Mittelpunkt eines als ›Camden Town Group‹ bekannten Kreises jüngerer Künstler. In späteren Jahren malte er Landschaften und Stadtansichten sowie narrative Gemälde, Porträts und Theatersujets, oft nach Photographien und Illustrationen des 19. Jahrhunderts.   J.B.T.

Lit.: Baron 1973; London 1992

WILLIAM SIMPSON (1823-1899)

wurde in kargen Verhältnissen in Glasgow, Schottland, geboren und brachte sich mit lithographischen Arbeiten zuerst in seiner Heimat, ab 1851 in London durch. Nach dem Ausbruch des Krimkriegs, 1854, wurde er von den Verlegern Colnaghi mit Dokumentationen von den Kriegsschauplätzen beauftragt. Er galt seitdem – nicht ganz korrekt – als der erste Kriegsmaler und wurde zu Lebzeiten ›Krim-Simpson‹ genannt. Der Realismus seiner Kriegsaquarelle, die 1855/56 als Lithographien in der ›Times‹ veröffentlicht wurden,

dazu auch seine Reportagen, hatten zusammen mit den Photographien Roger Fentons großen Einfluß auf die Meinung der Öffentlichkeit über den Krimkrieg. In dieser Zeit führte eine Begegnung mit Königin Victoria zu einer langjährigen Freundschaft zwischen beiden. 1859, kurz nach dem ersten Sepoy-Krieg, reiste er nach Indien, wo er bis 1862 blieb. Seine zahlreichen weiteren Reisen waren nicht nur dem Zeichnen und Malen vorbehalten; als echter Polyhistor betrieb er archäologische, architektonische und historische Studien. Einige der 250 Aquarelle, die in dieser Zeit entstanden, wurden unter dem Titel ›India Ancient and Modern‹ veröffentlicht. Als Special Artist der Wochenzeitschrift ›Illustrated London News‹ bereiste er Persien, Abessinien, Ägypten und Jerusalem. Er dokumentierte 1869 die Eröffnung des Suez-Kanals, 1870/71 den Deutsch-Französischen Krieg und den Aufstand der Pariser Kommune. 1872-73 war er in Indien, China, Japan und Amerika, 1875-76 wieder in Indien, 1877 in Mykenä und Troja als Augenzeuge der Schliemann-Ausgrabungen, 1878/79 als Kriegszeichner in Afghanistan. Simpsons topographische Aquarelle zeichnen sich durch Lebendigkeit, Farbbrillanz und oft Kühnheit der Sichtweise aus.   R.H.

Lit.: Simpson 1903; London 1987 b

ABRAHAM SOLOMON (1824-1862)

entstammte einer jüdischen Familie und wurde in London als Sohn eines Hutmachers geboren. Zwei seiner Geschwister, Rebecca und Simeon, wurden ebenfalls Maler. Als Junge studierte er Kunst an der Sass's School. 1839 ging er an die Academy Schools, wo seine Zeichnungen bald ausgezeichnet wurden. Die Sujets seines Frühwerks sind den Romanen und Gedichten von George Crabbe, Walter Scott und Oliver Goldsmith entnommen. In den beiden 1854 ausgestellten Gemälden *First Class – The Meeting* und *Second Class – The Parting* (National Gallery of Canada, Ottawa, bzw. National Gallery of Australia, Canberra) beschäftigte er sich zum ersten Mal mit zeitgenössischen Themen, denen er eine moralisierende Note gab. *Waiting for the Verdict* (RA 1857; Tate Gallery, London) und *Not Guilty* (RA 1859, Tate Gallery, London) stellten die Höhepunkte dieser Reise dar. Als James Dafforne bemerkte, Solomon sei »bildlichen Kontrasten verfallen« (Dafforne 1862, S. 75), spielte er auf dessen allzu schematisch erscheinende Behandlung solcher Themen an. Ein differenziertes Interesse an sozialen Fragen trat dann in *Drowned! Drowned!* (RA 1860, verschollen) zutage. Durch den Verkauf von Radierungen nach den Gemälden, die er seit 1841 regelmäßig in der Royal Academy ausstellte, erlangte er beträchtlichen Wohlstand. 1862 wurde er zum außerordentlichen Mitglied der Royal Academy gewählt, doch noch im selben Jahr erlag er, viel zu jung, einem Herzleiden.   C.S.N.

Lit.: Dafforne 1862; London 1985

PHILIP WILSON STEER (1860-1942)

wurde als Sohn eines Malers in Birkenhead geboren. 1878-81 studierte er am Gloucester College of Art, dann kurz an der Kunstschule am South Kensington Museum und von 1882-84 in Paris. 1883 stellte er in der Royal Academy aus und 1884 im Pariser Salon. 1886 war er Gründungsmitglied des New English Art Club. Mitte der achtziger Jahre malte er in Etaples bei Calais und

Walberswick in Suffolk. Sein flüssiger Malstil und die kühnen Vereinfachungen zeigen den Einfluß Whistlers; die Küstenszenen der späten achtziger und frühen neunziger Jahre aber sind in einem noch freieren Stil gemalt und gehören zu den frühesten Arbeiten der englischen Malerei, die den Einfluß des französischen Impressionismus erkennen lassen. In den frühen neunziger Jahren malte er intime, stilistisch wieder an Whistler angelehnte Porträts von Rose Pettigrew. 1893 wurde er ein einflußreicher Lehrer an der Slade School of Art in London. In dieser Zeit ging er zu einem traditionelleren Landschaftsmalereistil über und schuf eindrucksvolle, von Turner und Constable beeinflußte klassische Ansichten. Auch seine Porträts und Figurenbilder ließen sein neu erwachtes Interesse am 18. Jahrhundert erkennen. Überdies entstanden zahllose blasse und delikate Aquarelle.   J.B.T.

Lit.: Laughton 1971; Cambridge 1986

JOHN MELHUISH STRUDWICK
(1849-1937)

wurde in Clapham im Londoner Süden geboren und studierte an der Kunstschule am South Kensington Museum und an den Royal Academy Schools. In den frühen siebziger Jahren war er zuerst Atelierassistent bei Spencer Stanhope, einem Freund und Anhänger von Burne-Jones, dann bei Burne-Jones selbst, der einen entscheidenden Einfluß auf sein Werk ausübte. Er stellte nur einmal in der Academy aus. Von 1877 an nahm sich die Grosvenor Gallery, von 1888 an die New Gallery seines Werkes an. Er übernahm die traumartigen und melancholischen Visionen seines Lehrmeisters Burne-Jones, dessen zwingende emotionale Intensität ihm allerdings fehlte. Seine dünnen, gebeugten Gestalten spielen die klassischen Allegorien zum Thema Vergänglichkeit und Sehnsucht nach Jugend und Liebe durch. Seine Produktion war nicht groß, sein Stil wenig Wandlungen unterworfen. George Bernard Shaw, damals Kunstkritiker, lobte sein Werk (›Art Journal‹ 1891), bei seinen Zeitgenossen blieb er allerdings recht unbeachtet, obwohl er einige treue Förderer hatte. 1909 scheint er die Malerei aufgegeben zu haben.   J.B.T.

Lit.: Kolsteren 1988; London 1989 b

JAMES TISSOT (1836-1902)

entstammte einer wohlhabenden Familie in Nantes (ursprünglicher Vorname: Jacques-Joseph) und studierte an der Ecole des Beaux-Arts in Paris, wo er Whistler und Degas begegnete. Er malte flämische Szenen des 15. Jahrhunderts im Stil von Henri Leys sowie Porträts, Gegenwartsszenen und von Mitte der sechziger Jahre an Liebespaare in Directoire-Gewändern. 1864 stellte er zum erstenmal in der Royal Academy aus. 1869-77 zeichnete er Porträtkarikaturen für die englische Zeitschrift ›Vanity Fair‹. Nach der Niederwerfung der Pariser Kommune zog er nach London, wo er mit einer Serie von Schilderungen mondäner gesellschaftlicher Festlichkeiten Erfolg hatte, etwa *Too Early* (RA 1873, Guildhall Art Gallery, London), *The Ball on Shipboard* (RA 1874, Tate Gallery, London), *Hush!* (RA 1875, Manchester City Art Gallery). 1877-79 stellte er seine Gemälde und Radierungen auch in der Grosvenor Gallery aus. Seit etwa 1875 lebte er mit Kathleen Newton zusammen, einer geschiedenen Frau, die er in vielen seiner Darstellungen von Londoner Gartenanlagen und Straßen porträtierte. Nach ihrem Tod kehrte er 1882 nach Paris zurück. Nach seiner Konversion reiste er nach Palästina, um Bibelillustrationen zu zeichnen. Er starb in der Nähe von Besançon.   J.B.T.

Lit.: London 1984 c; Wentworth 1984

JOSEPH MALLORD WILLIAM TURNER (1775-1851)

wurde als ältester Sohn eines Barbiers im Londoner Stadtteil Covent Garden geboren. Schon als Kind zeichnete er Stiche nach. Im Dezember 1789 wurde er zur Royal Academy zugelassen; zur gleichen Zeit studierte er bei dem Architekturzeichner Thomas Malton. 1790 stellte er zum ersten Mal ein Aquarell, 1796 ein Gemälde in der Royal Academy aus. Fahrten nach Bristol und Wales (1791 und 1792) waren seine ersten Zeichenexpeditionen, wie er sie sein Leben lang unternehmen sollte. In seinem Frühwerk konzentrierte er sich auf topographische Aquarelle, eine damals weit verbreitete Kunstform, die er technisch wie motivisch zu neuen Höhen führte. 1799 wurde er außerordentliches Mitglied der Royal Academy, 1802 Vollmitglied. Im selben Jahr besuchte er erstmals den europäischen Kontinent – Frankreich und die Schweiz.

Inzwischen war er eine dominierende Gestalt in der britischen Kunst; zielbewußt forderte er in einem Gemälde nach dem anderen die alten Meister auf ihren ureigenen Terrains heraus: Claude Lorrain und Cuyp in der Landschaftsmalerei, Claude Lorrain und Poussin in der Historienmalerei, Van de Velde und Ruysdael auf dem Gebiet des Seestücks. 1807 erschien der erste Band des ›Liber Studiorum‹, worin er anhand einer Folge eigenhändig gestochener Drucke die Formen der Landschaftsmalerei klassifizierte. Im selben Jahr wurde er zum Professor für Perspektive an der Royal Academy ernannt. 1811 veröffentlichte er die erste Folge von topographischen Stichen nach seinen Aquarellen, The Southern Coast. 1812 stellte er Hannibal Crossing the Alps aus, ein brillantes, in seiner Schilderung eines wirbelnden Schneesturms höchst originelles Gemälde. Bei seiner ersten Italienreise 1820 besuchte er u.a. Rom und Venedig. Reisen nach Holland (1825), Belgien und an den Rhein, Frankreich (1826) und wieder Italien (1828/29) folgten. Das italienische Licht ließ Turner eine hellere Palette aufgreifen, die zusammen mit seiner immer freier werdenden Maltechnik zu zunehmend ›impressionistischen‹, in ihrer Zeit beispiellosen Werken führte, besonders gut an den Venedig-Bildern von 1833 zu beobachten. In den frühen vierziger Jahren schuf er in der Schweiz eine Folge von brillant kolorierten Skizzen und ausgearbeiteten Aquarellen von genau identifizierbaren Örtlichkeiten mit persönlichen und historischen Assoziationen: Höhepunkt seiner topographischen Kunst. Seine Ölmalerei durchlief eine vergleichbare Entwicklung; die Werke, an denen wir sie am besten ablesen können, waren allerdings nicht für die Öffentlichkeit bestimmt (z.B. Norham Castle, Sunrise, Tate Gallery, London). In seinem Testament vermachte Turner, der sich seines Ranges bewußt war, der britischen Nation seinen Nachlaß – zahllose Skizzenbücher und vollendete wie unvollendete Gemälde. Sein Lebenswerk beherbergen heute fast vollständig die Tate Gallery und die National Gallery in London.
                                    R.H.

Lit.: Gage 1987; London 1991-92

FREDERICK WALKER (1840-1875)

wurde als Sohn eines Juweliers im Londoner Stadtteil Marylebone geboren. Er besuchte Abendkurse an der Leigh's School und schrieb sich später an den Royal Academy Schools ein. Außerdem zeichnete er im British Museum nach antiken Skulpturen. 1858-60 ging er bei J.W. Whymper als Holzschnittillustrator in die Lehre. Danach arbeitete er als Illustrator für die Brüder Dalziel. Immer nachhaltiger der Malerei zugewandt, interessierten ihn häusliche und genrehafte Sujets, die häufig von seinen Illustrationsarbeiten angeregt waren. Er entwickelte eine eigenwillige pastorale Form der Landschaftsmalerei. Später führte er symbolische Elemente in seine Malerei ein, insbesondere in seine großformatigen Ölgemälde wie The Harbour of Refuge (RA 1872, Tate Gallery, London). Reisen führten ihn zweimal nach Venedig und einmal – vor allem aus gesundheitlichen Gründen – nach Algier. Im Alter von 35 Jahren starb er an Schwindsucht. Er hatte eine herausragende Stellung im Kunstleben seiner Zeit errungen, sowohl als Mitglied der Old Water-Colour Society als auch als außerordentliches Mitglied der Royal Academy. Später wurde er als Oberhaupt einer als ›Die Idylliker‹ bekannten Künstlerschule angesehen, zu der auch J.W. North und G.H. Mason gehörten.   C.S.N.

Lit.: Phillips 1894; Birmingham 1895; Marks 1896

HENRY WALLIS (1830-1916)

wurde am 21. Februar in London geboren, lernte zunächst an Cary's Academy und wurde 1848 Kandidat auf Probe an der Royal Academy. Später studierte er in Paris im Atelier von M.G. Gleyres und an der Académie des Beaux-Arts. Es kann kaum bezweifelt werden, daß The Stonebreaker von 1858 (Kat. 49), Wallis' Meisterwerk, von den Gemälden des französischen Realismus beeinflußt war, die Wallis in dieser Zeit gesehen hatte. 1853 beteiligte er sich in der Royal Manchester Institution erstmals an einer Ausstellung, und im Jahr darauf stellte er in London in der British Institution aus. Um diese Zeit gehörte er zum Umkreis der Bruderschaft der Präraffaeliten, und sein bekanntestes Bild, das kleine Ölgemälde The Death of Chatterton (RA 1856, Tate Gallery, London), gilt als eines der Hauptwerke des Präraffaelitismus. Aufgrund einer Erbschaft war Wallis finanziell unabhängig und machte nach The Stonebreaker als Maler kaum mehr von sich reden. Von 1854 bis 1877 stellte er 35 Bilder in der Royal Academy und 81 in der Old Water-Colour Society aus. In seinen späteren Jahren bereiste er Italien, Sizilien und Ägypten. Er machte sich einen Namen als kenntnisreicher Sammler von Keramiken.
                                    R.H.

Lit.: London 1984

EDWARD MATTHEW WARD (1816-1879)

wurde als Sohn eines Bankangestellten in London geboren. 1834 schrieb er sich an den Royal Academy Schools ein. 1836-39 lebte er in Rom, wo er an Zeichenschulen studierte, Gemälde Alter Meister kopierte und Assistent bei dem neoklassizistischen Maler Filippo Agricola war. Auf der Rückreise verweilte er in Venedig, Paris und München, wo er unter Peter von Cornelius die Freskotechnik studierte. 1843 beteiligte er sich mit dem Entwurf Boadicea am Westminster-Wettbewerb. Etwa zehn Jahre später erhielt er den Auftrag, einen Korridor im House of Commons mit einer Folge von acht Historiengemälden auszuschmücken. Dazu gehören The Execution of Montrose und The Sleep of Argyll. Ward hatte eine besondere Vorliebe für Themen der französischen Geschichte; eines der ersten seiner in der Royal Academy und British Institution ausgestellten Werke war Napoleon in the Prison of Nice (BI 1841; verschollen), das vom Duke of Wellington erworben wurde. Sein – bereits vergebenes – Gemälde The Royal Family of France in the Prison of the Temple (RA 1851, Privatsammlung) hätte Königin Victoria gerne für ihre Sammlung erworben. 1846 wurde er außerordentliches und 1855 Vollmitglied der Royal Academy. Auch seine Frau Henriette, eine Enkelin des romantischen Landschaftsmalers James Ward, malte Historiengemälde. Ihr Sohn, Sir Leslie Ward, der unter dem Pseudonym ›Spy‹ (›Spion‹) arbeitete, wurde ein bekannter Porträtmaler und Karikaturist.   C.S.N.

Lit.: AJ 1855, S.45-48; AJ 1879, S.72-73

JOHN WILLIAM WATERHOUSE (1849-1917)

wurde als Sohn eines unbedeutenden englischen Malers in Rom geboren. Er studierte an den Royal Academy Schools und stellte seit 1874 in der Academy aus, später auch in der Grosvenor und in der New Gallery. Seine frühesten Werke waren italienische Genreszenen, später ging er zu antiken Alltagsszenen im Stil Alma-Tademas über, die ungemein erfolgreich waren und von führenden Privatsammlern und Museen erworben wurden. Der Höhepunkt dieser Phase war Marianne (RA 1887, Forbes Magazine Collection), das bei der Pariser Ausstellung von 1889 mit einer Medaille ausgezeichnet und 1893 in Chicago und 1897 in Brüssel ausgestellt wurde. Mit The Lady of Shalott (RA 1888, Tate Gallery, London) adaptierte er die Femmes fatales der Präraffaeliten und einen Burne-Jones angelehnten figürlichen Stil, der jedoch mit einer kraftvollen, an Bastien-Lepage erinnernden Pinselführung kombiniert ist (Hylas and the Nymphs; RA 1897, Manchester City Art Gallery). 1895 wurde er Vollmitglied der Royal Academy; er unterrichtete an den Academy Schools und malte gelegentlich Porträts. Bis zuletzt waren seine Lieblingsmotive bezaubernde Frauen und mythische Heldinnen vor luxuriösem und mystischem Hintergrund.   J.B.T.

Lit.: Hobson 1980

GEORGE FREDERIC WATTS (1817-1904)

wurde als Sohn eines Klavierbauers in London geboren. Er war ein kränkelndes Kind und erhielt nur eine unzulängliche Schulbildung. 1835 ging er an die Royal Academy Schools und studierte im British Museum antike Skulpturen; schon von 1837 an stellte er in der Royal Academy aus. Sein Entwurf Caractacus led in Triumph through the Streets of Rome gewann einen Preis im Wettbewerb um die Ausgestaltung des Palace of Westminster von 1843; das Preisgeld ermöglichte es ihm, nach Florenz zu reisen, wo er viele Jahre lang blieb. In Italien studierte er die Werke der Renaissancemaler, vor allem Tizians und Michelangelos. Zurück in London, schloß er sich Mrs. Prinseps Literaten- und Künstlersalon im Little Holland House an. Von den fünfziger Jahren an schuf er monumentale biblische Sujets sowie Allegorien des menschlichen Schicksals. Er bekam Aufträge für Fresken in öffentlichen Gebäuden und Kirchen. In den sechziger Jahren wandte er sich auch der Bildhauerei zu; seine beiden bekanntesten Skulpturen sind *Physical Energy* (Kensington Gardens) und das *Standbild Tennysons* in Lincoln. Dem breiten Publikum war er vor allem als Porträtmaler bekannt. Er wohnte in Kensington – dort war Leighton sein Nachbar – und in Limnerslease bei Guildford, wo sich heute ein Museum seiner Werke befindet.   C.S.N.

Lit.: Watts 1912; Blunt 1975; Manchester 1978

THOMAS WEBSTER (1800-1886)

wurde im Londoner Stadtteil Pimlico als Sohn eines Hofbediensteten König Georges III. geboren. Er sang als Chorknabe in den Chapels Royal und sollte eine musikalische Laufbahn einschlagen, im Oktober 1821 schrieb er sich jedoch an den Royal Academy Schools ein. 1823 stellte er zum erstenmal ein Werk in der Royal Academy aus, ein Gruppenporträt. Die Porträtmalerei war bei jungen Künstlern beliebt, weil sie eine sichere Einnahmequelle bot. Ein spielende Kinder zeigendes Genrebild, das 1825 in der Society of British Artists zu sehen war, brachte Webster die Aufmerksamkeit eines größeren Publikums ein. Die Vorliebe der Sammler der Mittelschicht für Szenen aus dem täglichen Leben ging letzten Endes auf die niederländische Kunst des 17. Jahrhunderts zurück, die damals hoch im Kurs stand. Webster spezialisierte sich daraufhin auf die Welt der Kinder, was allerdings bei steigendem Erfolg dazu führte, daß er seine Motive häufig wiederholte. 1840 wurde er außerordentliches und 1846 Vollmitglied der Royal Academy. 1857 schloß er sich einer Gruppe von Künstlern an, die in dem Dorf Cranbrook in Kent lebte und als ›Cranbrook Colony‹ bekannt wurde. Ihre Sujets – für gewöhnlich detailgetreu wiedergegebene Szenen des Dorflebens – erinnern gelegentlich an de Hooch oder Terborch. Anders als die meisten anderen Akademiemitglieder legte Webster sein Amt schon zehn Jahre vor seinem Tod nieder.   R.H.

Lit.: Wolverhampton 1977

JAMES ABBOTT MCNEILL WHISTLER (1834-1903)

wurde in Lowell, Massachusetts, geboren. Er besuchte die Militärakademie West Point und arbeitete später für die Küstenwache. 1855 übersiedelte er nach Frankreich und wurde bald Schüler von Charles Gleyre. 1858 begegnete er Henri Fantin-Latour und Gustave Courbet, dessen realistischen Stil er übernahm. 1859 zog er nach London. In Chelsea malte er seine ersten figürlichen Sujets, wie *The White Girl* (1862, National Gallery of Art, Washington DC). 1866 scheint ihn eine Reise nach Valparaiso zu seinen ersten ›Notturnos‹ inspiriert zu haben, die auf monochrome Blau-, Grün- und Grautöne reduziert sind. Um diese Zeit wandte er sich auch intensiv den klassischen Figurenkompositionen ohne narrative Assoziationen zu, die den Werken seines Freundes Albert Moore ähnelten; ebenso beschäftigte er sich mit fernöstlicher Kunst und fügte exotische Accessoires in seine Gemälde ein. Von den frühen siebziger Jahren an widmete er sich der Porträtmalerei; zu seinen Meisterwerken in diesem Genre gehört *Arrangement in Grey and Black No 1: The Artist's*

Mother (1872, Musée d'Orsay, Paris). Er war auch ein geschmackvoller Innenraum-Gestalter, etwa bei dem bekannten ›Peacock Room‹ im Haus seines Förderers F.R. Leyland. Da er seine Bilder bei Ausstellungen der Royal Academy nicht sorgfältig genug behandelt fand, wechselte er 1877 zur Grosvenor Gallery über. Als die Kosten für die – erfolgreiche – Verleumdungsklage gegen Ruskin, der das 1877 ausgestellte *Nocturne in Black and Gold: The Falling Rocket* (ca. 1874, Detroit Institute of Arts) heftig attackiert hatte, zu seinem Bankrott führten, kam es zu einer Krise in seinem Leben. Er mußte das Haus verkaufen, das E.W. Godwin gerade erst für ihn gebaut hatte, und zog sich nach Venedig zurück. Dort schuf er eine Folge von Radierungen. In den achtziger und neunziger Jahren wurde Whistler als der führende moderne Künstler Großbritanniens betrachtet und im In- und Ausland verehrt.   C.S.N.

Lit.: Whistler 1890; Pennell 1908; Sutton 1966; Young 1980; Curry 1984

SIR DAVID WILKIE (1785-1841)

wurde als dritter Sohn des Pfarrers von Cults in der schottischen Grafschaft Fife geboren. Mit 14 Jahren begann er unter John Graham sein Studium an der Trustees' Academy in Edinburgh, bei der zeichnerisches Können im Vordergrund stand. Von Künstlern wie Rembrandt, Teniers und Ostade beeinflußt, malte er schottische Sujets und Porträts, bevor er 1805 nach London ging und zum ersten Mal in der Royal Academy ausstellte. *The Village Politicians* (1805; Privatsammlung), ebenfalls ein schottisches Thema, ausgestattet mit »aller Lebhaftigkeit Teniers' und allem Humor Hogarths«, wie ein Sammler sagte, machten Wilkie über Nacht berühmt. Der Witz, die detailreiche Beobachtung, die narrative Kraft und die Peinture dieses Werks brachten einen völlig neuen Ton ins Genre der häuslichen Szenen. Gemälde wie *The Blind Fiddler* (1806; Tate Gallery, London), *The Rent Day* (1807; Privatsammlung), *The Cut Finger* und *The Village Festival* (1809 bzw. 1811; Tate Gallery) setzten diese Richtung fort. Sie dienten anderen Künstlern, etwa Leslie, als Vorbild und verhalfen der zeitgenössischen britischen Malerei zu einer Identität, die ihr aufgrund des von Sir Joshua Reynolds propagierten ›Grand Style‹ bislang versagt geblieben war. 1809 wurde Wilkie außerordentliches und 1811 Vollmitglied der Royal Academy. 1814 hielt er sich in Paris auf, 1816 in Belgien und Holland, 1817 in Schottland. König Ludwig I. von Bayern gab das Bild *Die Testamentseröffnung* (1820; Neue Pinakothek, München) in Auftrag, der Herzog von Wellington *Chelsea Pensioners Reading the Waterloo Despatch* (Apsley House, London), das den Sieg über Napoleon bei Waterloo verherrlichte. 1822 war Wilkie – wie Turner – in Edinburgh, um den Staatsbesuch Georges IV. in Schottland festzuhalten. Nach einem Nervenzusammenbruch 1824 bereiste er mehrere Jahre lang Italien, Deutschland und Spanien, um sich zu erholen. Nach seiner Rückkehr wurde sein Stil freier, kühner, manieristischer – und weniger erfolgreich. 1835 besuchte er Irland und bemühte sich erneut, historische Erhabenheit zu erreichen. 1840 reiste er mit dem Vorsatz, seiner Kunst neue Möglichkeiten zu öffnen, nach Ägypten und ins Heilige Land. Auf der Rückreise starb er an einer Mageninfektion und wurde am 1. Juni 1842 bei Gibraltar auf offener See beigesetzt. Die Trauer über seinen Tod fand

in Turners *Peace – Burial at Sea* (1842; Tate Gallery) ihren überwältigenden Ausdruck.   R.H.

Lit.: Cunningham 1843; New Haven 1987

DANIEL ALEXANDER WILLIAMSON (1823-1903)

entstammte einer Künstlerfamilie aus Liverpool. Er ging zu einem Kunsttischler in die Lehre, wandte sich jedoch später der Malerei zu. 1847 zog er nach Peckham, einem südlichen Vorort von London. An der Leigh's School belegte er Aktzeichenkurse. Von 1853 an stellte er in der Royal Academy Porträts und Landschaften mit Rindern und Schafen aus. 1861 kehrte er nach Nordengland zurück und lebte in Dörfern am Rande des Lake District, zunächst in Warton-in-Carnforth und später in Broughton-in-Furness. Seine Landschaften der frühen sechziger Jahre zeichnen sich durch leuchtende Farben und eine kunstvolle Detailgestaltung aus, von der Mitte der sechziger Jahre ging er zu einer kursorischen Darstellungsweise über und war um atmosphärische Wirkungen bemüht. Oft benutzte er Wasserfarben, um die ätherischen Eigenschaften der Atmosphäre und des Lichts einzufangen, er experimentierte mit angefeuchteten Leinwänden, damit die Farben sich mischen und ineinander übergehen konnten. In unregelmäßigen Abständen stellte er in der Royal Academy, der Dudley Gallery und der Liverpool Academy aus. Er war auf Sammler im Nordwesten Englands angewiesen. Einem breiteren Publikum unbekannt, hatte er aber Bewunderer unter seinen Kollegen, so G.F. Watts, Jozef Israels und Whistler, der die Originalität seiner Werke Anerkennung zollte, indem er ihn 1898 zur Ausstellung der International Society einlud.   C.S.N.

Lit.: Marillier 1904, S.234-240; Staley 1973, S.147-149

FRANZ XAVER WINTERHALTER (1805-1873)

wurde in Menzenschwand im Schwarzwald geboren und erhielt seine Ausbildung als Graphiker in Freiburg im Breisgau und an der Münchner Akademie bei Stieler. 1828 bekam er als Zeichenlehrer bei Hof in Karlsruhe erste Porträtaufträge, darunter auch für ein Bildnis des großherzoglichen Paares. Nach seiner Rückkehr von einem Rom-Aufenthalt (1832-34) wurde er zum Hofmaler ernannt. Im selben Jahr ging er nach Paris, wo er bald seinen Hauptwohnsitz nahm, 1835 im ›Salon‹ ausstellte und Mitglieder der königlichen Familie – ebenso das belgische Königspaar – porträtierte. 1842 malte er erstmals in Buckingham Palace und Windsor: In den folgenden fünfzehn Jahren schuf er eine Vielzahl von Bildnissen Königin Victorias, Prinz Alberts und ihrer Kinder. 1852 unternahm er zusammen mit Eduard Magnus eine Spanienreise, bei der er Königin Isabella porträtierte. Von 1853 an folgten Bildnisaufträge von Napoleon III. und Kaiserin Eugenie, später auch von der Zarenfamilie. 1864 entstanden die beiden berühmten Bildnisse der Kaiserin Elisabeth von Österreich. Mit hohen Orden und Ehrungen ausgezeichnet, kehrte er 1871 nach Karlsruhe zurück. Er starb 1873 in Frankfurt an Typhus. Noch im selben Jahr fanden im Frankfurter Kunstverein und in der Kunsthalle Baden Gedenkausstellungen für ihn statt. Mit seiner Porträtkunst ging eine vielhundertjährige Tradition europäischer Herrscherbildnisse zuende, die er zu einem letzten Höhepunkt geführt hatte.   C.H.

Zeittafel

POLITIK UND WISSENSCHAFT		KÜNSTE
24. Mai: Königin Victoria geboren Arbeiterunruhen in Manchester; Einschränkung der Presse- und Versammlungsfreiheit Erstes Dampfschiff überquert den Atlantik	1819	Ruskin geboren Senefelder: ›Lehrbuch der Lithographie‹ Erste Italienreise Turners
George IV. wird König von Großbritannien und Hannover Ampère entdeckt Prinzip des Wechselstroms	1820	Géricault in England (bis 1822) Heath erfindet Stahlstich-Verfahren Shelley: ›Prometheus unbound‹
Tod Napoleons I. Beginn des griechischen Unabhängigkeitskampfes gegen die Türken Faraday entdeckt Grundprinzip des Elektromotors	1821	Ford Madox Brown geboren Keats gestorben
Proklamation der Monroe-Doktrin in den USA	1823	Royal Pavilion in Brighton (Nash) Old Colonial Office der Bank of England (Soane) Baubeginn des British Museum in London (Smirke)
Wiederzulassung der Gewerkschaften in Großbritannien	1824	Neugotische Umgestaltung von Schloß Windsor Constable stellt im Pariser Salon aus Lord Byron gestorben
	1825	Corot erstmals im Pariser Salon vertreten Dyce in Italien; Kontakt mit den Nazarenern
Vertrag von London über die Autonomie Griechenlands	1827	Fertigstellung der Regent Street (Nash) Holman Hunt geboren Blake gestorben Beethoven gestorben
	1828	Dante Gabriel Rossetti geboren Ausstellung von Turner-Werken in Rom Goya gestorben
Katholiken werden in Großbritannien zu politischen Ämtern zugelassen	1829	Millais geboren
Juli-Revolution in Frankreich Unruhen und Aufstände in Brüssel, Warschau, Sachsen, Braunschweig und Kurhessen Eisenbahnlinie von Manchester nach Liverpool	1830	Lord Leighton geboren Maler von Barbizon finden sich zusammen Auflösung der Nazarener in Rom Delacroix: *Die Freiheit führt das Volk auf die Barrikaden* Daumiers erste Veröffentlichung von Karikaturen
	1831	Hegel gestorben
Parlaments- und Wahlrechtsreform in England (Wohlhabende Bürger dürfen wählen) Hambacher Fest Otto I. von Wittelsbach wird König von Griechenland (1862 gestürzt)	1832	Manet geboren Goethe gestorben Scott gestorben

Politik und Wissenschaft		Künste
Preußen gründet Deutschen Zollverein Gauß und Weber erfinden den elektromagnetischen Telegraphen	**1833**	Burne-Jones geboren
Bündnis zwischen England, Frankreich, Spanien und Portugal zum Schutz des Liberalismus	**1834**	Morris geboren Whistler geboren
	1836	Baubeginn der Clifton-Bridge (Eisenkonstruktion) in Bristol Barry gewinnt Wettbewerb für neugotischen Neubau des Londoner Parlaments
Victoria wird Königin von Großbritannien und Irland Ende der Personalunion zwischen England und Hannover Morse erfindet den Schreibtelegraphen	**1837**	Constable gestorben Büchner gestorben
›Opium-Krieg‹ in China (bis 1842)	**1839**	Daguerre und Fox Talbot entwickeln die Photographie
10. Februar: Hochzeit Victorias mit Prinz Albert von Sachsen-Coburg-Gotha Regierungsantritt Friedrich Wilhelms IV. von Preußen	**1840**	Monet geboren Rodin geboren C. D. Friedrich gestorben Eröffnung der National Gallery in London
Geburt des Thronfolgers Edward List: ›Das nationale System der politischen Ökonomie‹	**1841**	Berufung Winterhalters an den britischen Hof ›Punch‹ gegründet
Wirtschaftskrise und Unruhen in England	**1842**	Mendelssohn-Bartholdy widmet Victoria die ›Schottische Sinfonie‹
›The Economist‹, Publikationsorgan für den Freihandel Erstes Telegraphenamt in England	**1843**	Ruskin: ›Modern Painters‹
	1844	Turner: *Rain, Steam and Speed: The Great Western Railway*
Mißernte und Hungersnot in Irland Friedrich Engels: ›Die Lage der arbeitenden Klasse in England‹	**1845**	Ford Madox Brown in Rom; Kontakt mit Nazarenern Dyce studiert in Deutschland Fresken der Cornelius-Schule
Aufhebung der Kornzölle in England	**1846**	Dyce beginnt mit Wandmalereien im Londoner Parlament
Revolutionen in Paris, Berlin und anderen Städten Deutsche Nationalversammlung in der Frankfurter Paulskirche Marx und Engels: ›Manifest der Kommunistischen Partei‹	**1848**	Gründung der ›Pre-Raphaelite Brotherhood‹ in London nach dem Vorbild der Nazarener (D. G. Rossetti; J. E. Millais; W. H. Hunt) Thackeray: ›Vanity Fair‹
Preußen erhält Verfassung Auswanderung einer halben Million Briten nach den USA Australische Kolonien bekommen limitierte Selbstverwaltung Unterseekabel Dover–Calais	**1850**	Richard Wagner: ›Das Kunstwerk der Zukunft‹ Präraffaelitische Zeitschrift ›The Germ‹
Erste Weltausstellung im Londoner Kristallpalast	**1851**	Turner gestorben Gründung des Victoria & Albert Museums in London Semper in London (bis 1855) Gründung der Zeitschrift ›Journal of Design and Manufactures‹
Napoleon III. Kaiser von Frankreich	**1852**	
Beginn des Krimkrieges (bis 1856)	**1853**	Haussmann modernisiert Pariser Stadtanlage Baubeginn der neugotischen Maximilianstraße in München (›Maximilianstil‹)

Politik und Wissenschaft		Künste
Weltausstellung in Paris	**1855**	Baubeginn des University Museum in Oxford (Woodward und Deane) Realismus-Ausstellung von Courbet in Paris
	1856	Burne-Jones lernt Ruskin und Rossetti kennen Shaw geboren
Auflösung der Ostindischen Kompanie und Übertragung ihrer Rechte auf die britische Krone	**1857**	Baubeginn des Maximilianeums in München im neugotischen Stil (Bürklein)
Hochzeit von Victoria, der ältesten Tochter der Königin, mit Kronprinz Friedrich Wilhelm von Preußen (später Kaiser Friedrich III.) Abdankung Friedrichs Wilhelm IV. von Preußen; Prinz Wilhelm übernimmt Regentschaft	**1858**	Baubeginn der Wiener Ringstraße (1865 der Öffentlichkeit übergeben)
Darwin: ›Über die Entstehung der Arten durch natürliche Zuchtwahl‹	**1859**	Bau von Red House in Bexley Heath für Morris (Webb)
Handelsvertrag zwischen England und Frankreich: Abbau der Schutzzölle	**1860**	
Sezessionskrieg in den USA (bis 1865) Prinz Albert gestorben	**1861**	Morris gründet die Kunstgewerbe-Firma Morris, Marshall, Faulkner & Co. Baubeginn der Pariser Oper (Garnier)
Bismarck wird preußischer Ministerpräsident Weltausstellung in London	**1862**	Godwin baut Lagerhäuser in Bristol
	1863	›Salon des Refusés‹ in Paris (Manet, Whistler, Cézanne, Pissarro) Delacroix gestorben Thackeray gestorben Albert Memorial in London (Gilbert Scott)
Gründung der ›Ersten Internationale‹ in London durch Karl Marx (Internationale Arbeiterassoziation) Genfer Konvention zum Wohle der Verwundeten	**1864**	
Mendel: ›Versuche über Pflanzenhybriden‹	**1865**	Skandal um Manets *Olympia* in Paris
Siemens erfindet Dynamomaschine	**1866**	Baubeginn der Bahnhofshalle St. Pancras in London (Barlow)
Wahlrechts- und Parlamentsreform durch Disraeli in England Nobel erfindet das Dynamit Weltausstellung in Paris	**1867**	Entwurf der Royal Albert Hall (Fowke)
Gründung des ›Trades Union Congress‹ in England	**1868**	Royal Academy übersiedelt in ihre jetzige Residenz im Burlington House, Piccadilly
Eröffnung des Suezkanals	**1869**	Eröffnung des Münchner Glaspalastes mit der I. Internationalen Kunstausstellung
Deutsch-Französischer Krieg	**1870**	Dickens gestorben
Friede von Versailles Wilhelm I. deutscher Kaiser. Gründung des Deutschen Reiches Aufstand der Pariser Kommune	**1871**	

POLITIK UND WISSENSCHAFT		KÜNSTE
Weltwirtschaftskrise	1873	Landseer gestorben Winterhalter gestorben Marées malt Fresken in der Zoologischen Station in Neapel
Disraeli britischer Premierminister (bis 1880) Winston Churchill geboren Gründung des Weltpostvereins	1874	Neugotische Empfangshalle von St. Pancras in London (Gilbert Scott) Erste gemeinsame Ausstellung der Impressionisten in Paris (Monet, Pissarro, Renoir, Sisley, Bazille)
Victoria Kaiserin von Indien Bell konstruiert das Telephon	1876	Zweite Ausstellung der Impressionisten in Paris Gründung des ›New English Art Club‹
	1877	Courbet gestorben
Sozialistengesetz Bismarcks gegen Sozialdemokraten Krieg Großbritanniens gegen Afghanistan (bis 1880)	1878	Errichtung der Gartenvorstadt Bedford Park bei London (R. N. Shaw)
Edison erfindet die Kohlenfadenlampe Albert Einstein geboren	1879	
Allgemeine Schulpflicht in Großbritannien	1880	Rodin beginnt das *Höllentor*
Gründung der ›Social Democratic Federation‹ in Großbritannien	1881	Carlyle gestorben
Britische Intervention in Ägypten	1882	Rossetti gestorben
Weltausstellung in Amsterdam	1883	Gründung der ›Art Workers Guild‹ Baubeginn des Parlamentes in Budapest nach Londoner Vorbild Manet gestorben Wagner gestorben
Neue Wahlrechtsreform in Großbritannien: Landarbeiter dürfen wählen Extreme Arbeitslosigkeit mit ›Hungermärschen‹ durch London	1884	Baubeginn des Berliner Reichstages (Wallot) Japanausstellung in Paris Gründung des ›Salon des Indépendants‹ in Paris (Seurat, Signac)
Benz konstruiert das erste Automobil	1885	
	1886	Letzte gemeinsame Ausstellung der Impressionisten in Paris Gründung der Zeitschrift ›Le Symboliste‹ Gründung der englischen Goethe-Gesellschaft
Wilhelm II. deutscher Kaiser Wilhelm I. und Friedrich III. gestorben	1888	
Streik der Londoner Hafenarbeiter Neuansätze in der britischen Gewerkschaftsbewegung Großer Streik an der Ruhr	1889	Redon-Ausstellung im Café Volpini in Paris Gründung der Gruppe Nabis (Sérusier, Denis) Errichtung des Eiffelturmes zur Pariser Weltausstellung
Entlassung Bismarcks Aufhebung des Sozialistengesetzes Großbritannien gibt Helgoland gegen Sansibar an Deutschland	1890	Glasgow Boys stellen im Münchner Glaspalast aus Morris gründet die Kelmscott Press zur Erneuerung des Buchschmuckes Van Gogh gestorben
	1891	Toulouse-Lautrec entwirft erste Plakate in Paris
	1892	Gründung der ›Münchner Sezession‹ Tennyson gestorben

POLITIK UND WISSENSCHAFT		KÜNSTE
Diesel entwickelt seinen Motor (bis 1897) Behring erfindet Diphtherie-Heilserum	**1893**	Ford Madox Brown gestorben Gründung der Zeitschrift ›The Studio‹ Schließung einer Munch-Ausstellung in Berlin
	1894	Beardsley-Illustrationen zu ›Salome‹ von Wilde Tower-Bridge in London vollendet (Barry, Jones) Baubeginn der Wiener Stadtbahnhöfe (Otto Wagner) Baubeginn des Bayerischen Nationalmuseums in München (G. von Seidl)
Fertigstellung des Nord-Ostsee-Kanals Röntgen entdeckt die nach ihm benannten Strahlen London School of Economics and Political Science gegründet	**1895**	
	1896	Morris gestorben Millais gestorben Lord Leighton gestorben Gründung der Zeitschrift ›Jugend‹ in München (›Jugendstil‹)
Weltausstellung in Brüssel Marconi entwickelt Funktelegraphie	**1897**	Gründung der ›Wiener Sezession‹ Tate Gallery in London eröffnet
Beginn des Ausbaus der deutschen Kriegsflotte Marie Curie entdeckt das Radium	**1898**	Burne-Jones gestorben Puvis de Chavannes gestorben Glasgower Kunstschule (Mackintosh) Gründung der ›Berliner Sezession‹
Burenkrieg (bis 1902) Haager Friedenskonferenz	**1899**	
Gründung des ›Labour Representation Commitee‹ (später Labour Party) Europäische Großmächte werfen Boxeraufstand in China nieder	**1900**	Nietzsche gestorben Wilde gestorben Ruskin gestorben
22. Januar: Königin Victoria gestorben Edward VII., König von Großbritannien und Irland	**1901**	

Bearbeitet von Helmut Kronthaler

Literatur zum Thema

Bücher

Agresti 1904
Agresti, Olivia Rossetti: *Giovanni Costa*, London 1904

Allderidge 1974
Allderidge, Patricia: *Richard Dadd*, London 1974

Altick 1985
Altick, R.D.: *Paintings from Books, Art and Literature in Britain 1760-1900*, Columbus, Ohio, 1985

Baldry 1894
Baldry, Alfred Lys: *Albert Moore: His Life and Works*, London 1894

Baron 1973
Baron, Wendy: *Sickert*, London 1973

Barrington 1906
Barrington, Mrs Russell: *The Life, Letters and Work of Frederic Leighton*, 2 Bde., London 1906

Bell 1898
Bell, M.: *Sir Edward Burne-Jones. A Record and Review*, London 1898

Bell 1967
Bell, Quentin: *Victorian Artists*, London 1967

Bendiner 1985
Bendiner, Kenneth: *An Introduction to Victorian Painting*, New Haven und London 1985

Bennet 1986
Bennet, Mary: *Artists of the Pre-Raphaelite Circle, the First Generation, Catalogue of Works in the Walker Art Gallery, Lady Lever Art Gallery and Sudley Art Gallery*, National Museums and Galleries on Merseyside, Liverpool 1986

Billcliffe 1985
Billcliffe, Roger: *The Glasgow Boys*, London 1985

Birch 1906
Birch, Mrs Lionel: *Stanhope A. Forbes and Elizabeth Stanhope Forbes*, London 1906

Birke, Brady u.a. 1989
Birke, Adolf M.; Brady, Philip u.a.: *Großbritannien und Deutschland*, Hameln 1989

Birke und Kluxen 1983
Birke, Adolf M. und Kluxen, Kurt (Hrsg.): *Viktorianisches England in deutscher Perspektive*, München 1983

Blunt 1975
Blunt, Wilfrid: *England's Michelangelo; A Biography of George Frederick Watts, O.M., R.A.*, London 1975

Burne-Jones 1904
B[urne]-J[ones], G[eorgiana]: *Memorials of Edward Burne-Jones*, 2 Bde., London 1904

Butlin und Joll (1977) 1984
Butlin, Martin und Joll, Evelyn: *The Paintings of J.M.W. Turner*, 2 Bde., 1. Aufl. 1977, 2. Aufl. New Haven und London 1984

Chapel 1982
Chapel, Jeannie: *Victorian Taste. The complete catalogue of paintings at the Royal Holloway College*, London 1982

Charteris 1927
Charteris, Evan: *John Sargent*, London 1927

Cope 1891
Cope, C.H., *Reminiscences of Charles West Cope, R.A.*, London 1891

Costa 1927
Costa, Georgia Guerazzi: *Quel che vidi e quel che intesi*, Mailand 1927

Crane 1892
Crane, Walter: *The Claims of Decorative Art*, London 1892

Crane 1907
Crane, Walter: *An Artist's Reminiscences*, London 1907

Cunningham 1843
Cunningham, Allan: *The Life of Sir David Wilkie*, 3 Bde., London 1843

Curry 1984
Curry, David Park: *James McNeill Whistler at the Freer Gallery of Art*, New York 1984

Dafforne 1877
Dafforne, James: *Pictures by John Phillip, R.A.*, London 1877

Dafforne 1879
Dafforne, James: *The Life and Works of Edward Matthew Ward, R.A.*, London 1879

Doughty 1949
Doughty, Oswald: *A Victorian Romantic – Dante Gabriel Rossetti*, London 1949

Edwards 1984
Edwards, Lee M.: *Hubert von Herkomer and the Modern Life Subject*, Diss. Columbia University, New York 1984

Engen 1979
Engen, Rodney K.: *Dictionary of Victorian Engravers, Print Publishers and Their Works*, Cambridge 1979

Feaver 1975
Feaver, William: *The Art of John Martin*, Oxford 1975

Fitzgerald 1975
Fitzgerald, Penelope: *Edward Burne-Jones: A Biography*, London 1975

Frith 1887
Frith, W.P.: *My Autobiography and Reminiscences*, 3 Bde., London 1887

Gage 1987
Gage, John: *J.M.W. Turner: ›A Wonderful Range of Mind‹*, London 1987

Gosse 1884
Gosse, Edmund: *Notes by Mr Edmund Gosse on the Pictures and Drawings of Mr Alfred W. Hunt exhibited at the Fine Art Society*, London 1884

Greysmith 1973
Greysmith, David: *Richard Dadd*, London 1973

Hardie 1968
Hardie, Martin: *Water-Colour Painting in Britain*, Bd. III: ›The Victorian Period‹, London 1968

Harrison und Waters 1973
Harrison, Martin und Waters, Bill: *Burne-Jones*, London 1973

Heleniak 1980
Heleniak, Kathryn Moore: *William Mulready*, New Haven und London 1980

Hilton 1985
Hilton, John: *John Ruskin: The Early Years*, New Haven und London 1985

Hobhouse 1983
Hobhouse, Hermione: *Prince Albert. His Life and Work*, London 1983

Hobhouse und Wood 1991
Hobhouse, Penelope und Wood, Christopher: *Painted Gardens*, London 1991

Hobson 1980
Hobson, Anthony: *The Art and Life of J.W. Waterhouse 1849-1917*, London 1980

Hönnighausen 1971
Hönnighausen, Lothar: *Präraphaeliten und Fin de Siècle. Symbolistische Tendenzen in der englischen Spätromantik*, München 1971

Hopkinson 1990
Hopkinson, Martin: *James McNeill Whistler at the Hunterian Art Gallery*, Glasgow 1990

Hunt 1905
Hunt, William Holman: *Pre-Raphaelitism and the Pre-Raphaelite Brotherhood*, 2 Bde., London 1905

Jenkyns 1980
Jenkyns, Richard: *The Victorians and Ancient Greece*, Oxford 1980

Krafft und Schümann 1969
Krafft, E.M. und Schümann, C.W.: *Katalog der Meister des 19. Jahrhunderts in der Hamburger Kunsthalle*, Hamburg 1969

Lago 1981
Lago, Mary: *Burne-Jones Talking*, London 1981

Lascelles 1902
Lascelles, Helen: *The Life and Work of Sir William B. Richmond, R.A., K.C.B.*, London 1902

Laughton 1971
Laughton, Bruce: *Philip Wilson Steer*, Oxford 1971

Leslie 1860
Leslie, C.R.: *Autobiographical Recollections*, 2 Bde., London 1860

Lewis 1978
Lewis, J.M.: *John Frederick Lewis R.A. 1805-76*, Leigh-on-Sea 1978

Lister 1988
Lister, Raymond: *Catalogue Raisonné of the Works of Samuel Palmer*, Cambridge 1988

Lister 1989
Lister, Raymond: *British Romantic Painting*, Cambridge 1989

Löcher 1973
Löcher, Kurt: *Der Perseus Zyklus von Edward Burne-Jones*, Stuttgart 1973

Marks 1896
Marks, John George: *The Life and Letters of Frederick Walker*, London 1896

Marillier 1904
Marillier, H.C.: *The Liverpool School of Painters*, London 1904

Metken 1984
Metken, Günther: *Die Präraphaeliten. Ethischer Realismus und Elfenbein-Turm im 19. Jahrhundert*, Köln 1974

Millais 1899
Millais, J.G.: *The Life and Letters of Sir John Everett Millais*, 2 Bde., London 1899

Millar 1985
Millar, Delia: *Queen Victoria's Life in the Scottish Highlands depicted by her Watercolour Artists*, London 1985

Miller und Dawney 1970
Miller, A.E. Haswell und Dawney, N.P.: *Military Drawings and Paintings in the Royal Collection*, 2 Bde., London 1970

Mills 1912
Mills, Ernestine: *The Life and Letters of Frederic Shields*, London 1912

Munnings 1950
Munnings, Alfred: *An Artist's Life*, London 1950

Munnings 1951
Munnings, Alfred: *The Second Burst*, London 1951

Munnings 1952
Munnings, Alfred: *The Finish*, London 1952

Neidhart 1987
Neidhart, Gottfried: *Geschichte Englands im 19. und 20. Jahrhundert*, München 1987

Netzer 1988
Netzer, Hans Joachim: *Albert von Sachsen-Coburg-Gotha. Ein deutscher Prinz in England*, München 1988

Newall 1987
Newall, Christopher: *Victorian Watercolours*, Oxford 1987

Newall 1990
Newall, Christopher: *The Art of Lord Leighton*, Oxford 1990

Olson 1986
Olson, Stanley: *John Singer Sargent: His Portrait*, London 1986

Olson, Adelson und Ormond 1986
Olson, Stanley; Adelson, Warren und Ormond, Richard: *Sargent at Broadway: The Impressionist Years*, New York 1986

Ormond 1970
Ormond, Richard: *Sargent: Paintings, Drawings, Watercolours*, London 1970

Ormond 1973
Ormond, Richard: *Early Victorian Portraits*, 2 Bde., London 1973

Ormond, L. und R. 1975
Ormond, Leonée und Richard: *Lord Leighton*, London 1975

Palmer 1892
Palmer, A.H.: *The Life and Letters of Samuel Palmer*, London 1892

Parkinson 1990
Parkinson, Ronald: *Victoria & Albert Museum; Catalogue of British Oil Paintings 1820-1860*, London 1990

Pennell 1908
Pennell, E.R. und J.: *The Life of James McNeill Whistler*, 2 Bde., London 1908

Pevsner 1974
Pevsner, Nikolaus: *Das Englische in der englischen Kunst*, dt. München 1974

Phillips 1894
Phillips, Claude: *Frederick Walker and his Works*, London 1894

Pointon 1979
Pointon, Maria: *William Dyce 1806-1864*, Oxford 1979

Pointon 1986
Pointon, Marcia: *Mulready*, London 1986 (Buch mit Katalog zur Ausstellung im Victoria and Albert Museum)

Ponsonby 1928
Ponsonby, Frederick (Hrsg.): *Briefe der Kaiserin Friedrich*, Berlin (1928)

Redgrave 1866
Redgrave, Richard und Samuel: *A Century of Painters of the English School*, 2 Bde., London 1866

Reynolds 1912
Reynolds, A.M.: *The Life and Work of Frank Holl*, London 1912

Reynolds 1966
Reynolds, Graham: *Victorian Painting*, London 1966

Roberts 1987
Roberts, Jane: *Royal Artists*, London 1987

Robertson 1931
Robertson, W. Graham: *Time Was*, London 1931

Roget 1891
Roget, John Lewis: *History of the Old Water-Colour Society*, 2 Bde., London 1891

Rossetti 1899
Rossetti, William Michael (Hrsg.): *Ruskin: Rossetti; Preraphaelitism*, London 1899

Rossetti 1900
Rossetti, William Michael (Hrsg.): *Preraphaelite Diaries and Letters*, London 1900

Rossetti 1965-67
Rossetti, Dante Gabriel: *Letters of Dante Gabriel Rossetti*, hrsg. von Oswald Doughty und J.R. Wahl, 4 Bde., 1965-1987

Ruskin 1903-12
Ruskin, John: *The Works of John Ruskin*, hrsg. von E.T. Cook und Alexander Wedderburn, 39 Bde., London 1903-1912

Scheele 1977
Scheele, G. und M.: *The Prince Consort*, London 1977

Schübel 1972
Schübel, Friedrich: *Englische Literaturgeschichte der Romantik und des Viktorianismus*, Berlin und New York 1972

Shields 1891
Shields, Frederic: *An Autobiography in Toilers in Art*, hrsg. von H.C. Ewart, London 1891

Simpson 1903
Eyre-Todd, G. (Hrsg.): *The Autobiography of William Simpson R.A.*, London 1903

Spencer 1975
Spencer, Isobel: *Walter Crane*, London 1975

Stainton 1985
Stainton, Lindsay: *Turner's Venice*, London 1985

Staley 1973
Staley, Allen: *The Pre-Raphaelite Landscape*, Oxford 1973

Stirling 1926
Stirling, A.M.W.: *The Richmond Papers*, London 1926

Surtees 1971
Surtees, Virginia (Hrsg.): *Dante Gabriel Rossetti. The Paintings and Drawings*, 2 Bde., Oxford 1971

Surtees 1980
Surtees, Virginia (Hrsg.): *The Diaries of George Price Boyce*, Norwich 1980

Surtees 1981
Surtees, Virginia (Hrsg.): *The Diary of Ford Madox Brown*, New Haven 1981

Swanson 1990
Swanson, Vern G.: *The Biography and Catalogue Raisonné of the Paintings of Sir Lawrence Alma-Tadema*, London 1990

Sweetman 1988
Sweetman, John: *The Oriental Obsession. Islamic Inspiration in British and American Art and Architecture 1500-1920*, Oxford 1988

Tingsten 1965
Tingsten, Herbert: *Königin Victoria und ihre Zeit*, München 1965

Vaughan 1974
Vaughan, William: *German Romanticism and English Art*, New Haven und London 1979

Walton 1972
Walton, Paul H.: *The Drawings of John Ruskin*, Oxford 1972

Watkinson und Newman 1990
Watkinson, Ray und Newman, Teresa: *Ford Madox Brown and the Pre-Raphaelite Circle*, London 1990

Watts 1912
Watts, M.S.: *George Frederic Watts*, 3 Bde., London 1912

Weintraub 1987
Weintraub, Stanley: *Queen Victoria. Eine Biographie*, dt. Zürich 1987

Wentworth 1984
Wentworth, Michael: *James Tissot*, Oxford 1984

Whistler 1890
Whistler, James McNeill: *The Gentle Art of Making Enemies*, London 1890

Williamson 1900
Williamson, George C.: *George J. Pinwell*, London 1900

Wills 1988
Wills, Catherine: *The Life and Work of Sir Francis Grant P.R.A.*, Diss. Courtauld Institute of Art, London 1988

Witt 1982
Witt, John: *William Henry Hunt – Life and Work, with a Catalogue*, London 1982

Wood 1976
Wood, Christopher: *Victorian Panorama*, London 1976

Wood 1978
Wood, Christopher: *Dictionary of Victorian Painters*, rev. Auflage, Woodbridge 1978

Young 1980
Young, A. McLaran; MacDonald, M.; Spencer, R. und Miles, H.: *The Paintings of James McNeill Whistler*, 2 Bde., New Haven und London 1980

Ausstellungskataloge

Wanderausstellungen sind unter ihrem ersten
Ausstellungsort genannt

Aberdeen 1964
*Centenary Exhibition of the Work of William
Dyce, R. A. 1806-1864*, Aberdeen und London
1964

Aberdeen 1967
Carter, Charles: *John Philip, R. A. (1817-1867)*,
Aberdeen Art Gallery, 1967

Birmingham 1895
*A Catalogue of Pictures and Sketches by George
Mason, A. R. A., and George John Pinwell,
A. R. W. S.*, Royal Society of Artists, Birmingham
1895

Birmingham 1983
Wildman, Stephen: *David Cox 1783-1859*,
Birmingham Museums and Art Gallery, 1983

Bolton 1979
Warner, Malcolm: *The Drawings of J. E. Millais*,
Bolton Museum and Art Gallery, 1979

Bradford 1980
McConkey, Kenneth: *Sir George Clausen R. A.*,
Bradford Art Gallery, 1980

Brighton 1974
Frederick Sandys, Brighton Museum and Art
Gallery, 1974

Bristol 1973
Greenacre, Francis: *The Bristol School of Artists*,
City of Bristol Museum and Art Gallery, 1973

Bristol 1988
Greenacre, Francis: *Francis Danby, 1793-1861*,
City of Bristol Museum and Art Gallery, 1988

Bristol 1991
Greenacre, Francis and Stoddard, Sheena:
W. J. Muller 1812-1845, City of Bristol Museum
and Art Gallery, 1991

Cambridge 1982
Crouan, Katherine: *John Linnell, A Centennial
Exhibition*, Fitzwilliam Museum, Cambridge
1982

Cambridge 1986
Munro, Jane: *Philip Wilson Steer 1860-1942.
Paintings and Watercolours*, Fitzwilliam
Museum, Cambridge 1986

Cardiff 1971
Cowan, Leslie: *Arthur Hughes*,
National Museum of Wales, Cardiff 1971

Darmstadt 1979
Howald, G.: *Malerei 1800 bis um 1900*.
Hessisches Landesmuseum Darmstadt 1979

Dublin 1983
Sheehy, Jeanne: *Walter Osborne*,
National Gallery of Ireland, Dublin 1983

Edinburgh 1983
Errington, Lindsey: *Master Class: Robert Scott
Lauder and his Pupils*, National Galleries of
Scotland, 1983

Landsberg am Lech 1988
Neunzert, Hartfried (Hrsg.): *Sir Hubert von Herkomer. Zum hundertjährigen Jubiläum seines
Landsberger Mutterturms*, Landsberger Rathaus
1988

Leeds 1978
Treble, Rosemary: *Great Victorian Pictures*,
Leeds City Art Gallery, 1978

Leeds 1979
Lomax, James und Ormond, Richard:
John Singer Sargent and the Edwardian Age,
Lotherton Hall, Yorkshire 1979

Liverpool 1964
Bennett, Mary: *Ford Madox Brown*,
Walker Art Gallery, Liverpool 1964

Liverpool 1969
Bennett, Mary: *William Holman Hunt*,
Walker Art Gallery, Liverpool 1969

London 1873
*Collected Works of the Late George Mason,
A. R. A.*, Burlington Fine Arts Club, London 1873

London 1967
Bennett, Mary: *Millais P. R. B., P. R. A.*,
Royal Academy of Arts, London 1967

London 1972
Ormond, Richard und Turpin, John: *Daniel
Maclise, 1806-1870*, National Portrait Gallery,
London 1972

London 1973
Dante Gabriel Rossetti. Painter and Poet,
Royal Academy of Arts, London 1973

London 1974
Allderidge, Patricia: *The Late Richard Dadd*,
Tate Gallery, London 1974

London 1975
Christian, John: *Burne-Jones*, Arts Council of
Great Britain, 1975

London 1976
Skipwith, Peyton: *The Etruscan School*,
Fine Art Society, London 1976

London 1980
The Moore Family Pictures, Julian Hartnoll
Gallery, London 1980

London 1981
Braham, Allan: *El Greco to Goya*,
National Gallery, London 1981

London 1984a
Parris, Leslie (Hrsg.): *The Pre-Raphaelites*,
Tate Gallery, London 1984

London 1984b
Matyjaszkiewicz, Krystina (Hrsg.): *James Tissot*,
Barbican Art Gallery, London 1984

London 1985a
Daniels, Jeffery: *Solomon: A Family of Painters*,
Geffrye Museum, London 1985

London 1985b
Fox, Caroline und Greenacre, Francis: *Painting
in Newlyn 1880-1930*, Barbican Art Gallery,
London 1985

London 1985c
Stainton, Lindsay: *British Landscape Watercolours 1600-1860*, British Museum, London
1985

London 1987a
Newall, Christopher und Egerton, Judy: *George
Price Boyce*, Tate Gallery, London 1987

London 1987b
Theroux, Paul und Peers, Simon: *Mr William
Simpson of the Illustrated London News*, Fine
Art Society, London 1987

London 1987c
Ormond, R. und Blackett-Ord, C.: *Franz Xaver
Winterhalter and the Courts of Europe 1830-70*,
London 1987, Paris 1988

London 1988
Lambourne, Lionel; Casteras, Susan P. und Par-
kinson, Ronald: *Richard Redgrave 1804-1888*,
Victoria and Albert Museum, London 1988

London 1989a
*A Selection of Drawings, Oil Paintings and
Sculpture …*, Julian Hartnoll Gallery, London
1989

London 1989b
Christian, John: *The Last Romantics, The Roman-
tic Tradition in British Art*, Barbican Art Gallery,
London 1989

London 1989c
Hamlyn, Robin: *John Martin 1789-1854:
Belshazzar's Feast*, Tate Gallery, London 1989

London 1991-92
Powell, Cecilia: *Turner's Rivers of Europe:
The Rhine, Meuse and Mosel*, Tate Gallery,
London 1991-92

London 1992
Baron, Wendy und Shone, Richard (Hrsg.):
Sickert Paintings, Royal Academy of Arts,
London 1992

Manchester 1978
Hedberg, Gregory (Hrsg.): *Victorian High Renaissance*, Manchester City Art Galleries, 1978

Manchester 1986
Usherwood, Nicholas: *Alfred Munnings 1878-
1959*, Manchester City Art Galleries, 1986

Manchester 1987
Treuherz, Julian: *Hard Times, Social Realism in
Victorian Art*, Manchester City Art Galleries,
1987

Manchester 1989
Smith, Greg: *Walter Crane: Artist, Designer and
Socialist*, Whitworth Art Gallery, University of
Manchester, 1989

Montgomery 1985
*A Brush with Shakespeare. The Bard in Painting
1780-1910*, Montgomery Museum of Fine Arts,
Alabama 1985

München 1981
Hütsch, Volker: *Der Münchner Glaspalast 1854-
1931. Geschichte und Bedeutung*, München 1981

New Haven 1987
Chiego, W.; Miles, H. und Brown, D.: *Sir David
Wilkie of Scotland (1785-1841)*, Yale Center for
British Art, New Haven 1987

New York 1975
Forbes, Christopher: *The Royal Academy (1837-
1901) Revisited, Victorian Paintings from the
Forbes Magazine Collection*, Metropolitan
Museum of Art, New York 1975

Newcastle 1972
Green, Richard: *Albert More and his Contem-
poraries*, Laing Art Gallery, Newcastle 1972

Newcastle 1984
Greg, Andrew: *Charles Napier Hemy R. A.*,
Laing Art Gallery, Newcastle 1984

Newcastle 1989-90
Vickers, Jane (Hrsg.): *Pre-Raphaelites, Painters
and Patrons in the North East*, Laing Art Gallery, Newcastle 1989-90

Newlyn 1979
Fox, Caroline und Greenacre, Francis: *Artists
of the Newlyn School 1880-1900*, Newlyn Art
Gallery, 1979

Philadelphia 1981
Ormond, Richard mit Rishel, Joseph und
Hamlyn, Robin: *Sir Edwin Landseer*,
Philadelphia Museum of Art, 1981

Rom 1986
Benedetti, Maria Teresa und Piantoni, Gianna:
Burne-Jones, Galleria Nazionale d'Arte
Moderna, Rom 1986

Sheffield 1976
Goodchild, Anne: *Sir Lawrence Alma-Tadema
1836-1912*, Mappin Art Gallery, Sheffield 1976

Sheffield 1983
Clegg, Jeanne: *John Ruskin*, Mappin Art Gallery, Sheffield 1983

Stoke-on-Trent 1982
Billingham, Rosalind: *George Heming Mason*, Stoke-on-Trent Museum and Art Gallery, 1982

Wolverhampton 1977
Greg, Andrew: *The Cranbrook Colony*, Central Art Gallery, Wolverhampton 1977

York 1980
The Moore Family Pictures, Organisation: Julian Hartnoll, York City Art Gallery, 1980

York 1989
Newall, Christopher: *The Etruscans – Painters of the Italian Landscape, 1850-1900*, York City Art Gallery, 1989

York 1992
Campbell, Michael J.: *John Martin. Visionary Printmaker*, York City Art Gallery, 1992

Aufsätze

Alexander 1927-28
Alexander, Herbert: ›John William North, A.R.A., R.W.S.‹, in: *Old Water-Colour Society's Club*, Bd. 5, 1927-28, S. 35-59

Barlow 1953
Barlow, D.: ›Fontane's English Journey‹, in: *German Life and Letters,* 1953

Costa 1897
Costa, Giovanni: ›Notes on the late Lord Leighton‹, in: *Cornhill Magazine*, Bd. LXXV, 1897, S. 381-382

Curren 1992
Curren, Kathleen: ›Gärtners Farb- und Ornamentauffassung und sein Einfluß auf England und Amerika‹, in: Ausst. Kat. *Friedrich von Gärtner*, München 1992

Dafforne 1859
Dafforne, James: ›Richard Redgrave, R.A.‹, in: *Art Journal*, 1859, S. 205-207

Dafforne 1862
Dafforne, James: ›Abraham Solomon‹, in: *Art Journal*, 1862, S. 73-75

Dafforne 1863
Dafforne, James: ›Edward Armitage‹, in: *Art Journal*, 1863, S. 177-180

Dafforne 1869
Dafforne, James: ›Charles West Cope, R.A.‹, in: *Art Journal*, 1869, S. 177-179

Dafforne 1871
Dafforne, James: ›Birket Foster‹, in: *Art Journal*, 1871, S. 157-159

Dafforne 1877
Dafforne, James: ›The Works of Edward J. Poynter, R.A.‹, in: *Art Journal*, 1877, S. 17-19

Dibdin 1897
Dibdin, E. Rimbault: ›William Shakespeare Burton‹, in: *Magazine of Art*, 1897, S. 289-295

Gibson 1970
Gibson, Robin: ›Arthur Hughes: Arthurian and related subjects of the early 1860s‹, in: *Burlington Magazine*, CXIII (1970), S. 451-456

Glasson 1933-34
Glasson, Lancelot: ›Myles Birket Foster‹, in: *Old Water-Colour Society's Club*, Bd. 11, 1933-34, S. 34-51

Gray 1881
Gray, J.M.: ›Sir Noel Paton, R.S.A., LL.D.‹, in: *Art Journal*, 1881, S. 78-80

Heilmann 1976
Heilmann, Christoph: ›Ostende. Ein Gemälde aus Turners Spätzeit für München‹, in: *Pantheon*, XXXIV, 1976

Hunt 1924-25
Hunt, Violet: ›Alfred William Hunt, R.W.S.‹, in: *Old Water-Colour Society's Club*, Bd. 2, 1924-25

Kavanagh 1989
Kavanagh, Amanda: ›Robert Bateman: a True Victorian‹, in: *Apollo*, September 1989, S. 174-179

Kolsteren 1988
Kolsteren, Steve: ›The Pre-Raphaelite Art of John Melhuish Strudwick‹, in: *Journal of Pre-Raphaelite and Aesthetic Studies*, 1/2, Herbst 1988, S. 1-12

Schiff 1970
Schiff, Gert: ›Zeitkritik und Zeitflucht in der Kunst der Präraffaeliten‹, in: *Beiträge zur Motivkunde des 19. Jahrhunderts*, München 1970

Stephens 1934-35
Stephens, Frederic George: ›William Henry Hunt‹, in: *Old Water-Colour Society's Club*, Bd. 12, 1934-35, S. 17-50

Story 1895
Story, Alfred T.: ›Sir Noel Paton – His Life and Work‹, in: *Art Journal*, 1895, S. 97-128

Taylor 1966
Taylor, Basil: ›A Forgotten Pre-Raphaelite‹, in: *Apollo*, August 1966

Warner 1992
Warner, Malcolm: ›The Praeraphaelites and the National Gallery‹, in: *The Pre-Raphaelites in Context*, San Marino, Kalifornien 1992

Wood 1974
Wood, Christopher: ›The artistic family Hayllar‹, in: *Connoisseur*, April 1974, S. 266-273; Mai 1974, S. 2-7

Photonachweis

Tafeln

Taf. 1, 2, 3: Royal Collection, St. James's Palace, Ihre Majestät Königin Elizabeth II.

Taf. 8, 29, 39: Windsor Castle, Royal Library, Ihre Majestät Königin Elizabeth II.

Taf. 52: Sotheby's, London

Die Vorlagen zu den übrigen Tafeln wurden von den ausgewiesenen Sammlungen und Privatbesitzern zur Verfügung gestellt, für deren Entgegenkommen Verlag und Herausgeber danken.

Textabbildungen

S. 10, Abb. 2; S. 11, Abb. 3: Royal Commission on the Historical Monuments of England, Photo Bedford Lemere

S. 12, Abb. 4: Christopher Wood, London

S. 20, Abb. 7: A.C. Cooper Ltd., London

S. 23, Abb. 1: Jörg P. Anders, Berlin

S. 25, Abb. 3; S. 27, Abb. 5; S. 28, Abb. 6: Service Photographique de la Réunion des Musées Nationaux, Paris

S. 26, Abb. 4: Sterling and Francine Clark Art Institute, Williamstown, Mass.

S. 30, Abb. 1; S. 32, Abb. 4: National Portrait Gallery, London

Die übrigen Textabbildungen entstammen den ausgewiesenen Sammlungen oder den Archiven der Autoren.

Verzeichnis der Tafeln

Künstler in alphabetischer Reihenfolge;
Kursiv gesetzte Zahlen verweisen auf Katalog-Nummern